Word ∞ master

중등 고난도

KB198421

9791138910835

Writers

박혜란 이경미 강중원 박정연 최은경 조은정 홍석현 이윤정

Staff

발행인 정선욱
퍼블리싱 총괄 남형주
개발 김태원 김한길 박하영 심시현 송경미
기획 · 디자인 · 마케팅 조비호 김정인 framewalk
유통 · 제작 서준성 신성철

워드마스터 중등 고난도 **202209** 제4판 **1쇄** **202401** 제4판 **7쇄**
펴낸곳 이투스에듀㈜ 서울시 서초구 남부순환로 2547
고객센터 1599-3225
등록번호 제2007-000035호
ISBN 979-11-389-1083-5 [53740]

문법이 없으면
약간의 의미가 전달되지만,
어휘가 없이는
의미가 전혀 전달되지 않는다. -Wilkins

아기들이 말을 배우는 과정을 유심히 살펴 본 적이 있나요? 처음에는 단어 몇 개로 말을 하다가 점차로 많은 단어를 말하다가 비로소 문장 형태로 말을 합니다. 여러 단어들을 엮어서 문장으로 말을 하게 되는 거죠.

이처럼 단어는 새로운 언어를 배울 때 중요한 첫 관문이자, 기본 바탕이 됩니다. 하지만 정말 많은 영어 단어 중에서 어떤 단어를 어떻게 배우는 게 가장 효과적일까요?

여기 워드마스터 중등 고난도에 그 답이 있습니다.

◆ 주제별로 학습합니다. 연관성 높은 단어들을 묶어 학습하면 여러분의 머릿속에 어휘들의 그룹이 생겨납니다.

◆ 쉬운 어휘부터 어려운 어휘 순서로 학습합니다. 공부할 때 자신감만큼 중요한 건 없어요. 알고 있는 단어부터 차근차근 공부하다 보면 어려운 단어도 쉽게 내 것으로 만들 수 있습니다.

◆ 예문 학습도 굉장히 중요합니다. 단어가 실제 문장에서 어떻게 쓰이는지 확인하는 과정입니다. 교과서와 시험에 나오는 예문으로 공부하세요.

◆ 비슷한 말, 반대말, 그리고 관련 어휘들도 함께 공부하면 훨씬 풍부한 어휘력을 갖게 됩니다.

◆ Voca tip과 Culture tip을 통해서 단어와 관련된 유용한 표현, 어원, 문화적인 배경 등을 확인할 수 있습니다.

여러분, 워드마스터 중등 고난도와 함께 재미있는 영어 공부를 시작해 봐요!

Features

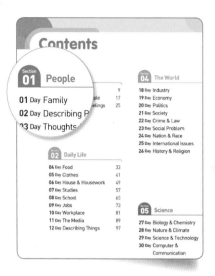

주제별 단어 학습

우리의 생활과 밀접하게 관련된 People, Daily Life, Leisure & Health, The World, Science의 5가지 큰 주제를 다시 30개의 소주제로 나누어 의미가 긴밀히 연결된 단어들을 함께 제시합니다. 주제별 학습은 단어들 간의 연상 작용을 통해 학습 흥미와 암기 효과를 높여 줍니다.

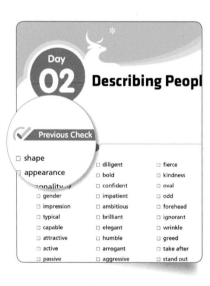

Previous Check

각 Day 별로 학습할 단어들을 미리 체크해 볼 수 있습니다.

ex)
- 뜻을 명확하게 알고 있는 단어 ○
- 뜻이 잘 생각나지 않는 단어 △
- 생소한 단어 ✕

위의 예와 같이 체크하면 본문에서 좀 더 자세히 봐야 할 단어들에 집중해 학습할 수 있고, 학습이 끝난 후 다시 돌아와 헷갈리거나 몰랐던 단어들을 모두 정확하게 학습했는지 체크해 볼 수 있습니다.

이 책에 나오는 약호

ⓝ 명사	ⓥ 동사	ⓐ 형용사	ⓐⓓ 부사
⊟ 동의어	⊟ 반의어	➕ 파생어, idiom, collocation	
(美) 미국 영어	(英) 영국 영어		

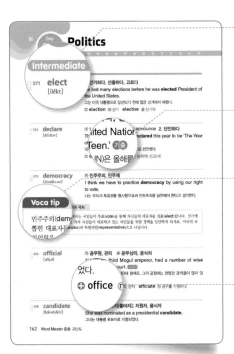

난이도 구분

Intermediate   Advanced

한 Day 안에서 쉬운 단어부터 어려운 단어 순으로 배치하여 난이도별로 체계적 단어 학습이 가능합니다.

교과서 및 기출 예문

학습한 단어가 실제 교과서와 시험에서 어떻게 적용되는지 파악할 수 있습니다.

Voca tip & Culture tip

표제어와 관련된 유용한 표현, 합성어, 문법 규칙, 접두사 · 접미사, 유의어의 의미 차이, broken English, 영미 문화 등 다양하고 유용한 팁을 제공하여 단어 이해와 활용의 폭을 넓힐 수 있습니다.

관련 어휘 · 구 보강

표제어 900단어의 관련 어휘, collocation을 함께 제공하여 단어의 활용도를 높일 수 있는 확장 학습이 가능합니다.

듣기 QR 코드

표제어와 뜻을 읽어 주는 표제어 암기용 MP3를 QR코드를 통해 쉽게 들을 수 있습니다.

필수 숙어 Idioms

한 Day 안에서 2~3개의 필수 숙어를 함께 학습할 수 있습니다.

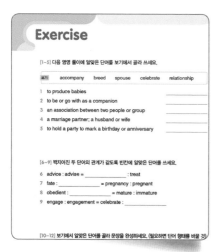

Exercise

영영 풀이, 단어 간 관계 유추, 문장 완성 등 매 회 제공되는 문제들을 통해 학습 성취도를 파악할 수 있습니다.

누적 테스트

날마다 누적 테스트를 통해 앞에서 배운 단어를 반복하여 학습할 수 있습니다.

온&오프 시스템으로 강화된 Word Master의 단어 암기 효과

워크북

본책 학습 후 워크북을 통해 셀프 테스트 및 복습이 가능합니다. 1 Day에서 학습한 단어와 예문을 테스트하는 Daily Check-up과 3 Day씩 학습한 단어를 테스트하는 3일 누적 테스트로 구성되어 있습니다.

미니북

표제어의 단어-뜻, 듣기 QR코드가 수록된 미니북으로 언제 어디서나 간편하게 단어를 외울 수 있습니다.

학습앱

자투리 시간을 활용하여 단어 암기뿐만 아니라 MP3 파일 재생, 단어 및 예문 테스트까지 하나의 앱으로 가능합니다. 워크북의 학습앱 코드를 입력하여 사용하세요!

Contents

✓ **Previous Check**

- ☐ generation
- ☐ supporter
- ☐ niece
- ☐ engage
- ☐ celebrate
- ☐ anniversary
- ☐ fate
- ☐ advise
- ☐ lifetime
- ☐ elder

- ☐ parental
- ☐ breed
- ☐ obedient
- ☐ treat
- ☐ interact
- ☐ contact
- ☐ relationship
- ☐ funeral
- ☐ behave
- ☐ sibling

- ☐ resemble
- ☐ background
- ☐ daycare
- ☐ pregnant
- ☐ nurture
- ☐ accompany
- ☐ mature
- ☐ spouse
- ☐ bring up
- ☐ break up with

Intermediate

□ 001 **generation**
[dʒènəréiʃən]

ⓝ 1. 세대, 1대 2. 같은 시대의 사람들
In the 1900s, it was common for three **generations** of the same family to live together.
1900년대에는 같은 집안의 3대가 함께 사는 것이 흔한 일이었다.

□ 002 **supporter**
[səpɔ́ːrtər]

ⓝ 지지자, 후원자, 부양자
Friends and family are the best **supporters**.
친구와 가족은 최고의 지지자들이다.
➕ **support** ⓥ 지지하다, 옹호하다; 떠받치다 ⓝ 지지, 지원

□ 003 **niece**
[niːs]

ⓝ 조카딸
I was tired because I took care of my **nieces** all day yesterday.
나는 어제 하루 종일 나의 조카딸들을 돌보았기 때문에 피곤했다.
➕ **nephew** ⓝ 조카 (아들)

□ 004 **engage**
[ingéidʒ]

ⓥ 1. 약혼시키다(to) 2. 약속하다, 계약하다 3. 종사시키다(in)
My niece got **engaged** to an actor last year.
나의 조카딸은 작년에 배우와 약혼했다.
➕ **engagement** ⓝ 약혼; 약속 **be engaged in** ~에 종사하다

□ 005 **celebrate**
[séləbrèit]

ⓥ 기념하다, 축하하다 ⊟ commemorate
Koreans **celebrate** longevity by throwing big parties for older adults particularly when they reach milestone birthdays like their 70th.
한국인들은 칠순과 같은 특히 중요한 생일을 맞이할 때 나이 든 어른들을 위한 큰 파티를 열어 장수를 축하한다.
➕ **celebration** ⓝ 기념, 축하

□ 006 **anniversary**
[ǽnəvə́ːrsəri]

ⓝ 기념일
They are planning to have a party for their twentieth wedding **anniversary** with their children.
그들은 자녀들과 함께 자신들의 20주년 결혼기념일 파티를 할 계획이다.

□ 007 **fate**
[feit]

ⓝ 1. 운명, 숙명 ⊟ destiny 2. 죽음
In the middle of the performance, the worst possible **fate** fell upon him. 기출
공연 도중에, 있을 수 있는 최악의 운명이 그에게 들이닥쳤다.
➕ **fatal** ⓐ 치명적인; 운명의

□ 008 **advise**
[ədváiz]

ⓥ 충고하다, 조언하다
My uncle **advised** me to marry a warm-hearted man.
삼촌은 내게 마음이 따뜻한 남자와 결혼하라고 조언해 주셨다.
➕ **advice** ⓝ 충고

□ 009 **lifetime**
[láiftàim]

ⓝ 일생, 생애 ⊟ lifespan ⓐ 일생의
It was the chance of a **lifetime** as well as fate for my cousin to meet such a good person.
내 사촌이 그렇게 좋은 사람을 만난 것은 운명일 뿐만 아니라 일생에 다시 없을 기회였다.

□ 010 **elder**
[éldər]

ⓐ 나이가 위인, 선배의 ⊟ older ⓝ 연장자, 선배 ⊟ senior
It is natural enough for children to want to acquire knowledge from their **elders**.
아이들이 그들의 손윗사람들로부터 지식을 얻기를 원하는 것은 충분히 자연스러운 일이다.

Advanced

□ 011 **parental**
[pərέntl]

ⓐ 부모의, 부모다운
Children must have **parental** consent to go on the field trip.
아이들은 현장 학습을 가려면 부모님의 허락을 받아야 한다.
⊕ **parent** ⓝ 부모

□ 012 **breed**
[briːd]

ⓥ 1. (동물이) 새끼를 낳다 2. 기르다 (-bred-bred) ⓝ 품종
I was born and **bred** in France but now live in Seoul.
나는 프랑스에서 태어나서 자랐지만 지금은 서울에서 산다.

□ 013 **obedient**
[oubíːdiənt]

ⓐ 순종하는, 말을 잘 듣는 ⊟ disobedient 반항적인
He was an **obedient** son to his parents.
그는 자신의 부모님에게 순종하는 아들이었다.
⊕ **obedience** ⓝ 복종

□ 014 **treat**
[triːt]

ⓥ 1. 다루다, 대우하다 ⊟ deal with 2. 치료하다
My grandparents **treated** us all the same when we were kids.
나의 조부모님은 우리가 아이였을 때 우리 모두를 똑같이 대하셨다.
⊕ **treatment** ⓝ 취급; 치료

□ 015 **interact**
[intərǽkt]

ⓥ 상호 작용을 하다, 서로 영향을 미치다
He **interacts** well with his parents and his sister, but he has poor social skills.
그는 그의 부모님, 여동생과는 소통을 잘하지만, 사회성이 부족하다.
⊕ **interaction** ⓝ 상호 작용 **interact with** ~와 상호 작용을 하다

□ 016 **contact**
[kántækt]

ⓝ 1. 연락 ⊟ communication 2. 접촉 ⊟ touch
ⓥ ~와 연락하다
After several phone calls, she was able to come into **contact** with her sister.
몇 번의 전화 통화 후에, 그녀는 여동생과 만날 수 있었다.
➕ **come into contact with** ~와 접촉하다, 만나다

□ 017 **relationship**
[riléiʃənʃip]

ⓝ 관계, 관련, 연관 ⊟ bond, association
Numerous studies suggest that interpersonal **relationships** with family members influence sleep quality for pregnant women.
수많은 연구들은 가족과의 대인 관계가 임산부의 수면의 질에 영향을 미친다는 것을 시사한다.

> **Voca tip**　-ship
>
> -ship은 명사 뒤에 붙어서 '상태, 신분' 등을 뜻하는 추상명사를 만드는 접미사입니다. 다른 예들도 알아볼까요?
> leader 지도자 – leadership 지도력, 통솔력　　member 구성원 – membership 회원 자격
> companion 동료 – companionship 교우 관계　　scholar 학자 – scholarship 장학생 자격, 장학금

□ 018 **funeral**
[fjúːnərəl]

ⓝ 장례식
Formal wear is required at weddings and **funerals**, or any other religious events. 기출
결혼식과 장례식, 또는 그 밖의 종교적인 행사에는 정장 차림이 요구된다.

□ 019 **behave**
[bihéiv]

ⓥ 행동하다, 처신하다 ⊟ act
She always **behaves** politely when her uncle comes to visit her every year.
그녀는 삼촌이 해마다 그녀를 방문하러 올 때 항상 예의 바르게 행동한다.
➕ **behavior** ⓝ 행동

□ 020 **sibling**
[síbliŋ]

ⓝ 형제자매
They are **siblings**, but they have very different appearances and characters.
그들은 형제자매지만, 매우 다른 외모와 성격을 가지고 있다.

□ 021 **resemble**
[rizémbl]

ⓥ ~와 닮다　☐ take after
You **resemble** your siblings in the way you walk and talk.
당신은 걷고 이야기하는 방식이 당신의 형제들과 닮았군요.
➕ **resemblance** ⓝ 닮은 점, 유사점

□ 022 **background**
[bǽkgràund]

ⓝ (환경적·문화적) 배경
Art is something different to each of us because we each bring our own **backgrounds**, experiences, and beliefs to art. 기출
예술은 각자가 자신만의 배경, 경험, 믿음을 예술에 투영하기 때문에 우리 각자에게 다른 의미를 갖는다.

□ 023 **daycare**
[déikὲər]

ⓐ 탁아소의, 보육의
These days lots of working moms take their babies to a **daycare** center.
요즘에는 많은 일하는 엄마들이 탁아소에 자신의 아기를 데려간다.
➕ **daycare center** 탁아소, 보육원, 유아원

□ 024 **pregnant**
[prégnənt]

ⓐ 임신한
She knows she is **pregnant**, but she hasn't told the fact to her husband yet.
그녀는 자신이 임신했다는 것을 알고 있지만 아직 그녀의 남편에게 그 사실을 말하지 않았다.
➕ **pregnancy** ⓝ 임신

Culture tip　pregnant 친구를 위해서 party를 열어 주다!

미국의 다양한 party 중 출산을 앞두고 있는, 아기 엄마가 될 친구를 위해 열어 주는 파티가 있는데 이를 baby shower라고 합니다. 친구들은 각자 새로 태어날 아기를 위한 선물을 마련하고 모두 함께 모여 곧 엄마가 될 친구를 축하해 주죠. 덧붙여 신부의 친구들이 결혼을 앞둔 신부를 축하해 주는 파티는 bridal shower라고 합니다.

□ 025 **nurture**
[nə́ːrtʃər]

ⓥ **양육하다, 키우다** ⊟ raise, bring up

The most important assignment parents have is to **nurture** their children.

부모가 갖고 있는 가장 중요한 임무는 자신의 아이들을 양육하는 것이다.

□ 026 **accompany**
[əkʌ́mpəni]

ⓥ 1. **동행하다, 함께 가다** ⊟ escort 2. **(악기로) 반주하다**

Susan's husband **accompanied** her on the trip.

Susan의 남편은 그녀와 함께 여행을 갔다.

□ 027 **mature**
[mətʃúər]

ⓐ **성숙한** ⊟ immature 미숙한, 미발달의

All of my children are very **mature** for their age.

나의 아이들은 모두 나이에 비해 매우 성숙하다.

□ 028 **spouse**
[spaus]

ⓝ **배우자, 남편, 아내** ⊟ marriage partner

It can be mowing your neighbor's lawn, or coming home early from work to give your **spouse** a break from the kids.

기출

그것은 이웃의 잔디를 깎는 것이거나 배우자에게 육아로부터의 휴식을 주기 위해 일찍 퇴근하는 것일 수도 있다.

Idioms

□ 029 **bring up**

~을 기르다, 양육하다 ⊟ raise

Their parents **brought** them **up** to believe in their own abilities.

그들의 부모는 그들이 자신의 능력을 믿도록 키웠다.

□ 030 **break up with**

~와 헤어지다, 관계를 끊다

She could never imagine **breaking up with** her boyfriend.

그녀는 남자친구와 헤어지는 것을 결코 상상할 수 없었다.

Exercise

[1~5] 다음 영영 풀이에 알맞은 단어를 보기에서 골라 쓰세요.

보기	accompany	breed	spouse	celebrate	relationship

1 to produce babies _____

2 to be or go with as a companion _____

3 an association between two people or group _____

4 a marriage partner; a husband or wife _____

5 to hold a party to mark a birthday or anniversary _____

[6~9] 짝지어진 두 단어의 관계가 같도록 빈칸에 알맞은 단어를 쓰세요.

6 advice : advise = _____ : treat

7 fate : _____ = pregnancy : pregnant

8 obedient : _____ = mature : immature

9 engage : engagement = celebrate : _____

[10~12] 보기에서 알맞은 단어를 골라 문장을 완성하세요. (필요하면 단어 형태를 바꿀 것)

보기	nurture	generation	sibling

10 In the 1900s, it was common for three _____ of the same family to live together.

11 The most important assignment parents have is to _____ their children.

12 They are _____, but they have very different appearances and characters.

✓ **Previous Check**

☐ shape	☐ diligent	☐ fierce
☐ appearance	☐ bold	☐ kindness
☐ personality	☐ confident	☐ oval
☐ gender	☐ impatient	☐ odd
☐ impression	☐ ambitious	☐ forehead
☐ typical	☐ brilliant	☐ ignorant
☐ capable	☐ elegant	☐ wrinkle
☐ attractive	☐ humble	☐ greed
☐ active	☐ arrogant	☐ take after
☐ passive	☐ aggressive	☐ stand out

Intermediate

☐ 031 **shape**
[ʃeip]

ⓝ **모양, 꼴, 모습** ⊟ form
The **shapes** in nature are very pleasing to the eye. 교과서
자연의 모양들은 보기에 매우 좋다.
➕ **-shaped** ⓐ ~ 모양의
in (good) shape (건강·몸 상태 등이) 좋은

☐ 032 **appearance**
[əpíːərəns]

ⓝ 1. **출현, 나타남** 2. **외관, 겉모습** ⊟ look
Thomas had never been greatly concerned about his **appearance**.
Thomas는 자신의 외모에 대해 크게 신경을 써 본 적이 없었다.
➕ **appear** ⓥ 나타나다; ~인 것같이 보이다
in appearance 보기에는, 외관상

☐ 033 **personality**
[pə̀ːrsənǽləti]

ⓝ 1. **성격, 인성** 2. **개성** ⊟ individuality
Scientists believe that **personality** characteristics are not a result of the environment. 기출
과학자들은 성격 특성이 환경의 결과가 아니라고 믿는다.
➕ **personal** ⓐ 개인의, 개인적인·

☐ 034 **gender**
[dʒéndər]

ⓝ **성별**
Gender discrimination against women in the workplace is strictly banned by law.
직장 내 여성에 대한 성차별은 법으로 엄격히 금지되어 있다.

☐ 035 **impression**
[impréʃən]

ⓝ 1. **인상** 2. **감동, 감명**
The first **impression** you have on someone tends to last forever.
당신이 누군가에 대해 갖는 첫인상은 끝까지 지속되는 경향이 있다.
➕ **impress** ⓥ 인상을 주다
impressive ⓐ 강한 인상을 주는, 감명을 주는

Day 02

□ 036 **typical**
[típikəl]

ⓐ 전형적인
With her camera around her neck, she looks like a **typical** tourist.
카메라를 목에 걸고 있는 그녀는 전형적인 관광객처럼 보인다.
➕ **type** ⓝ 종류, 유형

□ 037 **capable**
[kéipəbl]

ⓐ 1. 유능한 ⊜ able
　 2. ~할 능력이 있는 ⊟ incapable ~할 수 없는
We've got a very **capable** lawyer working on the case.
우리는 그 사건을 담당하는 매우 유능한 변호사를 두고 있다.
➕ **capability** ⓝ 능력

□ 038 **attractive**
[ətrǽktiv]

ⓐ 1. 매력적인 ⊜ charming 2. 사람을 끄는 ⊜ appealing
That's one of the less **attractive** aspects of his personality.
그것은 그의 성격에서 덜 매력적인 측면 중 하나이다.
➕ **attract** ⓥ 끌어당기다, 매혹하다　**tourist attraction** 인기 관광지

□ 039 **active**
[ǽktiv]

ⓐ 적극적인, 활동적인 ⊜ lively, energetic ⊟ passive 소극적인
I am very **active** and can't sit in one place for a long time.
나는 매우 활동적이어서 한자리에 오랫동안 앉아 있지 못한다. [기출]
➕ **act** ⓥ 행동하다　**activity** ⓝ 활동

Voca tip -ive

-ive는 주로 동사 뒤에 붙어서 '~적인', '~한 성질을 지닌'의 뜻을 가진 형용사를 만드는 접미사입니다. 다른 예도 살펴볼까요?

create 창조하다 – creative 창조적인　　compete 경쟁하다 – competitive 경쟁적인
cooperate 협력하다 – cooperative 협력적인　invade 침략하다 – invasive 침략적인

□ 040 **passive**
[pǽsiv]

ⓐ 소극적인, 수동적인 ⊜ inactive ⊟ active 적극적인
He is very **passive** and therefore when someone is bothering him, he may not say it.
그는 매우 소극적이어서 누군가가 그를 괴롭히고 있을 때 그것에 대해 언급하지 않을지도 모른다.

☐ 041 **diligent**
[dílidʒənt]

ⓐ 근면 성실한, 부지런한 ⊟ lazy 게으른
Those who are really **diligent** usually consider themselves very lazy.
실제로 부지런한 사람들은 보통 자신을 매우 게으르다고 생각한다.
➕ **diligence** ⓝ 근면함, 부지런함

☐ 042 **bold**
[bould]

ⓐ 1. 대담한, 용감한 ⊟ brave, daring 2. (문자·선 등이) 굵은
The smallest of actions is always better than the **boldest** of intentions. 기출
가장 작은 실천일지라도 가장 대담한 의도보다 항상 더 낫다.
➕ **boldness** ⓝ 배짱

Advanced

☐ 043 **confident**
[kάnfidənt]

ⓐ 1. 자신만만한 ⊟ positive 2. 확신하는 ⊟ sure, convinced
People who can admit not knowing tend to be more intellectually and emotionally **confident** than those who pretend to know everything. 기출
모른다는 것을 인정할 수 있는 사람들은 모든 것을 아는 체하는 사람들보다 지적으로나 정서적으로 더 자신감을 갖는 경향이 있다.
➕ **confidence** ⓝ 자신감, 확신 **be confident of** ~을 확신하다

☐ 044 **impatient**
[impéiʃənt]

ⓐ 성급한, 참을성 없는 ⊟ patient 참을성 있는
She's a good teacher but tends to be a bit **impatient** with slow learners.
그녀는 훌륭한 교사지만 배움이 느린 학생들에게 약간 참을성 없는 경향이 있다.
➕ **impatience** ⓝ 성급함 **impatiently** ⓐⓓ 성급하게

☐ 045 **ambitious**
[æmbíʃəs]

ⓐ 야망이 있는, 야심 찬 ⊟ unambitious 야망이 없는
Jisoo is **ambitious** to get into the best university in Korea.
지수는 한국 최고의 대학에 들어갈 포부를 가지고 있다.
➕ **ambition** ⓝ 야망, 포부

□ 046 **brilliant**
[bríljənt]

ⓐ 1. 훌륭한, 눈부신, (재능이) 뛰어난 ⊟ bright, intelligent
2. 빛나는 ⊟ glittering
Paganini was a **brilliant** violinist, famous for his technical skill in both playing and composing music.
파가니니는 음악 연주와 작곡 모두에서 그의 전문적인 기술로 유명한 훌륭한 바이올리니스트였다.
➊ **brilliance** ⓝ 탁월함 **brilliant idea** 훌륭한 생각

□ 047 **elegant**
[éləgənt]

ⓐ 우아한, 품위 있는
A lot of children and teenagers admire stylish and **elegant** fashion models.
많은 아이들과 십 대들은 멋지고 우아한 패션모델들을 동경한다.
➊ **elegance** ⓝ 우아, 고상함

□ 048 **humble**
[hʌ́mbl]

ⓐ 1. 겸손한 ⊟ modest 2. 초라한, 소박한
According to her parents, she is **humble** and doesn't want much media exposure.
그녀의 부모에 따르면, 그녀는 겸손해서 많은 언론 노출을 원하지 않는다고 한다.
➊ **humbleness** ⓝ 겸손, 겸양

□ 049 **arrogant**
[ǽrəgənt]

ⓐ 오만한, 거만한 ⊟ proud, haughty
After a few rounds of debates, I found my counterpart very **arrogant**.
몇 차례의 논쟁을 거친 후, 나는 상대방이 매우 오만하다는 것을 알았다.
➊ **arrogance** ⓝ 오만, 거만, 불손

□ 050 **aggressive**
[əgrésiv]

ⓐ 1. 공격적인 ⊟ offensive 2. 매우 적극적인 ⊟ active
Children playing lots of violent video games often show **aggressive** behavior.
폭력적인 비디오 게임을 많이 하는 어린이들은 자주 공격적인 행동을 보인다.
➊ **aggression** ⓝ 공격, 침략

□ 051 **fierce**
[fiərs]

ⓐ 1. 사나운, 흉포한 2. 격렬한 ⊟ intense

My homeroom teacher has a **fierce** look, but unlike her appearance, her personality is very sweet.

우리 담임 선생님은 사나운 외모를 가졌지만, 외모와는 달리 성격은 매우 상냥하시다.

➕ **fiercely** ⓐ 사납게, 맹렬하게, 지독하게 **fierce pain** 격렬한 고통

□ 052 **kindness**
[káindnis]

ⓝ 친절, 다정함

The thieves were moved by his **kindness** and learned from his wisdom. 교과서

그 도둑들은 그의 친절에 감동했고 그의 지혜에서 배우게 되었다.

□ 053 **oval**
[óuvəl]

ⓐ 타원형의, 달걀형의 ⊟ egg-shaped ⓝ 달걀 모양, 타원체

Choosing haircuts for an **oval** face shape is very easy because an **oval** face is thought to be the prettiest of all face shapes.

달걀형 얼굴을 위한 머리 모양을 선택하는 것은 매우 쉬운데, 왜냐하면 달걀형 얼굴이 모든 얼굴형 중에서 가장 예쁜 것으로 여겨지기 때문이다.

Culture tip　　Oval Office

미국의 대통령이 기거하는 백악관(The White House)은 건물 전체가 흰색으로 되어 있기 때문에 붙은 이름입니다. 백악관 내의 대통령 집무실은 그 방의 모양이 타원형이어서 Oval Office라고 불리기도 하며, 국방성은 위에서 본 건물의 모양이 오각형인 것에서 유래하여 The Pentagon이라고 불립니다.

□ 054 **odd**
[ɑd]

ⓐ 1. 이상한, 기묘한 ⊟ strange, peculiar
　　2. 홀수의 ⊟ even 짝수의

He's an **odd** and funny person and his lectures are interesting and not boring.

그는 기묘하고 재미있는 사람이어서, 그의 강의는 흥미롭고 지루하지 않다.

□ 055 **forehead**
[fɔ́ːrhèd]

ⓝ 이마 ⊟ brow

I woke up feeling warmth on my **forehead** and soreness in my throat. 기출

나는 이마가 따끈따끈하고 목이 아픈 것을 느끼며 일어났다.

□ 056 **ignorant**
[ígnərənt]

ⓐ 1. 무지한, 무식한 2. (정보가 없어) 모르는 ⊟ uninformed
The horn of the rhino has no known medical use, but some **ignorant** people want to buy it.
코뿔소 뿔은 의학적으로 알려진 효능은 없지만, 일부 무지한 사람들을 그것을 구매하기를 원한다.
➕ **ignorance** ⓝ 무지, 무식

Voca tip   '무식하다, 무지하다'의 다양한 표현

'무식하다, 무지하다'라는 말에도 여러 표현이 있습니다. 교육을 받지 못해 무지한 경우나, 어떤 특정 사실에 대한 정보가 부족해 그 부분에 대해 모르는 경우가 있어요. 또한 읽고 쓰기가 되지 않는 '문맹'인 경우도 있을 것입니다. 각각의 경우에 쓰이는 단어들을 살펴볼까요?

ignorant 무식한, (특정 사실에 대해) 무지한   illiterate (읽고 쓸 줄 모르는) 문맹의
uneducated 정규 교육을 받지 못한   unlearned 배우지 못한, 무지몽매한

□ 057 **wrinkle**
[ríŋkl]

ⓝ 주름 ⊟ line   ⓥ 주름지게 하다 ⊟ crease
They can help protect skin from sun exposure and reduce **wrinkles**. 기출
그것들은 햇빛 노출로부터 피부를 보호하고 주름을 줄이는 데 도움이 될 수 있다.

□ 058 **greed**
[griːd]

ⓝ 욕심, 탐욕
The old man was so full of **greed** and arrogance that no one liked him.
노인은 욕심과 교만으로 너무 가득 차 있어서 아무도 그를 좋아하지 않았다.
➕ **greedy** ⓐ 탐욕스러운

Idioms

□ 059 **take after**

~을 닮다 ⊟ resemble
In looks he **takes after** his grandfather.
외모 면에서 그는 자신의 할아버지를 닮았다.

□ 060 **stand out**

눈에 띄다, 빼어나다
Emily is the sort of person who **stands out** in a crowd.
Emily는 사람들 틈에서 눈에 띄는 타입의 사람이다.

Exercise

[1~5] 다음 영영 풀이에 알맞은 단어를 보기에서 골라 쓰세요.

보기	diligent	capable	ignorant	oval	greed

1 having capacity or ability　　　　　　　　_____

2 making a steady and energetic effort　　　_____

3 a desire to have more than one needs　　　_____

4 looking like an egg in shape　　　　　　　_____

5 not aware of something you should know　　_____

[6~9] 짝지어진 두 단어의 관계가 같도록 빈칸에 알맞은 단어를 쓰세요.

6 impress : impression = appear : _____

7 active : passive = capable : _____

8 elegant : elegance = arrogant : _____

9 _____ : patient = unambitious : ambitious

[10~12] 보기에서 알맞은 단어를 골라 문장을 완성하세요. (필요하면 단어 형태를 바꿀 것)

보기	gender	typical	kindness

10 With her camera around her neck, she looks like a _____ tourist.

11 The thieves were moved by his _____ and learned from his wisdom.

12 _____ discrimination against women in workplace is strictly banned by law.

Day

03 Thoughts & Feelings

Intermediate

□ 061 mood
[mu:d]

ⓝ 기분, 분위기

She was smiling and I felt my dark **mood** slowly lifting. 기출

그녀가 미소를 짓자 나의 어두웠던 기분이 살며시 나아짐을 느꼈다.

➕ **moody** ⓐ 변덕스러운, 침울한

□ 062 sorrow
[sá:rou]

ⓝ 슬픔, 비애 ☐ grief

Paul's colleagues expressed deep **sorrow** at his tragic death.

Paul의 동료들은 그의 비극적인 죽음에 깊은 슬픔을 표했다.

➕ **sorrowful** ⓐ 슬픈

□ 063 emotion
[imóuʃən]

ⓝ 감정 ☐ feeling

I felt the **emotions** of joy, sorrow, hate and love in the book.

나는 그 책에서 기쁨, 슬픔, 증오, 사랑의 감정을 느꼈다.

➕ **emotional** ⓐ 감정적인

□ 064 anxious
[ǽŋkʃəs]

ⓐ 1. 불안해하는, 걱정하는 ☐ uneasy 2. 갈망하는 ☐ eager

As the date of my operation came up, I became more and more **anxious**.

나의 수술 날짜가 다가옴에 따라, 나는 점점 더 불안해졌다.

➕ **anxiety** ⓝ 걱정; 갈망

□ 065 ashamed
[əʃéimd]

ⓐ 부끄러워하는 ☐ proud 자랑스러워하는

She felt **ashamed** of herself for trusting him blindly.

그녀는 무턱대고 그를 믿은 것에 대해 부끄러워했다.

➕ **be ashamed of(at)** ~을 부끄러워하다

Day 03

□ 066 **depression**
[dipréʃən]

ⓝ 1. 우울 2. 불경기
She sank into a deep **depression** when her grandmother passed away.
할머니가 돌아가시자 그녀는 깊은 우울감에 빠졌다.
➕ **depressed** ⓐ 우울한; 불경기의

Voca tip -(t)ion, -(s)ion

-(t)ion, -(s)ion은 동사 뒤에 붙어서 명사를 만드는 접미사입니다.

act 행동하다 – action 행동
attract 끌다, 유인하다 – attraction 매력
impress 인상을 주다 – impression 인상

celebrate 축하하다 – celebration 축하
decide 결정하다 – decision 결정
conclude 결론을 내리다 – conclusion 결론

□ 067 **weep**
[wiːp]

ⓥ 울다 ⊟ cry
Fear not the future and **weep** not for the past.
미래를 두려워하지 말고 과거를 돌아보며 울지 말라.
➕ **weep crocodile tears** 거짓 눈물을 흘리다

□ 068 **annoy**
[ənɔ́i]

ⓥ 짜증 나게 하다, 귀찮게 하다 ⊟ bother
It **annoys** me when my little brother snores badly every night.
매일 밤 남동생이 심하게 코를 골면 나는 짜증이 난다.
➕ **annoyed** ⓐ 화가 난, 짜증 난
be annoyed with(at) ~에 화가 나다, 귀찮다

□ 069 **relieve**
[rilíːv]

ⓥ 완화하다, 긴장을 풀게 하다
We often eat for comfort, to **relieve** our anxieties.
우리는 종종 편안해지기 위해, 즉 불안을 완화하기 위해 먹는다.
➕ **relief** ⓝ 안심

□ 070 **amaze**
[əméiz]

ⓥ 놀라게 하다 ⊟ surprise
Julia **amazed** her friends by suddenly getting married.
Julia는 갑자기 결혼을 해서 친구들을 놀라게 했다.
➕ **amazing** ⓐ 놀랄 만한, 굉장한 **in amazement** 놀라서

Advanced

□ 071 **sentiment**
[séntəmənt]

ⓝ 감정, 정서　ⓔ emotion

There are many 'professional beggars' who are not in real need. They play on people's **sentiments** as an easy source of money. 기출

절박하게 궁핍하지 않은 '직업적으로 구걸하는 사람'이 많다. 그들은 쉬운 돈벌이의 원천으로 사람들의 감정을 이용한다.

➕ **sentimental** ⓐ 감정[정서]적인, 정에 호소하는

□ 072 **envy**
[énvi]

ⓥ 부러워하다　ⓝ 부러움, 질투

I **envy** anyone who can eat whatever they want and doesn't gain weight.

먹고 싶은 건 뭐든지 먹으면서 살은 찌지 않는 사람이 나는 부럽다.

➕ **envious** ⓐ 부러워하는, 질투하는
　 be(turn) green with envy 매우 부러워하다

> **Culture tip**　green with envy
>
> 너무 부러울 때 영어로는 왜 얼굴이 **green**이 된다고 할까요? 기원전 7세기경 그리스의 시인 Sappho가 실연당한 사람의 얼굴을 녹색으로 묘사한 후로 녹색은 질투를 상징하는 색으로 쓰이게 되었습니다. 셰익스피어가 질투에 눈먼 Othello를 'green-eyed monster'에게 지배당한다고 표현하면서 영어권에서도 널리 쓰이게 되었고, 오늘날 'green with envy'로 발전하게 되었답니다.

□ 073 **jealous**
[dʒéləs]

ⓐ 부러워하는, 질투하는　ⓔ envious

When you become **jealous**, it can sometimes lead to a false conclusion.

당신이 질투심에 사로잡혀 있을 때, 그것은 때때로 잘못된 결론으로 이어질 수 있다.

➕ **be jealous of** ~을 질투하다

□ 074 **nerve**
[nəːrv]

ⓝ 1. 신경　2. 용기

I was going to ask her to the dance, but I lost my **nerve** at the last minute.

나는 그녀에게 춤을 청하려고 했으나 마지막 순간에 용기가 없어졌다.

➕ **nervous** ⓐ 긴장한, 초조한
　 have the nerve to v ~할 용기가 있다

☐ 075 **temper**
[témpər]

ⓝ 성질, 기질, 화
She lost her **temper** when her daughter broke the dish into pieces.
딸이 접시를 산산조각 내자 그녀는 화를 냈다.
➕ get into a temper / lose one's temper 화내다

☐ 076 **resent**
[rizént]

ⓥ 화를 내다, 분개하다
I deeply **resented** my friend's annoying behavior.
내 친구의 짜증나게 하는 행동에 나는 매우 화가 났다.
➕ resentful ⓐ 분개한

☐ 077 **desperate**
[déspərit]

ⓐ 필사적인, 절망적인
This morning, I was **desperate** to get to class on time.
오늘 아침 나는 제시간에 수업에 도착하려고 필사적이었다.

☐ 078 **awful**
[ɔ́ːfəl]

ⓐ 지독한, 아주 심한 ⊟ terrible
Since I had such an **awful** toothache, I couldn't sleep.
몹시 심한 치통으로 나는 잠을 잘 수가 없었다.
➕ awfully ⓐⓓ 엄청, 몹시

☐ 079 **miserable**
[mízərəbəl]

ⓐ 비참한, 불행한 ⊟ unhappy
Losing something makes you twice as **miserable** as gaining the same thing makes you happy. 기출
무언가를 잃어버린다는 것은 똑같은 것을 얻어 기쁜 것보다 당신을 두 배나 불행하게 만든다.
➕ misery ⓝ 비참함

☐ 080 **disgust**
[disɡʌ́st]

ⓥ 역겹게 하다 ⓝ 반감, 혐오감
The smell of cigarette smoke **disgusts** me.
나는 담배 연기 냄새가 역겹다.
➕ disgusting ⓐ 역겨운, 정말 싫은
feel disgusted at[by / with] ~에 넌더리가 나다

□ 081 **astound**
[əstáund]

ⓥ 놀라게 하다 ⊟ amaze, surprise
Charles has **astounded** us all with his courage and dignity.
Charles는 그의 용기와 위엄으로 우리 모두를 놀라게 했다.
➕ **be astounded at[by]** ~에 몹시 놀라다

□ 082 **frighten**
[fráitən]

ⓥ 겁먹게 하다, 놀라게 하다 ⊟ scare
It was a quiet summer night, and then, the sudden noise **frightened** me.
조용한 여름밤이었고, 그런데 그때, 갑작스러운 소리가 나를 놀라게 했다.
➕ **fright** ⓝ 공포, 놀람　**frightened to death** 무서워 죽을 것 같은

□ 083 **panic**
[pǽnik]

ⓥ 당황하다, 공포에 질리다 (-panicked-panicked)
ⓝ 당황, 공포 ⊟ horror　ⓐ 당황한, 겁먹은
When I first visited the international section of the airport, I didn't know what to do first; I began to **panic**. 기출
내가 처음으로 공항의 국제선 구역에 갔을 때, 나는 무엇을 먼저 해야 할지 몰라 당황하기 시작했다.

□ 084 **scream**
[skri:m]

ⓝ 비명　ⓥ 소리 지르다
Panic rose in him, and his cries became desperate **screams**. 기출
공포가 그를 엄습해 왔고, 그의 울음소리는 절망적인 비명으로 변해 갔다.
➕ **scream for help** 도와달라고 소리치다

□ 085 **sympathy**
[símpəθi]

ⓝ 동정, 공감
He is cold-hearted; he says, "If you want **sympathy**, look it up in the dictionary." 기출
그는 냉혈한이라서 "동정을 바라거든, 사전에서나 찾아봐라."라고 말한다.
➕ **sympathetic** ⓐ 동정심이 있는
　in sympathy with ~에 공감하여, ~에 찬성하여

□ 086 **ridicule**
[rídikjùːl]

ⓥ 비웃다, 조롱하다 ⓝ 비웃음, 조롱

He is globally known to **ridicule** other countries in his speeches.

그는 자신의 연설에서 다른 나라들을 조롱하는 것으로 전 세계적으로 알려져 있다.

➕ **ridiculous** ⓐ 우스운, 어리석은

□ 087 **warm-hearted**
[wɔ́ːrmháːrtid]

ⓐ 마음이 따뜻한, 친절한 ⊜ kind

She is a **warm-hearted** person, so she is always willing to help others.

그녀는 마음이 따뜻한 사람이라서, 언제나 다른 사람들을 기꺼이 돕는다.

> **Voca tip**   -hearted
>
> hearted는 다른 단어와 함께 '~한 마음을 가진'의 의미로 쓰입니다.
>
> good-hearted 마음씨 착한   cold-hearted 냉정한   sad-hearted 슬픔에 잠긴
> light-hearted 근심 걱정 없는   down-hearted 낙심한   whole-hearted 진심 어린

Idioms

□ 088 **burst into**

갑자기 ~을 터뜨리다, 내뿜다

The old man **burst into** tears for no particular reason.

그 노인은 특별한 이유 없이 갑자기 울음을 터뜨렸다.

➕ **burst into laughter[a smile]** 웃음을 터뜨리다

□ 089 **be tired of**

~에 싫증이 나다, 넌더리가 나다

I'm **tired of** your excuses in all these situations.

나는 이 모든 상황에서의 너의 변명에 넌더리가 난다.

➕ **be sick and tired of** ~에 싫증이 나다

□ 090 **put up with**

~을 참다, 참고 견디다 ⊜ tolerate, endure, bear, stand

I will not **put up with** your bad behavior any longer.

나는 더 이상 너의 나쁜 행동을 참지 않을 것이다.

Exercise

[1~5] 다음 영영 풀이에 알맞은 단어를 보기에서 골라 쓰세요.

보기	resent	weep	astound	annoy	panic

1 to cry   _____

2 to have a sudden feeling of fear   _____

3 to be angry at something or someone   _____

4 to surprise someone   _____

5 to make someone uncomfortable or unable to relax   _____

[6~9] 짝지어진 두 단어의 관계가 같도록 빈칸에 알맞은 단어를 쓰세요.

6 sympathy : sympathetic = emotion : _____

7 _____ : fright = relieve : relief

8 disgust : disgusting = amaze : _____

9 anxiety : _____ = sorrow : sorrowful

[10~12] 보기에서 알맞은 단어를 골라 문장을 완성하세요. (필요하면 단어 형태를 바꿀 것)

보기	nerve	warm-hearted	ridicule

10 He is globally known to _____ other countries in his speeches.

11 She is a _____ person, so she is always willing to help others.

12 I was going to ask her to the dance, but I lost my _____ at the last minute.

04 Food

- ☐ fiber
- ☐ contain
- ☐ instant
- ☐ peel
- ☐ nourish
- ☐ chop
- ☐ grind
- ☐ roast
- ☐ rotten
- ☐ cuisine

- ☐ raw
- ☐ grill
- ☐ edible
- ☐ nutrition
- ☐ vegetarian
- ☐ dairy
- ☐ kettle
- ☐ tray
- ☐ seasoning
- ☐ flavor

- ☐ scent
- ☐ leftover
- ☐ swallow
- ☐ beverage
- ☐ squeeze
- ☐ ripen
- ☐ paste
- ☐ blend
- ☐ go off
- ☐ feed on

Intermediate

☐ 091 **fiber**
[fáibər]

ⓝ 섬유, 섬유질
Fruits and vegetables are great sources of essential vitamins and **fiber**.
과일과 채소는 필수 비타민과 섬유질의 주된 공급원이다.
➕ **dietary fiber** 식이 섬유

☐ 092 **contain**
[kəntéin]

ⓥ 담고 있다, 포함하다
Whole grains **contain** adequate amount of dietary fiber.
통곡물은 적정한 양의 식이 섬유를 함유하고 있다.
➕ **container** ⓝ 용기, 그릇

☐ 093 **instant**
[ínstənt]

ⓐ 1. 즉석요리의, 인스턴트의 2. 즉각적인 ⊟ immediate
ⓝ 순간 ⊟ moment
When you don't have time to brew coffee in the morning, **instant** coffee is a good substitute.
아침에 커피 끓일 시간이 없을 때 인스턴트 커피는 좋은 대용품이다.
➕ **instantly** ⓪ 즉시 **in an instant** 즉시, 눈 깜짝할 사이에

☐ 094 **peel**
[pi:l]

ⓥ (과일·채소 등의) 껍질을 벗기다; 벗겨지다 ⓝ 과일 껍질
First, **peel** the potatoes and cut them in half.
먼저, 감자 껍질을 벗기고 반으로 자르세요.

☐ 095 **nourish**
[nə́:riʃ]

ⓥ 영양분을 공급하다, (사람·생물을) 기르다 ⊟ feed
Learn about the importance of good nutrition, and it will help **nourish** your children.
좋은 영양 상태의 중요성에 대해 배우면 당신의 자녀에게 영양분을 공급하는 데 도움이 될 것이다.
➕ **nourishment** ⓝ 영양분, 음식물

Day 04

□ 096 **chop**
[tʃɑːp]

ⓥ **자르다, 썰다** ⊟ cut

The cook peeled the onion and **chopped** it into small cubes.

요리사는 양파 껍질을 벗기고 그것을 작은 네모 모양으로 썰었다.

□ 097 **grind**
[graind]

ⓥ **잘게 갈다[빻다], 가루로 만들다 (-ground-ground)** ⊟ mill

The second stage in the process is to **grind** the coffee beans to powder.

그 과정의 두 번째 단계는 커피콩을 갈아 가루로 만드는 것이다.

□ 098 **roast**
[roust]

ⓥ **굽다, 볶다** ⓐ **구운**

Roast the beef for 5 minutes over a low heat if you like it rare.

살짝 익힌 소고기를 좋아하신다면, 약한 불에서 5분 동안 구우세요.

□ 099 **rotten**
[rɑ́ːtn]

ⓐ **썩은, 부패한** ⊟ decayed ⊟ fresh 신선한

The apple was red and shiny on the outside, but it was **rotten** inside.

그 사과는 겉은 빨갛고 윤이 났지만 속은 썩었다.

➕ **rot** ⓥ 썩다, 부패하다

Advanced

□ 100 **cuisine**
[kwizíːn]

ⓝ **요리** ⊟ cooking

For immigrants seeking their native **cuisine**, ethnic dining can be the answer. 기출

고향의 요리를 그리워하는 이민자에게 민족 전통 음식은 그 해답이 될 수 있다.

➕ **French cuisine** 프랑스 요리

□ 101 **raw**
[rɔ:]

ⓐ 1. 날것의 ⊟ cooked 조리된
   2. 가공하지 않은 ⊟ unrefined, natural
Humans learned that cooked foods taste better and are safer than **raw** ones.
인간은 익힌 음식이 날음식보다 맛이 더 좋고 더 안전하다는 것을 알게 되었다.
➕ **raw material** 원료, 원자재

□ 102 **grill**
[gril]

ⓝ 석쇠 ⓥ 석쇠에 굽다 ⊟ broil
He set up the barbecue **grill** and put seasoned beef and bacon on it.
그는 바비큐 그릴을 설치하고, 그 위에 양념된 소고기와 베이컨을 올렸다.
➕ **outdoor grill** 야외용 석쇠

Culture tip　　grill vs. broil

grill과 broil은 '고기·생선·채소 등을 직화로 굽다'라는 뜻으로 동의어로 사용됩니다. 다만 영국에서는 열기의 방향과 상관없이 grill을 사용하는 반면, 열기가 음식 아래가 아닌 위에서 내려오는 조리 방식의 경우 미국에서는 grill 대신에 broil을 사용합니다.

□ 103 **edible**
[édəbl]

ⓐ 먹을 수 있는 ⊟ eatable ⊟ inedible 먹을 수 없는
In fact, all herbs are not healthful and **edible**; they are sometimes even poisonous. 기출
사실 모든 약초가 건강에 좋고 먹을 수 있는 것은 아니다. 간혹 독성이 있는 경우도 있다.

□ 104 **nutrition**
[njuːtríʃən]

ⓝ 영양, 영양물 섭취 ⊟ malnutrition 영양실조, 영양 결핍
Not only do fruits and vegetables provide good **nutrition** but they are easier to digest.
과일과 채소는 충분한 영양을 공급할 뿐만 아니라, 그것들은 소화시키기도 더 쉽다.
➕ **nutritional** ⓐ 영양상의

□ 105 **vegetarian**
[vèdʒətɛ́əriən]

ⓝ 채식주의자 ⓐ 채식주의(자)의
V indicates dishes suitable for **vegetarians** and VG indicates dishes suitable for vegans.
V 표시는 채식주의자에게 적합한 요리를, VG 표시는 완전 채식주의자에게 적합한 요리를 나타낸다.
➕ **vegetarianism** ⓝ 채식주의 **vegetarian diet** 채식주의 식단

□ 106 **dairy**
[dɛ́əri]

ⓐ 우유의, 유제품의 ⓝ 유제품 판매점
Animal products like honey as well as eggs and **dairy** products are excluded from a strict vegetarian diet.
엄격한 채식주의 식단에서는 달걀과 유제품뿐 아니라 꿀과 같은 동물성 식품까지 제외된다.

□ 107 **kettle**
[kétl]

ⓝ 주전자
Fill the **kettle** with water and put it on the stove.
주전자에 물을 받아서 레인지 위에 올려 놓아라.

□ 108 **tray**
[trei]

ⓝ 쟁반
With my dinner on a **tray**, I went to the living room and turned on the TV.
나는 나의 저녁 식사를 담은 쟁반을 들고 거실로 가서 텔레비전을 켰다.
➕ **serving tray** 음식을 낼 때 쓰는 쟁반

□ 109 **seasoning**
[síːzəniŋ]

ⓝ 조미료, 양념 ⊟ spice
Too much **seasoning** can ruin the delicious taste of your dishes.
지나친 조미료의 사용은 음식의 맛있는 맛을 망칠 수 있다.

□ 110 **flavor**
[fléivər]

ⓝ (재료 특유의) 맛과 향 ⊟ savor ⓥ 풍미를 더하다(with)
Fresh ginger gives an eastern **flavor** to the dish.
신선한 생강은 그 요리에 동양적인 맛을 더한다.
➕ **give flavor to** ~에 맛을 더하다

☐ 111 **scent**
[sent]

ⓝ 향기 ⊟ smell, fragrance
What could be more perfect than the comforting sounds of the water and the refreshing **scent** of the woods? 기출
평온한 물소리와 숲에서 나는 상쾌한 향기보다 더 완벽한 것이 있을 수 있을까?

☐ 112 **leftover**
[léftòuvər]

ⓐ 남은 ⓝ 남은 음식
Leftover chicken with some seasoning makes a flavorful salad.
약간의 양념을 더하면 먹고 남은 닭고기가 맛 좋은 샐러드가 된다.

☐ 113 **swallow**
[swálou]

ⓥ 삼키다 ⓝ 삼키기
Jeffrey **swallowed** the last of his coffee and asked for the bill.
Jeffrey는 남은 커피를 삼키고 계산서를 요청했다.

☐ 114 **beverage**
[bévəridʒ]

ⓝ 음료 ⊟ drink
Alcoholic **beverages** should be banned from college campuses because drinking can cause academic failure. 기출

음주는 학업 저하를 야기할 수 있으므로 알코올성 음료는 대학 캠퍼스 내에서 금지되어야만 한다.

☐ 115 **squeeze**
[skwi:z]

ⓥ 짜다, 압착하다
Cut the lemon in half and **squeeze** it until all the juice runs into a glass.
레몬을 반으로 자르고 즙이 다 나올 때까지 유리잔에 꽉 짜시오.

Day 04

□ 116 **ripen**
[ráipən]

ⓥ 익다; 익히다

Every summer when the cherries began to **ripen**, I would spend hours high in the tree picking and eating the sweet cherries. 기출

매년 여름 체리가 익기 시작할 때면 나는 달콤한 체리를 따 먹으며 나무 위에서 몇 시간씩 보내곤 했다.

➕ **ripe** ⓐ 익은, 숙성된

Voca tip -en

-en은 형용사 뒤에 붙여서 '~하게 하다, ~해지다'라는 뜻의 동사를 만드는 접미사입니다. 다른 예도 알아볼까요?
loose 느슨한 – loosen 느슨하게 하다/느슨해지다
light 가벼운, 밝은 – lighten 가볍게 하다/가벼워지다, 밝게 하다/밝아지다
sharp 날카로운 – sharpen 날카롭게 하다/날카로워지다

□ 117 **paste**
[peist]

ⓝ 1. 반죽 2. 풀 ⊟ glue ⓥ 붙이다

Mix cold water and flour until the **paste** is as thick as cream.

찬물과 밀가루를 반죽이 크림처럼 걸쭉해질 때까지 섞어라.

□ 118 **blend**
[blend]

ⓥ 1. 섞다 ⊟ mix 2. 조화되다 ⊟ go well with, match

Blend a little milk with flour, sugar, and cinnamon powder to form a paste.

약간의 우유를 밀가루, 설탕, 계핏가루와 섞어 반죽을 만들어라.

Idioms

□ 119 **go off**

(음식 등이) 상하다, 부패하다 ⊟ decay, spoil

Throw away the milk in the refrigerator. It's **gone off**.

냉장고에 있는 우유를 버려. 그것은 상했어.

□ 120 **feed on**

~을 먹고 살다

Owls **feed on** mice and other small animals.

올빼미는 쥐와 다른 작은 동물을 먹고 산다.

Exercise

[1~5] 다음 영영 풀이에 알맞은 단어를 보기에서 골라 쓰세요.

> 보기   nourish   chop   vegetarian   dairy   leftover

1 someone who does not eat meat or fish _____

2 foods that are made from milk _____

3 to cut into pieces _____

4 food which remains after a meal _____

5 to give someone or something food needed for survival and growth _____

[6~9] 짝지어진 두 단어의 관계가 같도록 빈칸에 알맞은 단어를 쓰세요.

6 raw : cooked = edible : _____

7 seasoning : spice = flavor : _____

8 scent : smell = _____ : drink

9 grind : mill = _____ : mix

[10~12] 보기에서 알맞은 단어를 골라 문장을 완성하세요. (필요하면 단어 형태를 바꿀 것)

> 보기   rotten   contain   nutrition

10 Whole grains _____ adequate amount of dietary fiber.

11 Not only do fruits and vegetables provide good _____ but they are easier to digest.

12 The apple was red and shiny on the outside, but it was _____ inside.

Clothes

☐ uniform   ☐ fade   ☐ suit

☐ costume   ☐ fold   ☐ vest

☐ collar   ☐ plain   ☐ fabric

☐ thread   ☐ premium   ☐ cotton

☐ length   ☐ formal   ☐ fur

☐ casual   ☐ fancy   ☐ laundry

☐ fashion   ☐ outfit   ☐ detergent

☐ loose   ☐ sew   ☐ dress up

☐ stripe   ☐ alter   ☐ wear out

☐ comfort   ☐ trousers   ☐ show off

Intermediate

☐ 121 **uniform**
[jú:nəfɔ̀ːrm]

ⓝ 유니폼, 제복 ⓐ 일정한, 균등한

Michael Jordan did not negotiate his contracts or design his **uniforms**. 기출

마이클 조던은 계약을 협상하지 않았고, 자신의 유니폼을 디자인하지 않았다.

☐ 122 **costume**
[ká:stu:m]

ⓝ 1. 의상, 복장 ⊟ clothes 2. 분장

On Halloween, children in colorful **costumes** visit houses for candy.

핼러윈에는, 다채로운 의상을 입은 아이들이 사탕을 받으러 집들을 방문한다.

☐ 123 **collar**
[kálər]

ⓝ 깃, 칼라

He turned up his coat **collar** because the wind was very cold.

바람이 매우 차가웠기 때문에 그는 외투 깃을 세웠다.

☐ 124 **thread**
[θred]

ⓝ 실 ⓥ 실을 꿰다

With a needle and **thread**, you can make a design which features your favorites such as flowers, trees, or poems. 기출

바늘과 실로 꽃, 나무, 또는 시같이 당신이 좋아하는 것을 특징으로 하는 디자인을 만들 수 있다.

☐ 125 **length**
[leŋkθ]

ⓝ 길이, 기간

I have to shorten the **length** of the new pants I bought yesterday by three centimeters.

나는 어제 새로 산 바지의 길이를 3센티 줄여야 한다.

➕ **lengthen** ⓥ 길게 하다, 늘이다

□ 126 **casual**
[kǽʒuəl]

ⓐ 1. 격식을 차리지 않은, 평상복의 2. 우연의
I get embarrassed at a **casual** meeting because I usually wear **casual** clothing with no makeup.
나는 보통 화장을 안 하고 평상복을 입기 때문에 우연한 만남에 당황한다.

□ 127 **fashion**
[fǽʃən]

ⓝ 1. 유행, 인기 ⊟ vogue 2. 패션
After a half century of decline, the train station is back in **fashion**. 기출
50년간의 쇠락 후, 그 기차역의 인기가 부활했다.
➕ **fashionable** ⓐ 최신 유행의, 유행하는
　be in fashion 유행하고 있다　**all the fashion** 한창 유행하는

□ 128 **loose**
[luːs]

ⓐ 1. 헐거운, 느슨한 ⊟ tight 꼭 맞는 2. 풀린, 벗겨진
On long flights, wear **loose** clothing and comfortable shoes.
긴 비행에서는 헐렁한 옷을 입고 편안한 신발을 신으세요.
➕ **loosen** ⓥ 느슨하게 하다, 느슨해지다

□ 129 **stripe**
[straip]

ⓝ 줄무늬
Its body was light brown, with **stripes** only on the head, neck, and front part. 기출
그것의 몸체는 머리와 목 그리고 앞부분에만 줄무늬가 있는 밝은 갈색이었다.
➕ **striped** ⓐ 줄무늬가 있는

Voca tip　무늬

직물의 무늬를 나타내는 어휘에는 striped 외에도 여러 가지가 있습니다.
spotted 얼룩무늬의	flowery 꽃무늬의	tartan 격자무늬의
polka-dotted 물방울무늬의	checked 체크무늬의	pin-striped 가는 세로줄무늬의

□ 130 **comfort**
[kʌ́mfərt]

ⓝ 1. 편안함 ⊟ discomfort 불편 2. 위로, 위안
ⓥ 1. 편하게 하다 2. 위로하다
We have always tried to make clothes that children could wear with **comfort**.
우리는 아이들이 편안하게 입을 수 있는 옷을 만들기 위해 항상 노력해 왔다.
➕ **comfortable** ⓐ 편안한

Advanced

□ 131 **fade**
[feid]

ⓥ (색이) 바래다, (색을) 바래게 하다
Sun rays reflected from the window **faded** the color of T-shirts faster in the store.
창문으로 반사된 태양 빛이 그 가게의 티셔츠의 색을 더 빨리 바래게 했다.
➕ **fade out** 점점 희미해지다

□ 132 **fold**
[fould]

ⓥ (종이·천 등을) 접다 ⊟ unfold 펴다
I wish you would **fold** your clothes!
네 옷은 네가 개어 놓았으면 좋겠어!

□ 133 **plain**
[plein]

ⓐ 1. (의복 등이) 수수한; 무늬가 없는
  2. 명백한, 분명한 ⊟ apparent
Kate is wearing a **plain** T-shirt and jeans, and she looks fashionable.
Kate는 무늬가 없는 티셔츠와 청바지를 입고 있으며, 그녀는 멋있어 보인다.

□ 134 **premium**
[príːmiəm]

ⓐ 고가의, 고급의 ⊟ superior ⓝ 할증금, 포상금
This is the best place to buy **premium** brand clothing at discount prices.
이곳은 고급 브랜드 의류를 할인 가격으로 구입하기에 가장 좋은 장소이다.

□ 135 **formal**
[fɔ́:rməl]

ⓐ 공식적인, 격식을 차린 ⊟ informal 비공식적인

I got an email from a woman, who asked what to wear to a **formal** party. 기출

나는 한 여성으로부터 이메일을 받았는데, 그녀는 공식적인 파티에 무엇을 입어야 하는지를 물었다.

➕ **formality** ⓝ 형식에 구애됨, 정식

Voca tip   **-al**

-al은 명사에 붙어 '(성질이) ~한'이라는 의미의 형용사를 만드는 접미사입니다.

norm 표준, 기준 – normal 표준의, 정상적인   addition 추가 – additional 추가적인
nation 국가 – national 국가의, 국가적인   convention 관습 – conventional 관습적인

□ 136 **fancy**
[fǽnsi]

ⓐ 1. 화려한, 장식적인 ⊟ decorative ⊟ plain 평범한   2. 값비싼

Billy was dressed up in some **fancy** clothes that his parents had sent.

Billy는 부모님이 보내주신 화려한 옷을 차려 입고 있었다.

□ 137 **outfit**
[áutfit]

ⓝ (특별한 날 입는) 옷, 의상 한 벌 ⊟ costume

It was as fancy an **outfit** as ever I had bought in the secondhand shop.

그것은 내가 지금까지 중고 가게에서 산 옷 중에 가장 화려한 옷이었다.

□ 138 **sew**
[sou]

ⓥ 바느질하다, (바느질로) 만들다 ⊟ stitch

Sewing clothes from natural fibers is a popular idea favored by environmentalists. 기출

천연 섬유로 옷을 만드는 것은 환경보호론자들이 선호하는 인기 있는 아이디어이다.

➕ **sewing machine** 재봉틀

□ 139 **alter**
[ɔ́:ltər]

ⓥ 변경하다, (옷을) 고쳐 만들다 ⊟ modify

My mom **altered** my formal fur dress into a casual one by using a sewing machine.

나의 엄마는 재봉틀을 이용해서 나의 모피 정장을 평상복으로 고치셨다.

➕ **alteration** ⓝ 수정, 변경

□ 140 **trousers**
[tráuzərz]

ⓝ 바지

I would like to have these **trousers** pressed and sew buttons on this shirt.
이 바지는 다림질하고, 이 셔츠에는 단추를 달고 싶다.

□ 141 **suit**
[suːt]

ⓝ 정장 ⓥ 어울리다, 잘 맞다

He dressed in the best **suits** and always carried a silk handkerchief. 기출
그는 가장 좋은 정장을 입었고, 항상 실크 손수건을 가지고 다녔다.

➕ **suitable** @적당한, 상당한, 어울리는

Culture tip   suit는 어디까지 허용되는 옷일까요?

suit는 단순히 '정장'만을 뜻하지 않습니다. 다른 단어들과 함께 쓰여 특정한 용도의 옷을 나타내는데, 수영복은 swimming suit, 남성이 저녁 사교 파티에서 입는 옷은 dress suit로 표현하죠. 일반적으로 운동복을 가리키는 추리닝(training)은 사실 broken English(엉터리 영어)로 sweat suit가 바른 표현입니다.

□ 142 **vest**
[vest]

ⓝ 조끼 ⊟ waistcoat

A man in black suit took the earrings from his **vest** pocket and dropped them into her purse.
검은색 정장을 입은 남자는 자신의 조끼 주머니에서 귀걸이를 꺼내 그것을 그녀의 핸드백 속에 떨어뜨렸다.

□ 143 **fabric**
[fǽbrik]

ⓝ 1. 천, 직물 ⊟ textile 2. 직물의 짜임새

Balloons can be made from materials such as rubber, latex, or a nylon **fabric**. 기출
풍선은 고무, 라텍스 또는 나일론 직물 같은 물질로 만들어질 수 있다.

□ 144 **cotton**
[kátn]

ⓝ 1. 솜, 면화 2. 면직물, 무명실

Cotton is a safe and soft fabric, which is used especially for newborn babies and patients with skin problems.
면은 안전하고 부드러운 직물로, 특히 신생아나 피부에 문제가 있는 환자를 위해 사용된다.

➕ **cotton candy** 솜사탕

□ 145 **fur**
[fə:r]

ⓝ 모피

Many animal lovers want us to stop buying and wearing **fur** coats.

많은 동물 애호가들은 우리가 모피 코트를 사고 입는 것을 멈추기를 원한다.

➕ **furry** ⓐ 모피로 만든

□ 146 **laundry**
[lɔ́:ndri]

ⓝ 1. 세탁물 2. 세탁소 ⊟ laundromat

You can enjoy the many entertainment, shopping and relaxation opportunities including fitness centers and **laundry** services there. 기출

여러분은 그곳에서 헬스클럽과 세탁 서비스를 포함하여, 여러 가지 오락, 쇼핑 그리고 휴양의 기회를 누릴 수 있습니다.

□ 147 **detergent**
[ditə́:rdʒənt]

ⓝ 세탁 세제, 세정제 ⊟ cleaner

It removes even blood stains better than the leading rival **detergent** in warm water. 기출

이것은 따뜻한 물에서 일류 경쟁사의 세제보다 핏자국까지도 더 잘 제거한다.

Idioms

□ 148 **dress up**

옷을 갖춰[격식을 차려] 입다

There's no need to **dress up** — come as you are.

격식을 차려 입을 필요 없어. 있는 그대로 와.

□ 149 **wear out**

많이 써서 낡게 하다, 닳다; 지치게 하다

It is better to **wear out** one's shoes than one's sheets.

이불보다는 신발을 닳게 하는 편이 낫다. 〈라틴 속담〉

□ 150 **show off**

~을 과시하다

She **showed off** a sparkling diamond bracelet at the party.

그녀는 파티에서 반짝이는 다이아몬드 팔찌를 뽐냈다.

Exercise

[1~5] 다음 영영 풀이에 알맞은 단어를 보기에서 골라 쓰세요.

보기	outfit	fold	comfort	sew	uniform

1 what you feel when you stop worrying _____

2 a set of clothes that you wear together _____

3 to join pieces of clothes with a needle and thread _____

4 special clothing that all members of a group wear _____

5 to bend something so that one covers the other part _____

[6~9] 짝지어진 두 단어의 관계가 같도록 빈칸에 알맞은 단어를 쓰세요.

6 furry : fur = fashionable : _____

7 premium : superior = outfit : _____

8 comfort : _____ = fold : unfold

9 _____ : tight = fancy : plain

[10~12] 보기에서 알맞은 단어를 골라 문장을 완성하세요. (필요하면 단어 형태를 바꿀 것)

보기	alter	detergent	fade

10 My mom _____ my formal fur dress into a casual one by using a sewing machine.

11 Sun rays reflected from the window _____ the color of T-shirts faster in the store.

12 It removes even blood stains better than the leading rival _____ in warm water.

House &
Housework

- ☐ cottage
- ☐ priceless
- ☐ tap
- ☐ alarm
- ☐ mess
- ☐ usual
- ☐ routine
- ☐ rely
- ☐ dust
- ☐ spread

- ☐ cleanse
- ☐ wipe
- ☐ mop
- ☐ drawer
- ☐ stair
- ☐ rubbish
- ☐ dispose
- ☐ discard
- ☐ appliance
- ☐ spacious

- ☐ chore
- ☐ polish
- ☐ flush
- ☐ nap
- ☐ outlet
- ☐ trim
- ☐ crack
- ☐ leak
- ☐ run out of
- ☐ hang up

Intermediate

□ 151 **cottage**
[kátidʒ]

ⓝ (시골의) 작은 집, 오두막집; (교외의) 작은 주택[별장]

A few charming **cottages** are located along the narrow winding road.

좁은 구불구불한 길을 따라 멋진 오두막 몇 채가 위치해 있다.

□ 152 **priceless**
[práislis]

ⓐ **값을 매길 수 없는, 대단히 귀중한** ᴱ valuable
ᴬ worthless 쓸모없는

The palace is full of **priceless** antiques.

그 궁전은 값을 매길 수 없는 골동품들로 가득 차 있다.

□ 153 **tap**
[tæp]

ⓝ (수도 등의) 꼭지, (통의) 주둥이, 마개

Can you shut off the water for 10 or 15 minutes while I fix the **tap**?

내가 수도꼭지를 수리하는 동안 10∼15분 정도 물을 잠가 주겠니?

➕ **turn on[off] the tap faucet** 수도꼭지를 틀다[잠그다]

□ 154 **alarm**
[əlá:rm]

ⓝ 1. 경보기 2. 자명종 3. 놀람, 공포 ⓥ 놀라게 하다

The smoke **alarm** is so sensitive that it is always set off by cigarette smokes.

그 화재경보기는 매우 민감해서 담배 연기에도 항상 울린다.

➕ **burglar alarm** 도난경보기

□ 155 **mess**
[mes]

ⓝ 1. 어질러진 것, 쓰레기 더미 ᴱ litter
    2. 어수선함, 혼잡 ᴬ neatness 단정함, 깔끔함

You can't be your roommate's mother or maid — cleaning up after her **messes**. 기출

당신은 룸메이트가 어질러 놓은 것을 치우는 룸메이트의 엄마나 가정부가 될 수는 없다.

➕ **messy** ⓐ 어질러진, 지저분한

□ 156 **usual**
[júːʒuəl]

ⓐ 평소의, 일상의 ⊟ habitual

As she was recovering from the flu, she couldn't do her **usual** housework.

그녀는 독감에서 회복 중이었기 때문에, 일상의 집안일을 할 수 없었다.

✚ **usually** ⓐⓓ 평소에는 **more than usual** 여느 때보다 많이

□ 157 **routine**
[ruːtíːn]

ⓝ 판에 박힌 일, 일과 ⓐ 일상적인, 판에 박힌

Each country has a unique daily **routine**, and each member has to follow it. 기출

각 나라는 고유의 일과를 가지고 있고 각 구성원은 그것을 따라야 한다.

□ 158 **rely**
[rilái]

ⓥ 믿다, 의지[의존]하다 ⊟ depend

She **relied** on her husband to do most of the housework.

그녀는 집안일의 대부분을 남편에게 의존했다.

✚ **reliance** ⓝ 의지, 신뢰

□ 159 **dust**
[dʌst]

ⓥ 먼지를 털다 ⓝ 먼지, 흙 ⊟ dirt

Don't forget to open all the windows before you **dust** the living room.

거실의 먼지를 털기 전에 창문을 모두 여는 것을 잊지 마.

✚ **dusty** ⓐ 먼지투성이의

□ 160 **spread**
[spred]

ⓥ 펴다, 펼치다, 퍼지다 (-spread-spread)

She beat dust out of the blanket and **spread** it on the mattress.

그녀는 담요의 먼지를 털고는 그것을 매트리스 위에 펼쳤다.

□ 161 **cleanse**
[klenz]

ⓥ 1. 세척하다, 씻다 ⊟ wash 2. 정화하다
The cushion cover should be **cleansed** gently with mild soap and water.
그 쿠션 커버는 순한 비누와 물로 부드럽게 세척해야 한다.
➕ **clean** ⓐ 깨끗한
　cleanser ⓝ (그릇·화장실 등을 닦는) 세제, (화장을 지우는) 세안제

□ 162 **wipe**
[waip]

ⓥ 닦다, 훔치다, 가볍게 문지르다 ⊟ rub
Wipe the table with a damp cloth.
젖은 천으로 테이블을 닦아라.

□ 163 **mop**
[mɑ:p]

ⓥ (대걸레로) 닦다 ⓝ 대걸레
Don't go in the bedroom because I've just **mopped** the floor.
침실에 들어가지 마, 내가 방금 바닥을 닦았거든.

□ 164 **drawer**
[drɔ́:ər]

ⓝ 1. 서랍 2. (항상 복수형) 장롱
Thomas opened the top **drawer** of his desk, and took out an envelope.
Thomas는 자신의 책상 맨 위 서랍을 열고 봉투 하나를 꺼냈다.

□ 165 **stair**
[stɛər]

ⓝ (보통 복수형) 계단 ⊟ step
We nervously made our way down the **stairs** and outside.
우리는 초조하게 계단을 내려와 밖으로 나갔다. 교과서

Advanced

□ 166 **rubbish**
[rʌ́biʃ]

ⓝ 쓰레기, 폐물 ⊟ garbage, trash
He founded a movement in which everyday materials such as junk metal or **rubbish** are transformed into works of art. 기출

그는 고철이나 쓰레기 같은 일상의 재료들을 예술 작품으로 변모시키는 운동을 일으켰다.

□ 167 **dispose**
[dispóuz]

ⓥ 처리하다, 처분하다 ⊟ discard, throw away
Recycling can be a good way to **dispose** of rubbish.
재활용은 쓰레기를 처리하는 좋은 방법이 될 수 있다.
➕ **disposable** ⓐ 처분할 수 있는, 일회용의　**dispose of** ~을 처분하다

□ 168 **discard**
[diskáːrd]

ⓥ (불필요한 것을) 버리다, 처분하다 ⊟ dispose ⊟ retain 보유하다
Instead of **discarding** newspapers and plastics, they collect and recycle them.
신문과 플라스틱을 버리는 대신, 그들은 그것들을 모아서 재활용한다.

□ 169 **appliance**
[əpláiəns]

ⓝ (가정용) 기구, 장치, 전기 제품
Today, lighting and **appliances** create a huge demand for electric power. 기출
오늘날 조명과 전기 기구는 전력의 엄청난 수요를 창출한다.
➕ **apply** ⓥ ~에 기구를 설치하다; 적용하다
household[home] appliance 가전제품

Voca tip　home appliance의 종류

가정에서 쓰이는 다양한 가전제품에 대해 알아볼까요?
microwave oven 전자레인지
blender 믹서
washing machine 세탁기
ventilator 환풍기

dishwasher 식기세척기
refrigerator 냉장고
vacuum cleaner 진공청소기
iron 다리미

☐ 170 **spacious**
　　[spéiʃəs]

ⓐ 넓은, 광대한　Ɵ roomy

I felt as if my bedroom had become **spacious** once I discarded the chair.

의자를 버리고 나니 내 침실이 한결 넓어진 것처럼 느껴졌다.

➕ **space** ⓝ 공간

Voca tip	-ous

-ous는 명사 뒤에 붙어서 '~로 가득한, ~의 특징이 있는'이라는 뜻의 형용사를 만드는 접미사입니다. 다른 예도 알아볼까요?

danger 위험 – dangerous 위험한　　　nerve 신경 – nervous 신경질적인, 초조한

glory 영광, 영예 – glorious 영광스러운　　marvel 놀랄 만한 일 – marvelous 놀라운, 경탄할 만한

☐ 171 **chore**
　　[tʃɔːr]

ⓝ (집안의) 자질구레한 일, 허드렛일

She hardly has time for napping, tied up with the household **chores** all day long.

그녀는 온종일 집안일에 매여서 좀처럼 낮잠을 잘 시간이 없다.

☐ 172 **polish**
　　[páliʃ]

ⓥ 1. 닦다, 광[윤]을 내다　2. (문장 등을) 다듬다

He **polished** his shoes as usual before he went out.

그는 외출하기 전에 평소와 같이 자신의 구두를 닦았다.

☐ 173 **flush**
　　[flʌʃ]

ⓥ 1. (물·액체 등으로) 씻어 내리다　Ɵ wash out
　　2. (얼굴을) 붉히다, 상기시키다　Ɵ blush

Please **flush** the toilet after you've used it.

변기를 사용한 후에 물을 내리세요.

☐ 174 **nap**
　　[næp]

ⓝ 낮잠, 선잠　ⓥ 선잠을 자다, 졸다　Ɵ doze

A recent study showed that taking a **nap** for half an hour increased brain abilities by about 40 percent. 기출

최근 한 연구는 30분 동안 낮잠을 자는 것이 두뇌 능력을 약 40%까지 증가시 킨다는 것을 보여 주었다.

➕ **take[have] a nap** 낮잠을 자다

Day 06

□ 175 **outlet**
[áutlet]

ⓝ 1. 코드 구멍, 콘센트 ⓢ socket 2. 할인점

It isn't practical to plug the computer into the same **outlet** as the television.

컴퓨터 플러그를 텔레비전과 같은 콘센트에 꽂는 것은 실용적이지 않다.

□ 176 **trim**
[trim]

ⓥ 다듬다, 손질하다 ⓝ 정돈(된 상태) ⓐ 잘 정돈된

Timothy is **trimming** the lawn around the roses.

Timothy는 장미 주위의 잔디를 다듬고 있다.

Culture tip housework

미국 사람들은 어떤 종류의 집안일(housework)을 할까요? 미국 집의 바닥에는 주로 카펫(carpet)이 깔려 있기 때문에 우리처럼 쓸고 난 후 걸레로 닦기(mopping)보다는 진공청소기(vacuum cleaner)로 청소를 해요. 또한 많은 미국의 주택에는 정원이 있고 잔디가 깔려 있어서 정원을 다듬거나(trimming), 잔디 깎는 기계(lawn mower)를 사용하여 잔디를 깎는 일(cutting the grass)을 합니다.

□ 177 **crack**
[kræk]

ⓥ 깨지다, 금이 가다 ⓝ 갈라진 금, 틈

Cracks were beginning to appear on the roof of the house.

집의 지붕에 금이 가기 시작했다.

□ 178 **leak**
[liːk]

ⓝ 새어나옴, 누출 ⓥ 새다, 누출하다

You'll have to mend that **leak** in the bathroom sink, or it will cause problems later.

욕실 세면대에 물이 새는 것을 고쳐야 해. 안 그러면 나중에 문제가 생길 거야.

Idioms

□ 179 **run out of**

~을 다 써 버리다, ~을 바닥내다 ⓢ use up

Will my heating system get damaged if I **run out of** oil?

기름을 다 써 버리면 난방 시스템이 손상될 수 있습니까?

□ 180 **hang up**

1. ~을 걸다[매달다] 2. 전화를 끊다

He took his coat off and **hung** it **up** on a hanger.

그는 코트를 벗어서 옷걸이에 걸었다.

Exercise

[1~5] 다음 영영 풀이에 알맞은 단어를 보기에서 골라 쓰세요.

보기	mess	flush	cottage	chore	wipe

1 to clean something by rubbing it _____

2 to let water pass through the toilet to clean it _____

3 the state of being dirty or not neat _____

4 a small house, usually in a village or the
   countryside _____

5 a task you must do but that you find unpleasant
   or boring _____

[6~9] 짝지어진 두 단어의 관계가 같도록 빈칸에 알맞은 단어를 쓰세요.

6 stair : step = trash : _____

7 priceless : worthless = neatness : _____

8 dust : _____ = nap : doze

9 flush : wash out = _____ : roomy

[10~12] 보기에서 알맞은 단어를 골라 문장을 완성하세요. (필요하면 단어 형태를 바꿀 것)

보기	discard	spread	trim

10 Timothy is _____ the lawn around the roses.

11 She beat dust out of the blanket and _____ it on the mattress.

12 Instead of _____ newspapers and plastics, they collect and
    recycle them.

Day
07 Studies

Previous Check

- ☐ insight
- ☐ academic
- ☐ essence
- ☐ intelligence
- ☐ solve
- ☐ inspire
- ☐ refer
- ☐ review
- ☐ linguistics
- ☐ improve

- ☐ content
- ☐ figure
- ☐ scholar
- ☐ concept
- ☐ principle
- ☐ expose
- ☐ theory
- ☐ define
- ☐ demonstrate
- ☐ conclude

- ☐ statistics
- ☐ physics
- ☐ geology
- ☐ diameter
- ☐ literal
- ☐ literate
- ☐ fluent
- ☐ go over
- ☐ look up
- ☐ dwell on

Day 07 Studies

01 02 03 04 05 06 **07** 08 09 10 11 12 13 14 15

Intermediate

□ 181 **insight**
[ínsàit]

ⓝ **통찰력, 간파**
History can provide **insight** into current issues and problems. 기출
역사는 현재의 쟁점과 문제점들에 대한 통찰력을 제공할 수 있다.
➕ **insightful** ⓐ 통찰력 있는

□ 182 **academic**
[ӕkədémik]

ⓐ **학업의, 학구적인**
How can **academic** achievement be measured?
학업 성취도는 어떻게 측정될 수 있는가?
➕ **academy** ⓝ 전문학교; 학회

□ 183 **essence**
[ésəns]

ⓝ **본질, 기초**
In **essence**, humans have the same biological needs as any other mammal. 기출
본질적으로 인간들은 다른 포유류들과 같은 생물학적 욕구를 가지고 있다.
➕ **essential** ⓐ 본질적인, 필수적인   **in essence** 본질적으로

□ 184 **intelligence**
[intélədʒəns]

ⓝ **지능, 이해력, 영리함** ⊟ stupidity 어리석음, 우둔함
Many liberal educators believe that all children are born with equal **intelligence**.
많은 진보 교육자들은 모든 아이들이 똑같은 지능을 갖고 태어난다고 믿는다.
➕ **intelligent** ⓐ 지적인, 총명한
AI (artificial intelligence) 인공 지능

Voca tip -ce

-ent, -ant로 끝나는 형용사에 -t 대신 -ce를 붙이면 명사형이 됩니다.
evident 명백한 – evidence 증거   patient 참을성 있는 – patience 인내심
innocent 순진한 – innocence 순진, 무죄   obedient 순종하는 – obedience 순종

58 Word Master 중등 고난도

☐ 185 **solve**
[saːlv]

ⓥ 풀다, 해결하다
This game encourages children's ability to **solve** puzzles using their mathematical skills.
이 게임은 아이들이 수학적 기술을 이용하여 퍼즐을 푸는 능력을 장려한다.
➕ **solution** ⓝ 해답, 해법

☐ 186 **inspire**
[inspáiər]

ⓥ 격려하다, 영감을 주다　🟰 motivate
His poem was **inspired** by his early childhood.
그의 시는 그의 유년기에서 영감을 받았다.
➕ **inspiration** ⓝ 영감

☐ 187 **refer**
[rifə́ːr]

ⓥ 언급하다, 참고하다
To get more information on this subject, download and **refer** to our free e-book.
이 주제에 대해 더 많은 정보를 얻으려면, 우리의 무료 전자책을 내려받아 참고하시오.
➕ **reference** ⓝ 언급, 참고

☐ 188 **review**
[rivjúː]

ⓥ 복습하다, 다시 검토하다　ⓝ 비평, 평론
They said **reviewing** what they learned helped them fully understand the material.
그들은 배운 것을 복습한 것이 그 내용을 완전히 이해하는 데 도움이 되었다고 말했다.

☐ 189 **linguistics**
[liŋgwístiks]

ⓝ 언어학
Linguistics is the study of language and how it works.
언어학은 언어에 대한 학문이며 언어가 어떻게 작용하는지에 대한 학문이다.
➕ **linguist** ⓝ 언어학자; 수개 국어에 능통한 사람

☐ 190 **improve**
[imprúːv]

ⓥ 향상시키다, 나아지다　🟰 worsen 악화시키다, 악화되다
The exposure to nature could **improve** concentration of children with ADHD. 기출
자연에 노출시키는 것이 ADHD(주의력 결핍 과잉 행동 장애)를 앓는 아이들의 집중력을 향상시킬 수 있었다.
➕ **improvement** ⓝ 향상, 개선

□ 191 **content**
Ⓝ [kántent]
ⓐ Ⓥ [kəntént]

Ⓝ 내용, 목차   ⓐ 만족하는   Ⓥ 만족시키다
Changing the **content** of the history books used in school is a very important task.
학교에서 사용되는 역사책의 내용을 바꾸는 것은 매우 중요한 작업이다.
➕ **table of contents** 목차, 차례

□ 192 **figure**
[fígjər]

Ⓝ 1. 그림 2. 수치 3. (사람의) 모습, 인물
When you read your textbook, look for illustrations, **figures** and tables. 기출
교과서를 읽을 때 삽화, 그림, 도표를 찾아봐라.
➕ **figure out** 이해하다; 계산해서 합계를 내다

□ 193 **scholar**
[skάːlər]

Ⓝ 학자, 장학생
Some **scholars** have been studying about ancient sites.
몇몇 학자들은 고대 유적지에 대해 연구해 오고 있다.
➕ **scholarly** ⓐ 학자의   **scholarship** Ⓝ 장학금

Advanced

□ 194 **concept**
[kάnsept]

Ⓝ 개념, 발상 ⊟ idea
The Diderot effect is the **concept** that purchasing a new item often leads to more unplanned purchases. 교과서
디드로 효과는 새로운 물품을 구입하는 것이 흔히 계획에 없던 더 많은 구매로 이어진다는 개념이다.

□ 195 **principle**
[prínsəpl]

Ⓝ 원리, 원칙
We agree with their idea in **principle**, but it's not always possible in practice.
원칙적으로 우리는 그들의 생각에 동의하지만, 실제로 그것이 항상 가능한 것은 아니다.
➕ **in principle** 원칙적으로는, 대체로

□ 196 **expose** [ikspóuz]

ⓥ **노출시키다, 드러내다** ⊜ uncover ↔ hide 숨기다

Depression appears to be a result of a decrease in the amount of sunlight we are **exposed** to. 기출

우울증은 우리가 햇빛에 노출되는 양이 감소한 결과로 나타난다.

⊕ **exposure** ⓝ 노출; 폭로 **be exposed to** ~에 노출되다

□ 197 **theory** [θíːəri]

ⓝ **이론, 학설**

A new evidence supports the **theory** of life beginning in space.

새로운 증거가 우주 생명의 기원에 관한 그 이론을 뒷받침해 준다.

⊕ **theoretical** ⓐ 이론적인 **in theory** 이론적으로는

□ 198 **define** [difáin]

ⓥ **정의하다, 명확히 하다**

We disagreed on how to **define** the meaning of success.

우리는 성공의 의미를 정의하는 것에 의견을 달리했다.

⊕ **definition** ⓝ 정의

□ 199 **demonstrate** [démənstrèit]

ⓥ **1. 보여 주다, 증명하다, 설명하다 2. 시위하다**

They teach us how to **demonstrate** respect for teammates and opponents. 기출

그들은 우리에게 팀 동료와 상대편에 대한 존경심을 나타내는 방식을 가르쳐 준다.

⊕ **demonstration** ⓝ 증명, 설명; 시위

Culture tip 잘못 줄여 쓰는 영어 표현

우리말에서 영어 단어를 잘못 줄여 쓰고 있는 경우가 더러 있어요. 정확한 영어 표현을 알아볼까요?

데모하다 – demonstrate	에어컨 – air conditioner
리모컨 – remote control	클래식 – classical music
애프터서비스 (A/S) – warranty service	시에프 (C.F.) – TV commercial

☐ 200 **conclude**
[kənklúːd]

ⓥ 끝내다, 결론 내리다

Before she **concluded** her lecture, she highlighted the most important principles.

강의를 끝마치기 전에, 그녀는 가장 중요한 원칙들을 강조했다.

➕ **conclusion** ⓝ 결론 **conclusive** ⓐ 결정적인
  in conclusion 끝으로, 결론적으로

☐ 201 **statistics**
[stətístiks]

ⓝ 통계학, 통계 자료

The **statistics** showed inter-racial marriages are on the increase.

통계에서 인종 간[국제] 결혼이 증가 추세에 있는 것으로 나타났다.

☐ 202 **physics**
[fíziks]

ⓝ 물리학

I'm going to take an introductory **physics** course next semester.

나는 다음 학기에 물리학 입문 과정을 들을 것이다.

➕ **physicist** ⓝ 물리학자

☐ 203 **geology**
[dʒiálədʒi]

ⓝ 지질학

In truth, I have a limited knowledge of **geology**.

사실, 나는 지질학에 대해 빈약한 지식을 가지고 있다.

➕ **geologist** ⓝ 지질학자

Voca tip　　**subjects**

학교에서 배우는 과목들을 영어로 알아볼까요?

Geography 지리학	Economics 경제학	Chemistry 화학
Biology 생물학	Literature 문학	Physical Education(P.E.) 체육

☐ 204 **diameter**
[daiǽmitər]

ⓝ 지름

The rafflesia is the world's largest flower and its **diameter** is about one meter. 기출

라플레시아는 세계에서 가장 큰 꽃으로 그 지름은 약 1미터이다.

➕ **in diameter** 직경이 ~인

□ 205 **literal**
[lítərəl]

ⓐ 글자 그대로의, 정확한

He answered only the **literal** meaning of my words because he didn't understand the concept behind them.

그는 내가 한 말의 숨은 뜻을 이해하지 못했기 때문에 글자 그대로의 의미에 대한 답변만 했다.

➕ **literally** ⓐ 글자 그대로, 완전히

□ 206 **literate**
[lítərit]

ⓐ 읽고 쓸 줄 아는, 교양 있는　⊟ illiterate 문맹의

He asked her to help him to fill out the form because he wasn't **literate**.

그는 읽고 쓸 줄 몰랐기 때문에 그녀에게 양식 기입하는 것을 도와달라고 부탁했다.

➕ **literacy** ⓝ 읽고 쓸 줄 앎　**computer-literate** 컴퓨터를 잘 다루는

□ 207 **fluent**
[flúːənt]

ⓐ (말·글이) 유창한

Practice helps us to become **fluent** in speaking and writing English. 기출

연습은 우리가 영어로 말하고 쓰는 데 유창해지도록 도와준다.

➕ **fluency** ⓝ 유창성

Idioms

□ 208 **go over**

~을 점검[검토]하다, ~을 주의 깊게 살피다

Could you **go over** this report and correct any mistakes?

이 보고서를 검토해 보고 틀린 부분이 있으면 고쳐 주시겠어요?

□ 209 **look up**

(사전·컴퓨터 등에서 정보를) 찾아보다, 조사하다

If you don't know what the word means, **look** it **up** in the dictionary.

그 단어가 무슨 뜻인지 모르면 사전에서 그것을 찾아봐라.

□ 210 **dwell on**

~을 깊이 생각하다, ~을 자세히 이야기하다

It's not a subject I want to **dwell on**.

그것은 내가 깊이 생각하고 싶은 주제가 아니다.

Exercise

[1~5] 다음 영영 풀이에 알맞은 단어를 보기에서 골라 쓰세요.

보기	diameter	insight	essence	content	theory

1 something that is inside _____

2 the basic and real nature of something _____

3 a true understanding of a complex problem or situation _____

4 the length of a line that can be drawn across a circle passing through its center _____

5 a set of ideas or principles to explain something which has not yet been proved _____

[6~9] 짝지어진 두 단어의 관계가 같도록 빈칸에 알맞은 단어를 쓰세요.

6 improve : worsen = literate : _____

7 fluent : fluency = conclusive : _____

8 solution : solve = definition : _____

9 _____ : hide = intelligence : stupidity

[10~12] 보기에서 알맞은 단어를 골라 문장을 완성하세요. (필요하면 단어 형태를 바꿀 것)

보기	literate	literal	statistics

10 The _____ showed inter-racial marriages are on the increase.

11 He answered only the _____ meaning of my words because he didn't understand the concept behind them.

12 He asked her to help him to fill out the form because he wasn't _____.

School

Previous Check

- ☐ educate
- ☐ instruct
- ☐ lecture
- ☐ due
- ☐ term
- ☐ examine
- ☐ award
- ☐ multiply
- ☐ calculate
- ☐ memorize

- ☐ institute
- ☐ laboratory
- ☐ dormitory
- ☐ principal
- ☐ aisle
- ☐ semester
- ☐ absent
- ☐ attendance
- ☐ motivate
- ☐ attitude

- ☐ eager
- ☐ entrance
- ☐ submit
- ☐ portfolio
- ☐ peer
- ☐ scholarship
- ☐ grant
- ☐ get along with
- ☐ catch up with
- ☐ drop out (of)

Intermediate

□ 211 **educate**
[édʒukèit]

ⓥ **교육하다** 目 instruct
It is extremely important to **educate** our children about their rights and how to protect them.
우리의 아이들에게 그들의 권리와 그 권리를 어떻게 지킬 것인가에 대해 교육하는 것은 대단히 중요하다.
➕ **education** ⓝ 교육 **educator** ⓝ 교육자, 교사

□ 212 **instruct**
[instrʌ́kt]

ⓥ 1. **교육하다, 가르치다** 目 teach 2. **지시하다**
Parents and teachers should **instruct** children on kindness.
부모들과 교사들은 아이들에게 친절에 대해 교육해야 한다.
➕ **instructive** ⓐ 교육적인, 유익한

□ 213 **lecture**
[léktʃər]

ⓝ 1. **강의** 2. **훈계** ⓥ 1. **강의하다** 2. **훈계하다**
His **lecture** on the education system of Finland was instructive.
핀란드 교육 제도에 관한 그의 강의는 유익했다.

□ 214 **due**
[dʲuː]

ⓐ **기일이 다 된**
The report was **due** the end of next week and she allowed her mind to drift and wander about into her pleasant memories. 기출
보고서는 다음 주 말에야 마감이어서 그녀는 기분 좋은 기억들 속으로 한가로이 거닐어 들어가는 자신의 마음을 굳이 다잡지 않았다.
➕ **due date** 예정일, 마감일

□ 215 **term**
[təːrm]

ⓝ 1. **학기** 2. **기간** 目 period 3. **용어** 目 word
Korean spring break is the perfect time to prepare for the new **term**.
한국의 봄 방학은 새 학기를 준비하기에 완벽한 시기이다.
➕ **midterm** ⓐ (학기·임기 등의) 중간의 **term paper** 학기말 과제

☐ 216 **examine**
[igzǽmin]

ⓥ 1. (지식·자격 등을) 시험하다 ⊟ test　2. 검사[조사]하다
3. 진찰하다

The following topics will be **examined** in the midterm test.
다음 주제들이 중간고사에서 평가될 예정이다.

➕ **examination** ⓝ 시험, 조사

☐ 217 **award**
[əwɔ́ːrd]

ⓝ 상 ⊟ prize　ⓥ 상을 주다

Joan has won several local science **awards** and is the computer club president.
Joan은 지역에서 주는 과학상을 여러 번 수상했고 컴퓨터 동아리 회장을 맡고 있다.

☐ 218 **multlply**
[mʌ́ltəplài]

ⓥ 1. 곱하다　2. 증식하다, 증식시키다 ⊟ Increase

Children will learn to **multiply** in the second grade.
아이들은 2학년 때 곱하는 방법(곱셈)을 배울 것이다.

➕ **multiplication** ⓝ 곱셈; 증식

Voca tip　사칙 연산

사칙 연산을 표현하는 단어들을 알아볼까요?
add 더하다 – addition 덧셈
multiply 곱하다 – multiplication 곱셈

subtract 빼다 – subtraction 뺄셈
divide 나누다 – division 나눗셈

Advanced

☐ 219 **calculate**
[kǽlkjəlèit]

ⓥ 계산하다 ⊟ miscalculate 잘못 계산하다

Divide it by 5 and **calculate** how many words you know on one page. 기출
그것을 5로 나누어서 한 페이지에서 얼마나 많은 단어를 알고 있는지 계산해 보라.

➕ **calculation** ⓝ 계산　**calculator** ⓝ 계산기

☐ 220 **memorize**
[mémэràiz]

ⓥ 기억하다, 암기하다

Some words are used only in soccer, not in everyday life. Learn some soccer vocabulary and **memorize** it. 교과서

어떤 단어들은 축구에서만 쓰이고, 일상생활에서는 쓰이지 않는다. 몇몇 축구 어휘를 배우고 그것을 외워라.

➕ **memory** ⓝ 기억(력), 추억

Voca tip -ize

-ize는 대체로 명사 또는 형용사 뒤에 붙어 '~ 상태로 만들다, ~ 상태가 되다'라는 뜻의 동사를 만드는 접미사입니다. 다른 예도 알아볼까요?

civil 문명의 – civilize 문명화하다   general 일반적인 – generalize 일반화하다
harmony 조화 – harmonize 조화시키다   modern 현대의 – modernize 현대화하다

☐ 221 **institute**
[ínstitʃùːt]

ⓝ (교육·연구 등을 위한) 협회, 연구소, 대학

According to a study conducted by a research **institute**, ninety percent of all people regularly have to search for lost objects. 기출

한 조사 기관에 의해 행해진 연구에 따르면, 전체 사람들의 90%가 주기적으로 분실한 물건들을 찾으러 다녀야 한다.

➕ **institution** ⓝ 학회; 제도

☐ 222 **laboratory**
[læbrətɔ̀ːri]

ⓝ 실험실, 연구실 ⊟ lab

Laboratory tests suggest that the new drug may be used to treat Alzheimer's disease.

연구실 실험에 따르면 그 신약이 알츠하이머병을 치료하는 데 사용될 수도 있다고 한다.

☐ 223 **dormitory**
[dɔ́ːrmətɔ̀ːri]

ⓝ 기숙사 ⊟ dorm

The **dormitory** is located close to the school facilities.

기숙사는 학교 시설에 가까이 위치하고 있다.

➕ **dormitory dean** 사감

□ 224 **principal**
[prínsəpəl]

ⓝ (학교 등의) 장 ⊟ head teacher   ⓐ 주된 ⊟ main
The **principal** called all the teachers to his office for an emergency meeting.
교장은 긴급회의를 위해 모든 교사들을 교장실로 소집했다.

Culture tip   headmaster/headmistress vs. head teacher

언어에 존재하는 남녀 차별을 없애려는 노력이 꾸준히 진행되고 있습니다. chairman을 chairperson으로, policeman을 police officer로, steward/stewardess를 flight attendant로 바꾸어 쓰려는 노력이 그 예가 될 수 있겠죠. principal과 비슷한 뜻으로 사용되는 headmaster/headmistress를 head teacher로 통칭하려는 움직임도 같은 맥락으로 볼 수 있습니다.

□ 225 **aisle**
[ail]

ⓝ (교실·극장·버스 등의) 통로, 복도
The flight attendants had made several trips up and down the **aisles** carrying their carts. 기출
승무원들은 카트를 끌고 통로를 수차례 왔다 갔다 했다.

□ 226 **semester**
[siméstər]

ⓝ 학기
My spring **semester** was about to begin.
나의 봄 학기가 막 시작되었다.

□ 227 **absent**
[ǽbsənt]

ⓐ 결석한, 불참한 ⊟ present 출석한
If students in America are **absent** from school for a good reason, it isn't a problem.
미국에서는 학생들이 정당한 이유로 결석한다면 그것은 문제가 되지 않는다.
➕ **absence** ⓝ 결석

□ 228 **attendance**
[əténdəns]

ⓝ 출석, 참석 ⊟ absence 결석
My teacher always takes **attendance** before class.
나의 선생님은 항상 수업 전에 출석을 점검하신다.
➕ **attend** ⓥ 출석하다   **take attendance** 출석을 점검하다

□ 229 **motivate**
[móutəvèit]

ⓥ **동기를 부여하다** ⊟ inspire
A desire to go to medical school **motivates** him to study hard every day.
의대에 가고 싶은 열망은 그가 매일 열심히 공부하도록 동기를 부여한다.
➕ **motivation** ⓝ 동기 부여

□ 230 **attitude**
[ǽtitʃùːd]

ⓝ **태도, 마음가짐**
A student has to have the right **attitude** toward his or her teachers.
학생은 자신들의 선생님들에 대한 올바른 태도를 가져야 한다.

□ 231 **eager**
[íːgər]

ⓐ **열성적인, 간절히 ~하고자 하는** ⊟ keen
He was cheerful, **eager** to learn, never late and never absent. 기출
그는 활발했고 열심히 배우고자 했으며, 절대 늦거나 결석하지 않았다.
➕ **eagerness** ⓝ 열의 **eagerly** ⓐⓓ 열심히, 간절히

□ 232 **entrance**
[éntrəns]

ⓝ 1. **입학** 2. **입장** 3. **입구** ⊟ exit 출구
He will take an **entrance** examination this Thursday.
그는 이번 주 목요일에 입학시험을 치를 것이다.
➕ **enter** ⓥ 들어가다 **entrance fee** 입장료

□ 233 **submit**
[səbmít]

ⓥ 1. **제출하다** ⊟ hand in 2. **(어쩔 수 없이) 따르다, 굴복하다**
The students have to **submit** the report based on their observations.
학생들은 관찰을 근거로 한 보고서를 제출해야 한다.
➕ **submission** ⓝ 복종, 순종

□ 234 **portfolio**
[pɔːrtfóuliòu]

ⓝ **(그림·사진 등의) 작품 모음, 포트폴리오**
Every applicant is required to submit a **portfolio**.
모든 지원자는 포트폴리오를 제출해야 한다.

☐ 235 **peer**
[piər]

ⓝ (나이·신분 등이) 동등한 사람, 또래
Teenagers use slang to fit into their **peer** groups.
십 대들은 또래 집단과 어울리기 위해 속어를 사용한다.

☐ 236 **scholarship**
[skálərʃìp]

ⓝ 장학금 ⊟ grant
Attending Redwood University with the **scholarship** has been my dream. 기출
장학금을 받고 Redwood 대학교에 다니는 것은 내가 꿈꾸던 일이었다.
➕ **scholar** ⓝ 학자 **scholastic** ⓐ 학교의, 학자의

☐ 237 **grant**
[grænt]

ⓝ 장학금 ⊟ scholarship ⓥ 1. 주다 ⊟ give 2. 허가하다
Only institutions, not individuals can apply for this government **grant**.
개인이 이닌 연구 단체만 이 정부 장학금을 신청할 수 있다.
➕ **grantee** ⓝ 장학금 수혜지

Idioms

☐ 238 **get along with**

~와 잘 지내다
Our students should learn social skills, the ability to meet people and to **get along with** them.
우리 학생은 사회적 기술, 즉 사람들을 만나고 그들과 잘 지내는 능력을 배워야 한다.

☐ 239 **catch up with**

1. (정도나 수준이 앞선 것을) 따라잡다, 만회하다
2. (먼저 간 사람을) 따라잡다
She studied four hours each night in order to **catch up with** her classmates.
반 친구들을 따라잡기 위해 그녀는 매일 밤 4시간씩 공부했다.

☐ 240 **drop out (of)**

1. (~에서) 중퇴하다 2. 빠지다, 손을 때다
Too many students **drop out of** college after only one year.
너무 많은 학생들이 1년 만에 대학을 중퇴한다.

Exercise

[1~5] 다음 영영 풀이에 알맞은 단어를 보기에서 골라 쓰세요.

보기	institute	laboratory	semester	peer	educate

1 one who is the same age as you _____

2 to teach different subjects to students _____

3 an organization set up to do research or teaching _____

4 a place where scientists do tests _____

5 one of the two periods into which an academic year is often divided _____

[6~9] 짝지어진 두 단어의 관계가 같도록 빈칸에 알맞은 단어를 쓰세요.

6 laboratory : lab = dormitory : _____

7 add : addition = _____ : division

8 calculate : miscalculate = entrance : _____

9 _____ : scholarship = term : semester

[10~12] 보기에서 알맞은 단어를 골라 문장을 완성하세요. (필요하면 단어 형태를 바꿀 것)

보기	instruct	motivate	absent

10 If students in America are _____ from school for a good reason, it isn't a problem.

11 A desire to go to medical school _____ him to study hard every day.

12 Parents and teachers should _____ children on kindness.

Day
09 Jobs

Previous Check

- ☐ manufacture
- ☐ manage
- ☐ operate
- ☐ expert
- ☐ senior
- ☐ psychologist
- ☐ personnel
- ☐ barber
- ☐ counselor
- ☐ reward

- ☐ wage
- ☐ shift
- ☐ retire
- ☐ supervise
- ☐ accomplish
- ☐ architect
- ☐ secretary
- ☐ experienced
- ☐ vend
- ☐ requirement

- ☐ superior
- ☐ career
- ☐ profession
- ☐ application
- ☐ salary
- ☐ labor
- ☐ proficient
- ☐ prompt
- ☐ insist on
- ☐ turn down

Intermediate

□ 241 **manufacture**
[mǽnjəfǽktʃər]

ⓥ 1. (대량으로 상품을) 제조[생산]하다 2. (이야기 등을) 지어내다
ⓝ (상품의 대량) 제조[생산]
The firm used to **manufacture** aluminium products.
그 회사는 과거에 알루미늄 제품을 생산했었다.
➕ **manufacturer** ⓝ 제조재[사], 생산 회사

□ 242 **manage**
[mǽnidʒ]

ⓥ 1. 경영[관리]하다, 운영하다 2. 그럭저럭 해내다(to)
Jane wants her son to **manage** her hotel, but he wants to be an artist.
Jane은 아들이 그녀의 호텔을 경영하기를 원하지만, 그는 예술가가 되기를 원한다.
➕ **management** ⓝ 경영, 운영

□ 243 **operate**
[ápərèit]

ⓥ 1. 관리하다, 운영하다 2. 움직이다, 작동하다
After his death, people got to know that he owned and **operated** an enormous company.
그가 사망한 이후, 사람들은 그가 엄청나게 큰 회사를 소유하여 운영했다는 것을 알게 되었다.
➕ **operation** ⓝ 작동, 작용

□ 244 **expert**
[ékspəːrt]

ⓝ 전문가, 숙련가, 달인 ⊟ specialist ⓐ 숙련된, 노련한
A pilot is so-called a technical **expert** who flies an airplane.
파일럿은 비행기를 조종하는 소위 기술 전문가이다.
➕ **expertise** ⓝ 전문적 기술[지식]

□ 245 **senior**
[síːnjər]

ⓐ 선임의, 선배의, 손위의 ⊟ junior, subordinate 손아래의, 하위의
ⓝ 선임자, 선배, 연장자
Jack, who is an expert in business, is **senior** to Sara.
Jack은 비즈니스업계에서 전문가인데, 그는 Sara보다 선배이다.

□ 246 **psychologist**
[saikάlədʒist]

ⓝ 심리학자

According to Amy Cuddy, a famous **psychologist**, we can become more confident just by standing tall for two minutes before stressful events. 교과서

유명한 심리학자인 Amy Cuddy에 의하면, 우리는 스트레스가 많은 사건 이전에 2분 정도 꼿꼿이 서 있는 것만으로도 자신감이 더 생길 수 있다고 한다.

➕ **psychology** ⓝ 심리학

□ 247 **personnel**
[pə̀:rsənél]

ⓝ 1. 전 직원, 인원 ☰ staff 2. 인사과 ⓐ 직원의

The computer company I worked for fired ten percent of the **personnel**.

내가 일했던 컴퓨터 회사는 전 직원의 10퍼센트를 해고했다.

□ 248 **barber**
[bά:rbər]

ⓝ 이발사

The new **barber** gave the soldier a trim skillfully.

새로 온 이발사는 능숙하게 병사의 머리를 손질했다.

> **Culture tip** barber
>
> barber는 '수염 모양의 물건, 철조망의 가시, 사람의 수염'을 뜻하는 말인 barb에서 비롯된 단어로 '이발사'를 뜻합니다. barber는 남자의 머리를 손질하므로, 보통 여자의 머리를 관리하는 hairdresser와는 구별되어 쓰입니다.

□ 249 **counselor**
[kάunsələr]

ⓝ 지도 교사, 카운슬러; 상담역, 조언자

A school **counselor** can give you some advice if you have any trouble at school.

학교에서 어떤 문제를 겪게 된다면 학교 지도 교사가 조언을 해 줄 수 있다.

➕ **counsel** ⓝ (전문가에 의한) 조언[충고] ⓥ 상담을 하다, 조언[충고]하다

> **Voca tip** -or
>
> -or는 동사 뒤에 붙어서 '~하는 사람'을 뜻하는 명사를 만드는 접미사입니다. 다른 예도 알아볼까요?
>
> operate 조작하다 – operator 조작자   edit 편집하다 – editor 편집자, 교정자
> advise 조언하다 – advisor 조언자   supervise 관리[감독]하다 – supervisor 관리자, 감독자
> conduct 안내하다, 지휘하다 – conductor 안내자, 지휘자

☐ 250 **reward**
[riwɔ́ːrd]

ⓝ 보상, 보수 ⊟ penalty 벌, 벌금 ⓥ 보답하다, 보수를 주다
Traditional **rewards** for work are material: promotions with increased pay, bonuses, and generous benefit packages.
노동에 대한 전통적인 보상은 물질적인 것이다. 즉, 급여 인상, 보너스 및 후한 복리후생 제도가 포함된 승진이다.

☐ 251 **wage**
[weidʒ]

ⓝ 임금, 급료 ⊟ pay ⓐ 임금의
Because of low **wages**, there were few Korean applicants for the job.
낮은 임금 때문에, 그 일자리에는 한국인 지원자가 거의 없었다.

☐ 252 **shift**
[ʃift]

ⓝ 교체, 교대, 교대조 ⓥ 바꾸다, 이동시키다
The brighter lights kept workers more awake and able to work to the end of a night **shift**. 기출
더 밝은 조명은 노동자들이 더 깨어 있게 하여 야간 근무를 끝까지 해낼 수 있게 됐다.
➕ **night shift** 야간 근무, 야간 교대(조)

Advanced

☐ 253 **retire**
[ritáiər]

ⓥ 퇴직하다, 은퇴하다
Everyone should have the right to a pension when they **retire**.
모든 사람은 은퇴할 때 연금을 받을 권리를 가져야 한다.
➕ **retirement** ⓝ 퇴직

☐ 254 **supervise**
[sjúːpərvàiz]

ⓥ 감독하다, 관리하다, 지휘하다 ⊟ keep an eye on
In ancient Hawaii, building a canoe was a specialized art **supervised** by a high priest. 기출
고대 하와이에서 카누를 만드는 일은 제사장에 의해 관리되는 특별한 예술이었다.
➕ **supervisor** ⓝ 관리자 **supervision** ⓝ 감독, 관리

□ 255 **accomplish**
[əkámpliʃ]

ⓥ 달성하다, 이루다　目 achieve
They all **accomplish** less than they could, because many activities take a lot longer to complete at an unsuitable time. 기출
그들 모두는 그들이 이룰 수 있는 것보다 더 적게 성취하는데, 왜냐하면 부적합한 시간에 많은 활동들을 완수하려면 훨씬 더 긴 시간이 걸리기 때문이다.
➕ **accomplishment** ⓝ 완성, 성취

□ 256 **architect**
[ɑ́ːrkitèkt]

ⓝ 건축가, 설계자　目 designer　ⓥ 설계하다
Jorn Utzon, the **architect** of the Sydney Opera House, took a shape from nature and added his imagination. 교과서
시드니 오페라 하우스의 건축가인 Jorn Utzon은 자연에서 형태를 가져와 자신의 상상력을 더했다.
➕ **architecture** ⓝ 건축, 건축학

□ 257 **secretary**
[sékrətèri]

ⓝ 1. 비서　2. 장관
As I stood before him, he said, "We're promoting you to **secretary**." 기출
내가 그의 앞에 섰을 때, 그는 "우리는 당신을 비서로 승진시킬 겁니다."라고 말했다.

□ 258 **experienced**
[ikspíəriənst]

ⓐ 경험이 있는, 숙달한　目 skilled　目 inexperienced 미숙한
I don't think she's really **experienced** enough for this job.
나는 그녀가 실제로 이 직업에 충분히 경험이 있다고 생각하지 않는다.
➕ **experience** ⓝ 경험　ⓥ 경험하다

□ 259 **vend**
[vend]

ⓥ 행상하다, 팔다
A poor woman was **vending** her clothes to people on the street.
한 가난한 여자가 길거리에서 사람들에게 자신의 옷을 팔고 있었다.
➕ **vendor** ⓝ 행상인　**vending machine** 자동판매기

□ 260 **requirement**
[rikwáiərmənt]

ⓝ 1. 필요조건, 자격　2. 필요한 것
It's a **requirement** of the job that you should be able to speak English.
영어를 할 수 있어야 하는 것은 그 직업의 필요조건이다.
➕ **require** ⓥ 필요하다

261 **superior**
[suːpíriər]

ⓝ 상사, 윗사람 ⓐ 우수한, 상위의 ⊟ inferior 열등한, 하위의
I think that new employees have to learn a lot from their **superiors**.
나는 신입 사원들이 상사들로부터 많은 것을 배워야 한다고 생각한다.
➕ **superiority** ⓝ 우위, 우월 **immediate superior** 직속상관

262 **career**
[kəríər]

ⓝ 1. 경력, 이력 2. (전문성이 있는) 직업
His **career** as a lawyer helped him to be a promising judge in the city.
그의 변호사 경력은 그가 그 도시에서 전도유망한 판사가 되는 데 도움이 됐다.

263 **profession**
[prəféʃən]

ⓝ 직업, 전문직 ⊟ occupation
With your career, you need to find information about how to get a job in that **profession**. 기출
당신의 경력을 가지고, 그 직종의 일자리를 어떻게 구할 것인지 정보를 찾아야 한다.
➕ **professional** ⓐ 전문적인 ⓝ 전문가, 직업 선수

264 **application**
[æpləkéiʃən]

ⓝ 신청서, 원서, 응모
You need to complete the online **application** form.
온라인 신청서를 작성해야 합니다.
➕ **apply** ⓥ 지원하다, 신청하다 **job application** 입사 지원서

265 **salary**
[sǽləri]

ⓝ 봉급, 급여 ⊟ income
The president finally reached an agreement for a 10% raise in monthly **salary**.
사장은 마침내 월급의 10% 인상에 동의했다.
➕ **annual salary** 연봉

☐ 266 **labor**
[léibər]

ⓝ 노동, 일, 업무

People involved in manual **labor** are usually paid low without any big reward.

육체 노동에 종사하는 사람들은 대개 큰 보상도 없이 낮은 임금을 받는다.

➕ **labor force** 노동력

Voca tip labor

labor는 본래 '고생'이라는 뜻에서 비롯되었습니다. 기본적으로 labor는 '노동, 일, 업무'를 뜻하며, 영국이나 캐나다에서는 labour라고 씁니다. 영국에서는 Labour를 정치적인 의미로 '노동당(Labour Party)'을 지칭하기도 합니다. 그 외에 Labor Day(노동절), International Labor Organization(국제 노동 기구) 등에 labor를 사용합니다.

☐ 267 **proficient**
[prəfíʃənt]

ⓐ 익숙한, 능숙한

Lynn is **proficient** in English and Japanese.

Lynn은 영어와 일본어에 능숙하다.

➕ **proficiency** ⓝ 능숙(도)

☐ 268 **prompt**
[prɑmpt]

ⓐ 1. 신속한 ⊜ quick 2. 시간을 엄수하는

The architect's new secretary was **prompt** in action.

건축가의 새 비서는 행동이 민첩했다.

➕ **promptly** ⓐⓓ 즉시, 제시간에

Idioms

☐ 269 **insist on**

~을 주장하다, ~을 (강력히) 고집[요구]하다

Some companies **insist on** staff undergoing regular medical checks.

일부 회사들은 직원들이 정기적인 건강 검진을 받아야 한다고 주장한다.

☐ 270 **turn down**

거절하다, 거부하다 ⊜ refuse, reject

Billionaire Jack Ma, founder of Alibaba was **turned down** from every job he applied for after college, even KFC.

억만장자인 알리바바의 설립자 Jack Ma는 대학 졸업 후 지원한 모든 직장에서 거절당했는데, 심지어 KFC에서도 그러했다.

Exercise

[1~5] 다음 영영 풀이에 알맞은 단어를 보기에서 골라 쓰세요.

보기	prompt	architect	superior	manufacture	wage

1 to make goods in large quantities in a factory _____

2 without delay, not late _____

3 someone with a higher job position than yours _____

4 the amount of money paid to workers _____

5 a person[professional] who designs buildings _____

[6~9] 짝지어진 두 단어의 관계가 같도록 빈칸에 알맞은 단어를 쓰세요.

6 accomplish : _____ = manage : management

7 retire : retirement = _____ : application

8 expert : specialist = pay : _____

9 _____ : junior = superior : inferior

[10~12] 보기에서 알맞은 단어를 골라 문장을 완성하세요. (필요하면 단어 형태를 바꿀 것)

보기	career	reward	personnel

10 The computer company I worked for fired ten percent of the _____.

11 Traditional _____ for work are material: promotions with increased pay, bonuses, and generous benefit packages.

12 His _____ as a lawyer helped him to be a promising judge in the city.

10 Workplace

- □ pile
- □ colleague
- □ attach
- □ photocopy
- □ appoint
- □ agency
- □ basis
- □ index
- □ deny
- □ stationery
- □ staple
- □ confirm
- □ detail
- □ classify
- □ document
- □ misplace
- □ procedure
- □ firm
- □ client
- □ frequent
- □ commute
- □ division
- □ notify
- □ assign
- □ booth
- □ brochure
- □ distribute
- □ make up for
- □ get ahead
- □ take over

Intermediate

□ 271 **pile**
[pail]

ⓝ 더미 = stack ⓥ 1. 쌓아 올리다 2. 쌓이다
Rather than taking a **pile** of papers home each night to read, take only a workable number. 기출
매일 밤 읽을 서류를 한 더미씩 집으로 가져가기보다는, 할 수 있을 만큼의 양만 가지고 가라.

□ 272 **colleague**
[káːliːg]

ⓝ (같은 직장이나 직종에 종사하는) 동료
Bill turned green with envy when his **colleague** was promoted before him.
Bill은 동료가 자신보다 먼저 승진하자 몹시 부러워했다.

□ 273 **attach**
[ətǽtʃ]

ⓥ 붙이다, 첨부하다 = add, adhere
Could you show me how I **attach** a document to an email?
이메일에 어떻게 서류를 첨부하는지 알려 주시겠어요?
➕ **attached** ⓐ 첨부된, 부속의 **attachment** ⓝ 애착, 지지; 부착물

□ 274 **photocopy**
[fóutoukàpi]

ⓝ 사진 복사물 = copy ⓥ 사진 복사하다 = xerox, copy
He made a **photocopy** of the sheet and attached it to the document.
그는 그 종이를 복사하여 서류에 첨부했다.

□ 275 **appoint**
[əpɔ́int]

ⓥ 1. 임명하다, 지명하다 2. 약속하다, 정하다
The truth is that they **appoint** no more than two or three women to high positions.
그들이 고위직에 단지 두세 명의 여성들만 임명한다는 것은 사실이다.
➕ **appointment** ⓝ 임명; 약속

☐ 276 **agency**
[éidʒənsi]

ⓝ 대리점, 대행 회사

You don't realize that those young women are employees of an advertising **agency**. 기출

당신은 그 젊은 여성들이 광고 회사의 직원들이라는 것을 깨닫지 못한다.

☐ 277 **basis**
[béisis]

ⓝ 1. 기준 (단위) 2. 기초 ⊜ base

Job sharing is the sharing of one job by two or more employees who work on a part-time **basis**.

일자리 나누기란 시간제로 일하는 두 명 이상의 종업원이 한 직무를 공유하는 것이다.

➕ **on a regular basis** 정기적으로

☐ 278 **index**
[índeks]

ⓝ 1. 지수, 지표 2. 색인

The new brand ranked high in the China Customer Satisfaction **Index** last year.

그 신생 브랜드는 작년 중국 고객 만족도 지수에서 상위에 올랐다.

➕ **consumer price index** 소비자 물가 지수

☐ 279 **deny**
[dinái]

ⓥ 1. 거절하다 ⊜ decline 2. 부인하다

Mr. Smith politely **denied** the job offer.

Smith 씨는 정중하게 그 일자리 제안을 거절했다.

☐ 280 **stationery**
[stéiʃənèri]

ⓝ 문방구, 문구류

I went to the **stationery** store because I needed some new pens, rulers, and erasers.

나는 새 펜, 자, 지우개가 필요해서 문구점에 갔다.

Advanced

□ 281 **staple**
□ [stéipl]

ⓝ 스테이플러 철사 침 ⓥ 스테이플러로 고정시키다
Before you use the paper shredder, just be sure to remove any **staples** or paper clips.
문서 분쇄기를 사용하기 전에 스테이플러 침이나 종이 클립을 반드시 제거하세요.

Culture tip   stapler vs. Hotchkiss

요즘은 스테이플러(stapler)라는 옳은 표현을 많이 쓰지만, 가끔 이것을 호치키스(Hotchkiss)라고 하는 것도 들을 수 있습니다. 이것은 Benjamin B. Hotchkiss라는 사람의 이름을 딴 스테이플러 회사의 상표로, 잘못된 영어 표현이지만 워낙 오랫동안 사용되어서 우리말에서는 표준어로 인정받고 있습니다. 하지만 영어로 말할 때는 stapler라고 하는 게 좋겠죠.

□ 282 **confirm**
□ [kənfə́ːrm]

ⓥ 승인하다, 확인하다
I've accepted the job over the phone, but I haven't **confirmed** it in writing yet.
나는 전화로 그 일자리를 수락했지만, 아직 서면으로는 승인하지 않았다.
➕ **confirmative** ⓐ 확인의 **confirmation** ⓝ 확인

□ 283 **detail**
□ [díːteil] .

ⓝ 세부 사항
You have to report every **detail** about the meeting to your superior.
당신은 회의에 관한 모든 세부 사항을 당신의 상사에게 보고해야 한다.
➕ **in detail** 상세히

□ 284 **classify**
□ [klǽsəfài]

ⓥ 분류하다 ▤ categorize
Employees are **classified** into four types: full-time, part-time, on-call, and interns.
고용인은 정규직, 시간제, 비상대기 당직, 인턴의 4가지 유형으로 분류된다.
➕ **classified (ad)** 안내 광고 (구인·구직 등의 항목별 광고)

□ 285 **document**
[dάkjumənt]

ⓝ 문서, 서류

While they are in college, students are asked to create **documents** and research many topics on the Internet. 기출

대학에서 공부하는 동안, 학생들은 문서를 만들고 인터넷상의 많은 주제를 연구하도록 요구받는다.

➕ **documentary** ⓐ 문서의; 사실을 기록한

□ 286 **misplace**
[mispléis]

ⓥ 잘못 두다, 둔 곳을 잊다

I must have **misplaced** the scissors. I can't find them.

가위를 잘못 두었음에 틀림없어. 그것을 찾을 수가 없어.

> **Voca tip** mis-
>
> mis-는 동사나 명사 앞에 붙어서 그것이 옳지 못하거나 나쁘게 되었음을 나타내는 접두사입니다. 다른 예도 알아볼까요?
>
> report 보도하다 – misreport 잘못 보도하다　　use 사용하다 – misuse 잘못 사용하다
> calculate 계산하다 – miscalculate 잘못 계산하다　lead 이끌다 – mislead 잘못 이끌다
> judge 판단하다 – misjudge 잘못 판단하다　　behave 행동하다 – misbehave 잘못 처신하다

□ 287 **procedure**
[prəsíːdʒər]

ⓝ 절차, 순서 ⊟ process

The company has new **procedures** for dealing with customer complaints.

그 회사는 소비자의 불편 사항을 처리할 새로운 절차를 갖고 있다.

□ 288 **firm**
[fəːrm]

ⓝ 회사 ⓐ 굳은, 확고한

Bankers are not eager to lend money to new **firms**. 기출

은행가들은 신설된 회사들에 별로 돈을 빌려주려 하지 않는다.

> **Voca tip** 회사
>
> firm 이외에도 회사를 지칭하는 말은 여러 가지가 있습니다. 몇 가지 알아볼까요?
> company 가장 일반적인 회사 – Co.　　　enterprise 기업
> corporation 주식회사 – Corp.　　　　　conglomerate 재벌 그룹
> 주식회사를 뜻하는 형용사는 다음과 같고, 줄임말을 회사 이름 뒤에 붙여서 씁니다.
> limited 주식회사의 – Ltd.　　　　　　incorporated 주식회사의 – Inc.

☐ 289 **client**
[kláiənt]

ⓝ 의뢰인, 고객 ⊟ customer
At Air Pacific, we know that earning the trust of our **clients** is a permanent and ongoing endeavor. 기출
Air Pacific에서는 고객들의 신뢰를 얻는 데는 영구적이고 지속적인 노력이 뒤따른다는 것을 알고 있습니다.

☐ 290 **frequent**
[frí:kwənt]

ⓐ 자주 일어나는, 빈번한 ⊟ constant ⊟ rare 드문, 희귀한
The client paid a **frequent** visit to the firm and asked many questions.
그 고객은 회사를 자주 방문했고 많은 질문을 했다.

☐ 291 **commute**
[kəmjú:t]

ⓥ 통근하다, 통학하다
People who **commute** long distances are more likely to complain of neck and back pain.
장거리를 통근하는 사람들은 목과 허리 통증을 호소할 가능성이 더 높다.
➕ **commuter** ⓝ 통근자

☐ 292 **division**
[divíʒən]

ⓝ 1. 부서 ⊟ department 2. 분열 ⊟ separation
Under his leadership, the **division** experienced dramatic growth.
그의 지도력하에서 그 부서는 괄목할 만한 성장을 경험했다.

☐ 293 **notify**
[nóutəfài]

ⓥ 통지[통보]하다 ⊟ inform
Please **notify** our sales division immediately if you receive a damaged item.
손상된 제품을 받으시면 즉시 저희 영업부에 알려 주시기 바랍니다.
➕ **notification** ⓝ 통지, 공고

☐ 294 **assign**
[əsáin]

ⓥ 1. 할당하다 ⊟ allot 2. 임명하다 ⊟ appoint
It's her job to **assign** tasks to the various members of the team.
팀의 다양한 구성원들에게 업무를 할당하는 것이 그녀의 일이다.
➕ **assignment** ⓝ 할당; 임명; 숙제 **assign a task** 임무를 할당하다

□ 295 **booth**
[bu:θ]

ⓝ **부스(칸막이한 작은 공간)**

When is the deadline for reserving a **booth** in the trade show?

무역 박람회에서 부스 공간을 확보하기 위한 마감일은 언제인가요?

➕ **ticket booth** 매표소

□ 296 **brochure**
[brouʃúər]

ⓝ **안내 소책자** 🖃 pamphlet

I'm wondering if there is any new **brochure** published.

새로운 안내 책자가 나왔는지 궁금합니다.

□ 297 **distribute**
[distríbju:t]

ⓥ **분배하다** 🖃 hand out

The booths were set up to **distribute** brochures.

소책자를 나누어 주기 위해 부스들이 설치되었다.

➕ **distribution** ⓝ 분배

Idioms

□ 298 **make up for**

~을 만회하다, 보충하다 🖃 compensate

They had to work overtime to **make up for** the lost time.

그들은 손해 본 시간을 만회하기 위해서 추가로 더 일을 해야 했다.

□ 299 **get ahead**

성공하다, 출세하다, ~을 앞서다

Working overseas is important to **getting ahead** in many companies.

많은 회사에서 해외 근무는 성공하는 데 있어 중요하다.

□ 300 **take over**

인계받다, 일을 넘겨받다

Who will **take over** as director after Richard resigns?

Richard가 사임한 후에 누가 이사직을 이어받을 것인가?

Exercise

[1~5] 다음 영영 풀이에 알맞은 단어를 보기에서 골라 쓰세요.

| 보기 | stationery | misplace | procedure | document | appoint |

1 office supplies and writing materials _____

2 to select someone for a specific job _____

3 to put something in the wrong place _____

4 a process of acts for a purpose _____

5 a written paper that gives information
   about something _____

[6~9] 짝지어진 두 단어의 관계가 같도록 빈칸에 알맞은 단어를 쓰세요.

6 basis : base = pile : _____

7 procedure : process = classify : _____

8 deny : decline = notify : _____

9 client : _____ = division : department

[10~12] 보기에서 알맞은 단어를 골라 문장을 완성하세요. (필요하면 단어 형태를 바꿀 것)

| 보기 | confirm | deny | colleague |

10 Mr. Smith politely _____ the job offer.

11 Bill turned green with envy when his _____ was promoted
    before him.

12 I've accepted the job over the phone, but I haven't _____ it
    in writing yet.

Previous Check

- ☐ report
- ☐ press
- ☐ article
- ☐ journal
- ☐ broadcast
- ☐ post
- ☐ pose
- ☐ scene
- ☐ survey
- ☐ mass

- ☐ factual
- ☐ fame
- ☐ poll
- ☐ channel
- ☐ criticize
- ☐ compliment
- ☐ series
- ☐ feature
- ☐ script
- ☐ bulletin

- ☐ preview
- ☐ column
- ☐ release
- ☐ announce
- ☐ reveal
- ☐ audience
- ☐ panel
- ☐ focus
- ☐ argue over
- ☐ come up with

Intermediate

□ 301 **report**
[ripɔ́ːrt]

ⓥ 보도하다, 전하다 ▤ inform ⓝ 보도, 보고
In 1888, a French newspaper mistakenly **reported** Alfred Nobel's death. 교과서
1888년, 프랑스의 한 신문은 Alfred Nobel의 사망을 잘못 보도했다.
➕ **reportable** ⓐ 보도할 수 있는

□ 302 **press**
[pres]

ⓝ 1. 신문, 잡지, 언론 2. 언론인, 기자
He finally decided to hold the **press** conference to give his personal opinion to the media.
그는 마침내 매체에 자신의 개인적 의견을 피력하기 위해 기자 회견을 갖기로 결심했다.
➕ **press conference** 기자 회견

□ 303 **article**
[áːrtikl]

ⓝ 1. (신문·잡지의) 기사, 논설 2. (문법) 관사
Our local daily newspaper covers **articles**, news, sports, politics, entertainment, and advertisements.
우리 지역 일간 신문은 논설, 뉴스 기사, 스포츠, 정치, 오락, 광고를 다루고 있다.

□ 304 **journal**
[dʒɔ́ːrnəl]

ⓝ 1. 잡지, 정기 간행물; (일간) 신문 2. 일기, 일지
Students need all day and night access to library resources such as **journals** and articles. 기출
학생들은 잡지, 논설 기사와 같은 도서관 자료에 항시 접근할 필요가 있다.
➕ **journalist** ⓝ 보도 기자, (신문·잡지의) 기자

□ 305 **broadcast**
[brɔ́ːdkæst]

ⓥ 방송하다, 방영하다 ▤ air ⓝ 방송, 방영
Five matches between Lee Sedol and AlphaGo were **broadcast** live on TV.
이세돌과 알파고 사이의 다섯 번의 대국이 텔레비전으로 생방송되었다.
➕ **broadcasting station** 방송국

□ 306 **post**
[poust]

ⓥ (안내문 등을) 게시[공고]하다
ⓝ 게시글, 포스트(블로그·소셜 네트워크 등에 올리는 사진이나 글)
They also **post** pictures with the messages, so you can understand the **posts** more easily. 교과서
그들은 또한 메시지와 사진들을 함께 게재하므로, 여러분은 게시글들을 더 쉽게 이해할 수 있다.

□ 307 **pose**
[pouz]

ⓥ (사진 등을 위한) 자세를 취하다　ⓝ 자세, 포즈　🖃 posture
The politician **posed** for a picture before making a public announcement.
그 정치인은 공개 발표를 하기 전 사진을 찍기 위해 포즈를 취했다.

□ 308 **scene**
[siːn]

ⓝ 1. (연극·영화의) 장면, 무대　2. 현장
Reporters rushed to the **scene** of the accident to interview the victims.
피해자들을 인터뷰하기 위해 기자들이 사건 현장으로 달려갔다.
➕ **scenic** ⓐ 무대 장치의

□ 309 **survey**
ⓝ [sə́ːrvei]
ⓥ [səːrvéi]

ⓝ 조사, 검사, 측량　ⓥ 조사하다, 살펴보다
This **survey** by a US journal shows the percentage of single-parent households in each area.
한 미국 신문이 실시한 이 조사는 각 지역의 한 부모 가구의 비율을 보여 준다.

□ 310 **mass**
[mæs]

ⓝ 대중, 집단　ⓐ 다수 대중의
It is noticeable that we gain a lot of information and influences through many kinds of **mass** media. 기출
우리가 많은 종류의 대중 매체를 통해 많은 정보와 영향력을 획득한다는 것은 주목할 만한 일이다.
➕ **mass communication[media]** 대중 매체

□ 311 **factual**
[fǽktʃuəl]

ⓐ 사실의, 사실에 입각한　🖃 fictitious 허구의
The journalist wanted to survey the article published last week because of many **factual** errors in it.
그 기자는 사실과 다른 점이 많다는 이유로 지난주에 실렸던 기사를 조사하기를 원했다.
➕ **fact** ⓝ 사실

□ 312 **fame**
[feim]

ⓝ 명성, 평판 ⊜ reputation

Sophia went to Hollywood in search of **fame** and fortune.

Sophia는 명성과 부를 찾아 할리우드로 갔다.

➕ **famous** ⓐ 유명한

□ 313 **poll**
[poul]

ⓝ 투표, 여론 조사 ⓥ 투표하다, 여론 조사를 하다

The result of the public opinion **poll** taken last week reflects reality in our country.

지난주에 행해진 여론 조사 결과는 우리나라의 현실을 반영한다.

□ 314 **channel**
[tʃǽnl]

ⓝ 1. 채널 2. 수로, 해협

We really don't need a dedicated movie **channel**.

우리는 영화 전용 채널이 정말로 필요하지 않다.

Advanced

□ 315 **criticize**
[krítisàiz]

ⓥ 비판하다, 혹평하다 ⊟ praise 칭찬하다

Rather than looking for things to **criticize** in those around you, why not respect their differences? 기출

여러분의 주변에 있는 사람들에게서 비판할 것을 찾기보다는 그들의 차이점들을 존중하는 것이 어떠한가?

➕ **critic** ⓝ 비평가, 평론가

□ 316 **compliment**
[kámpləmənt]

ⓝ 칭찬, 칭찬의 말 ⊟ criticism 비난, 비평 ⓥ 칭찬하다

Each time you give a **compliment**, you focus completely on the other person. 기출

칭찬을 해 줄 때는 상대에게 완전히 집중한다.

➕ **complimentary** ⓐ 칭찬의, 칭찬하는

Voca tip   compliment vs. complement

compliment와 complement는 동음이의어로 철자 한 개의 차이로 인해 자주 혼동되는 어휘랍니다. compliment는 '칭찬; 칭찬하다'라는 의미로 쓰이는 반면, complement는 '보완(물), 보어; 보충하다'라는 뜻으로 쓰입니다.

Day
11

□ 317 **series**
[síəri:z]

ⓝ 연속물, (TV 프로그램의) 연속 프로 ⊜ sequence
Tonight's program is the third in a four-part **series**.
오늘 밤의 프로그램은 4부작 시리즈 중 세 번째 것이다.

Culture tip   episode, series

episode란 프로그램·영화 등에서 전체 작품 중 한 회분의 이야기를 말합니다. 이것이 하나씩 완결되면서 계속되는 것이라면 series가 되겠죠. 예를 들어, five-episode series는 다섯 개의 이야기가 계속 연결되어 진행된다는 것을 의미합니다.

□ 318 **feature**
[fí:tʃər]

ⓝ 1. (신문·잡지 등의) 연재 기사, 특집 기사 2. 특징
ⓥ 1. (사건을) 대서특필하다 2. 특색으로 삼다
She was assigned to write a **feature** on global warming by
Discover Magazine.
그녀는 '디스커버 잡지'에서 지구 온난화에 관한 특집 기사를 쓰노록 배정을 받았다.
➕ **feature story** 특집 기사, 주요 읽을거리

□ 319 **script**
[skript]

ⓝ 1. (방송의) 대본, 각본 2. 필기 문자
There were just somebody else's ideas but I had my own
ideas for my **script**. 기출
다른 사람의 아이디어도 있었으나, 나는 내 대본에 대해 나만의 아이디어를 갖고 있었다.

□ 320 **bulletin**
[búlətin]

ⓝ 1. 보고, 게시 2. 뉴스 속보
A feature story of our school is posted on the **bulletin** board.
우리 학교의 특집 기사가 게시판에 붙어 있다.
➕ **bulletin board** 게시판

□ 321 **preview**
[príːvjùː]

ⓝ (영화의) 시사회, 미리보기, 예고편 ⊟ trailer
ⓥ 예습하다 ⊟ review 비평, 서평; 복습하다
Unlike critics' review of his newest film, some audiences criticized its special **preview**.
그의 최신작 영화에 대한 비평가들의 평론과는 달리, 몇몇 관람객들은 그 특별 예고편에 비판을 가했다.

Voca tip pre-

pre-는 '미리, 이전의, 앞쪽에 있는, 우선해서 ~'를 뜻하는 접두사입니다. view 앞에 pre를 쓴 preview는 '예고, 예습; 미리보다, 예습하다'의 의미를 갖게 됩니다. 다른 예들도 알아볼까요?

history 역사 – prehistory 선사시대　　　　school 학교 – preschool 유치원, 보육원
mature 성숙한 – premature 조숙한, 때 이른　　occupy 점령하다 – preoccupy 선점하다
determine 결정하다 – predetermine 미리 결정하다

□ 322 **column**
[káləm]

ⓝ 신문의 칸, 특정 기고를 하는 공간[란]
Jessica always reads sports **columns**, but Sam only reads showbiz **columns**.
Jessica는 항상 스포츠면을 읽지만, Sam은 연예면만 읽는다.
➕ **columnist** ⓝ 칼럼니스트, 기고가

□ 323 **release**
[rilíːs]

ⓥ 1. (레코드를) 발매하다, (영화를) 개봉하다
　　2. (뉴스를) 발표하다, 공개하다 ⊟ issue
A year later she **released** her first pop album and gained much love from critics around the world. 기출
1년 후 그녀는 자신의 첫 번째 음반을 발매했고, 전 세계 비평가로부터 많은 사랑을 얻었다.
➕ **release copy** (공식 발표 등의) 보도 자료

□ 324 **announce**
[ənáuns]

ⓥ 알리다, 공표하다, 공고하다 ⊟ declare
The online survey had to be reviewed before its results were **announced** to the media.
온라인 조사는 결과가 언론에 발표되기 전에 재검토되어야 했다.
➕ **announcer** ⓝ 아나운서
　　public announcement 공시, 공식적 발표

Day
11

☐ 325 **reveal**
[riví:l]

ⓥ 드러내다, 폭로하다 ⊟ disclose
The newspaper **revealed** the recording of a conversation between him and an Austrian entrepreneur.
신문은 그와 한 오스트리아 기업가가 나눈 대화 녹취록을 공개했다.

☐ 326 **audience**
[ɔ́:diəns]

ⓝ 청중, 관중, 관객 ⊟ spectator, crowd
Media will work hard to attract the **audiences** that advertisers want. 기출
언론은 광고주가 원하는 청중을 끌어들이기 위해 열심히 노력할 것이다.
➕ **audience research** 시청률 조사

☐ 327 **panel**
[pǽnəl]

ⓝ 패널, (토론회의) 토론자단, 심사위원단
The **panel** discussed the topic "Cultural Differences between Korea and Japan."
도론 참석자들은 '한국과 일본 사이의 문화적 차이'라는 주제로 토론했다.
➕ **panel discussion** 공개 토론회(여러 명의 전문가나 대표자가 청중 앞에서 신행하는 토론)

☐ 328 **focus**
[fóukəs]

ⓥ 초점을 맞추다, 관심을 집중하다(on) ⓝ 초점, 집중점
Many people **focused** on the result of the national election poll, and it was broadcast nationwide.
많은 사람들이 전국적인 선거의 투표 결과에 관심을 집중했고, 그것은 전국에 방영되었다.

Idioms

☐ 329 **argue over**

~을 두고 논쟁하다, 왈가왈부하다
Social media platforms are a common place to **argue** with people **over** things that don't even matter much.
소셜 미디어 플랫폼은 크게 중요하지 않은 것들에 대해 사람들과 논쟁하는 흔한 공간이다.

☐ 330 **come up with**

~을 생각해 내다, 창안하다
As content creators and editors, we're told to **come up with** "creative" headlines for the articles we work on.
콘텐츠 제작자이자 편집자로서, 우리는 우리가 작성하는 기사에 대한 '창의적인' 헤드라인을 생각해 내라고 요구받는다.

Exercise

[1~5] 다음 영영 풀이에 알맞은 단어를 보기에서 골라 쓰세요.

보기	pose	series	fame	release	report

1 the state of being known by many people _____

2 a particular way that you sit, stand or lie _____

3 to tell people about news or an event that has happened _____

4 a set of programs of a particular kind with the same title _____

5 to make something available to make people buy or see it _____

[6~9] 짝지어진 두 단어의 관계가 같도록 빈칸에 알맞은 단어를 쓰세요.

6 column : columnist = journal : _____

7 fact : _____ = compliment : complimentary

8 reveal : conceal = _____ : praise

9 preview : trailer = _____ : spectator

[10~12] 보기에서 알맞은 단어를 골라 문장을 완성하세요. (필요하면 단어 형태를 바꿀 것)

보기	feature	post	survey

10 This _____ by a US journal shows the percentage of single-parent households in each area.

11 She was assigned to write a _____ on global warming by *Discover Magazine*.

12 They also _____ pictures with the messages, so you can understand the _____ more easily.

12 Describing Things

- □ variety
- □ square
- □ delicate
- □ flat
- □ broad
- □ compact
- □ brief
- □ sharp
- □ precious
- □ artificial

- □ gigantic
- □ enormous
- □ ultimate
- □ faint
- □ steep
- □ fundamental
- □ shallow
- □ symbolic
- □ appropriate
- □ moderate

- □ flexible
- □ monotonous
- □ obscure
- □ drawback
- □ paradox
- □ describe
- □ marvel
- □ glitter
- □ differ from
- □ stand for

Describing Things

Intermediate

☐ 331 **variety**
[vəráiəti]

ⓝ **다양성, 변화**
Despite its small size, Puerto Rico has a wide **variety** of landscape. 기출
작은 규모에도 불구하고, 푸에르토리코의 경치는 아주 다양하다.
➕ **vary** ⓥ 바뀌다, 다르다   **variable** ⓐ 바뀔 수 있는
   a variety of 다양한

☐ 332 **square**
[skwɛər]

ⓝ 1. **정사각형** 2. **제곱** 3. **광장** ⓐ **정사각형의**
Cut a **square** 7 inches by 7 inches from a sheet of thick white paper. 기출
두꺼운 하얀 종이에서 7×7인치 크기의 정사각형을 잘라 내시오.

☐ 333 **delicate**
[déləkit]

ⓐ 1. **연약한, 허약한** 2. **섬세한, 우아한**
A baby's **delicate** skin can be easily damaged by the sun.
아기의 연약한 피부는 햇빛에 의해 쉽게 손상될 수 있다.

☐ 334 **flat**
[flæt]

ⓐ **편평한** ☰ level ⊟ uneven 울퉁불퉁한
ⓝ **(英) 플랫, 아파트** ☰ (美) apartment
Lighthouses are built in various shapes and sizes, so they may be tall where the land is **flat** or short on a high cliff. 기출
등대는 다양한 모양과 크기로 지어져서 편평한 땅 위에 높이 서 있거나 높은 절벽에 낮게 자리할 수 있다.
➕ **flatten** ⓥ 평평하게 하다   **flat (tire)** ⓝ 바람 빠진 타이어

Culture tip   영국 영어 **vs.** 미국 영어

flat과 apartment처럼 영국과 미국에서 다르게 사용되고 있는 단어들을 살펴봅시다.

뜻	영국 영어	미국 영어	뜻	영국 영어	미국 영어
1층	ground floor	first floor	휘발유	petrol	gas
승강기	lift	elevator	지하철	underground/tube	subway

16 17 18 19 20 21 22 23 24 25 26 27 28 29 30

Day 12

□ 335 **broad**
[brɔːd]

ⓐ 폭 넓은, 광범위한 ⊜ wide ⊟ narrow 좁은
When you write a research paper, choose your topic wisely, not too **broad** or too narrow.
연구 보고서를 작성할 때, 너무 광범위하거나 너무 제한적이지 않도록 주제를 현명하게 선택하라.

□ 336 **compact**
[kámpækt]

ⓐ 1. 소형의, 간편한 2. 빽빽한, 촘촘한
Compact cameras are designed to be small, portable, and easy to use.
소형 카메라는 작고, 휴대할 수 있고, 사용하기 쉽게 디자인된다.

□ 337 **brief**
[briːf]

ⓐ 간단한, 짧은
To offer **brief** information about three major palaces in Seoul, we present this special walking program. 기출
서울에 있는 세 개의 주요 고궁에 대한 간단한 정보를 제공하기 위해서, 우리는 이 특별한 걷기 프로그램을 선보인다.
➕ **in brief** 간단히 말해서, 요컨대

□ 338 **sharp**
[ʃɑːrp]

ⓐ 1. 날카로운 ⊜ keen ⊟ dull 무딘 2. 급격한 3. 예리한
Rain has cut down the stones and made them **sharp** and spiky over a long period of time. 교과서
비가 오랜 기간 동안 돌을 침식해서 날카롭고 뾰족하게 만들었다.
➕ **sharpen** ⓥ 날카롭게 하다

Advanced

□ 339 **precious**
[préʃəs]

ⓐ 소중한, 값비싼 ⊜ valuable
All her **precious** photographs were saved from the fire.
그녀의 모든 소중한 사진들이 화재로부터 구해졌다.
➕ **preciousness** ⓝ 귀중함

□ 340 **artificial**
[ɑ̀ːrtəfíʃəl]

ⓐ 1. 인공적인 ⊟ natural 자연적인 2. 가짜의 ⊟ authentic 진짜의
Artificial light, the electric light bulb, has been available around the clock, and there is a variety of things to do at any time of day or night. 기출
인공적인 불빛인 전구가 24시간 내내 사용 가능하게 되었고, 그래서 낮이나 밤 어느 때든 할 수 있는 일들이 다양하다.

Day 12 99

□ 341 **gigantic**
[dʒaigǽntik]

ⓐ 거인 같은, 거대한 ⊟ tiny 작은

Since a tiny spark can turn into such a **gigantic** flame at once, we should be extra careful about fire.

작은 불꽃이 대단히 거대한 불길로 즉시 번질 수 있으므로 우리는 특히 불조심을 해야 한다.

➊ **giant** ⓝ 거인 ⓐ 거대한

□ 342 **enormous**
[inɔ́ːrməs]

ⓐ **엄청난, 거대한**

The thigh bone of an **enormous** dinosaur was discovered by archaeologists in south-western France this week.

거대한 공룡의 허벅지 뼈가 이번 주 고고학자들에 의해 프랑스 남서부에서 발견되었다.

Voca tip	'거대한'의 다양한 표현
huge (모양·크기가) 큰	vast (규모·범위·넓이가) 큰, (수·양이) 많은
immense 헤아릴 수 없을 만큼 큰	gigantic 거인 같은, 거대한
enormous 표준(norm) 이상으로 큰	tremendous 놀라움[두려움]을 줄 만큼 큰
massive 큰 덩어리의, 규모가 큰, 양이 많은	

□ 343 **ultimate**
[ʌ́ltəmit]

ⓐ **궁극적인, 최후의** ⊟ final

The **ultimate** goal of an allowance is to have your child skillfully handle all expenditures before he or she leaves for college. 기출

용돈의 궁극적인 목적은 아이들이 대학에 들어가기 전에 모든 지출을 능란하게 처리하게 하는 데 있다.

□ 344 **faint**
[feint]

ⓐ 희미한, 어렴풋한 ⊟ dim ⊟ clear 명확한 ⓥ **기절하다**

We could just see the **faint** outline of a woman in the thick fog.

우리는 짙은 안개 속에서 어떤 여자의 희미한 윤곽만 볼 수 있었다.

□ 345 **steep**
[sti:p]

ⓐ 가파른, 경사가 급한
The path grew **steeper** as we climbed higher.
우리가 높이 올라갈수록 길은 더 가팔라졌다.
➕ **steep rise** 가파른 상승

□ 346 **fundamental**
[fÀndəméntəl]

ⓐ 근본[기본]적인, 중요한 ⊟ basic, essential ⓝ 근본
We need to take **fundamental** measures to prevent school violence.
우리는 학교 폭력을 예방하기 위한 근본적인 조치를 취할 필요가 있다.

□ 347 **shallow**
[ʃǽlou]

ⓐ 얕은, 얄팍한 ⊟ deep 깊은
If our knowledge is broad but **shallow**, we really know nothing. 기출
우리의 지식이 넓지만 얕다면, 아무것도 모르고 있는 것이니 마찬가지다.
➕ **shallowness** ⓝ 얕음, 천박함

□ 348 **symbolic**
[simbálik]

ⓐ 상징적인
This meeting has great **symbolic** importance for the two nations.
이번 회담은 양국에게 상징적인 중요성이 크다.
➕ **symbol** ⓝ 상징

Voca tip -ic

명사에 -ic를 붙이면 '~의'라는 의미의 형용사가 됩니다. (y로 끝나는 단어는 y를 생략)

patriot 애국 – patriotic 애국적인   history 역사 – historic 역사의
academy 학회 – academic 학구적인   geography 지리학 – geographic 지리학의

□ 349 **appropriate**
[əpróupriət]

ⓐ 적당한, 알맞은 ⊟ proper ⊟ inappropriate 부적당한
It may be more **appropriate** to use Michael Jordan as a role model when teaching sports rather than using Beethoven. 기출
스포츠를 가르칠 때 역할 모델로서 베토벤을 이용하는 것보다 마이클 조던을 이용하는 것이 더 적절할 것이다.

□ 350
□ **moderate**
[mάdərət]

ⓐ **중간 정도의, 적당한** ⊟ extreme 극단의

If you have mild cold symptoms and no fever, **moderate** exercise may help you feel a bit better.

약간 감기 기운이 있고 열이 안 난다면, 적당한 운동이 기분이 좋아지도록 도울 것이다.

➕ **moderation** ⓝ 알맞음, 중용   **moderator** ⓝ 중재자

□ 351
□ **flexible**
[fléksəbl]

ⓐ **유연성 있는, 융통성 있는** ⊟ inflexible 융통성 없는

These robots made of a synthetic compound are designed to be **flexible** in the tail. 기출

합성 물질로 만들어진 이 로봇들은 꼬리 부분이 유연하게 설계되어 있다.

➕ **flexibility** ⓝ 유연성

□ 352
□ **monotonous**
[mənάtənəs]

ⓐ **단조로운, 변화 없는, 지루한** ⊜ boring ⊟ varied 다양한

His new novel is difficult to read because it is **monotonous**.

그의 새 소설은 지루하기 때문에 읽기가 힘들다.

➕ **monotone** ⓝ 단조로움, (높낮이나 강약의) 변화가 없음

□ 353
□ **obscure**
[əbskjúər]

ⓐ **애매한, 분명하지 않은** ⊜ unclear

For reasons that remain **obscure**, public policy has changed as well.

불분명한 이유로, 공공 정책 또한 바뀌었다.

➕ **obscurity** ⓝ 불분명

□ 354
□ **drawback**
[drɔ́ːbæk]

ⓝ **결점, 문제점** ⊜ disadvantage

The **drawback** for a one-food diet is that it is monotonous and unhealthy.

한 가지 음식만 먹는 다이어트의 결점은 단조롭고 건강에 해롭다는 것이다.

355 paradox
[pǽrədàks]

ⓝ 역설, 패러독스(모순되어 보이나 사실은 그 속에 진리가 있는 말)
It's a curious **paradox** that professional comedians often have unhappy personal lives.
전문 코미디언들이 종종 불행한 사생활을 갖는다는 것은 기이한 역설이다.
➕ **paradoxical** ⓐ 역설적인

---

356 describe
[diskráib]

ⓥ 묘사하다
People use hand gestures during conversations to **describe** the size of something. 기출
사람들은 어떤 것의 크기를 묘사하기 위해서 대화 중에 손동작을 사용한다.
➕ **description** ⓝ 묘사 **descriptive** ⓐ 묘사적인, 설명적인

---

357 marvel
[má:rvəl]

ⓝ 놀라운 일 ⓥ 놀라다, 감탄하다 ⊟ wonder
It was a **marvel** to me that she made it in the end.
그녀가 결국 그것을 해낸 것은 나에게 놀라운 일이었다.
➕ **marvelous** ⓐ 놀라운, 멋진

---

358 glitter
[glítər]

ⓥ 반짝이다 ⓝ 반짝거림
She got a necklace **glittering** with diamonds as a birthday present.
그녀는 다이아몬드가 반짝이는 목걸이를 생일 선물로 받았다.

Idioms

359 differ from

~와 다르다
English **differs from** Spanish in that it is not pronounced as it is written.
영어는 쓰인 대로 발음하지 않는다는 점에서 스페인어와 다르다.

---

360 stand for

1. ~을 상징하다, 나타내다 ⊟ represent
2. ~을 옹호[찬성]하다 ⊟ advocate
UFO **stands for** Unidentified Flying Object.
UFO는 '미확인 비행 물체'를 의미한다.

Exercise

[1~5] 다음 영영 풀이에 알맞은 단어를 보기에서 골라 쓰세요.

보기	drawback	moderate	variety	ultimate	faint

1 average, not extreme _____

2 different or various things _____

3 final, most nearly highest _____

4 not easy to see, hear, taste, etc. _____

5 disadvantage, something that causes a problem _____

[6~9] 짝지어진 두 단어의 관계가 같도록 빈칸에 알맞은 단어를 쓰세요.

6 broad : narrow = deep : _____

7 sharp : keen = unclear : _____

8 paradox : paradoxical = marvel : _____

9 appropriate : inappropriate = flexible : _____

[10~12] 보기에서 알맞은 단어를 골라 문장을 완성하세요. (필요하면 단어 형태를 바꿀 것)

보기	artificial	delicate	gigantic

10 Since a tiny spark can turn into such a _____ flame at once, we should be extra careful about fire.

11 _____ light, the electric light bulb, has been available around the clock, and there is a variety of things to do at any time of day or night.

12 A baby's _____ skin can be easily damaged by the sun.

Day 13 Shopping

Day 13

Previous Check

- □ goods
- □ label
- □ tag
- □ wrap
- □ bargain
- □ purchase
- □ total
- □ quality
- □ value
- □ reduce

- □ trend
- □ quantity
- □ retail
- □ merchandise
- □ insert
- □ necessity
- □ luxury
- □ auction
- □ receipt
- □ refund

- □ exchange
- □ claim
- □ satisfy
- □ guarantee
- □ exclude
- □ reasonable
- □ steady
- □ pay for
- □ leave out
- □ add up

Shopping

Intermediate

361 goods
[gudz]

ⓝ 상품 ⊟ merchandise

By 1920, America produced more **goods** than it needed, so factories had to cut down on their production. 기출

1920년까지 미국은 필요 이상의 상품을 생산했고, 그 결과 공장들은 생산량을 삭감해야 했다.

362 label
[léibəl]

ⓝ 꼬리표, 상표 ⊟ tag

To be better informed about the goods, you should check the information printed on the **labels**.

상품에 대해 더 좋은 정보를 얻고자 한다면 상표에 인쇄된 정보를 확인해야 한다.

363 tag
[tæg]

ⓝ 꼬리표 ⊟ label

I'm afraid that our store clerk forgot to take the alarm **tag** off one of your items in your cart.

죄송하지만 저희 점원이 손님 카트에 담긴 품목 중 하나에서 경보 꼬리표 떼는 것을 잊은 것 같습니다.

➕ **price tag** 가격표

364 wrap
[ræp]

ⓥ 감싸다, 포장하다 ⊟ unwrap 포장을 풀다

When you **wrap** a present, don't forget to remove the price tag.

선물을 포장할 때 가격표 떼는 것을 잊지 마라.

365 bargain
[báːrgən]

ⓝ 싼 물건 ⓐ 값싼 물건의

You can find a lot of great **bargains**, if you shop at a wholesale mart after midnight.

자정 이후에 대형 할인점에서 쇼핑을 한다면 아주 싼 물건들을 많이 볼 수 있다.

➕ **bargain sale** 염가 판매 (싼값으로 판매하는 것)

□ 366 **purchase**
[pə́ːrtʃəs]

ⓥ 사다 ⊟ buy ⓝ 구입, 구입품

I'm not sure if it's safe enough to **purchase** a used car at an auction.

경매로 중고차를 구입하는 것이 충분히 안전한 일인지 아닌지 확신이 서지 않는다.

✚ **purchaser** ⓝ 구매자 **make a purchase of** ～을 구입하다

□ 367 **total**
[tóutl]

ⓝ 합계, 전체 ⊟ sum ⊟ part 일부
ⓐ 1. 전체의 ⊟ partial 일부의 2. 완전한

We purchased two tickets which came to a **total** of $44.

우리는 두 장의 표를 총 44달러에 구매했다. 기출

□ 368 **quality**
[kwáləti]

ⓝ 1. 질 ⊟ quantity 양 2. 특성 ⊟ characteristic
ⓐ 양질의, 고급의

These days, many products are very similar to one another in their **quality** and price. 기출

요즘에는 많은 제품이 질과 가격 면에서 서로 크게 다를 것이 없다.

✚ **qualify** ⓥ ～에게 자격을 주다 **quality time** 양질의 시간

□ 369 **value**
[vǽljuː]

ⓥ 가치 있게 여기다, 평가하다 ⓝ 가치

Customers **value** savings more than the quality of services provided. 기출

고객들은 제공되는 서비스의 질보다는 낮은 가격에 더 가치를 둔다.

✚ **valuable** ⓐ 가치가 있는, 값비싼

□ 370 **reduce**
[ridʒúːs]

ⓥ 줄이다, 낮추다

I was hoping they would **reduce** the price a little.

나는 그들이 가격을 조금 낮춰 주기를 바라고 있었다.

✚ **reduction** ⓝ 축소, 삭감

□ 371 **trend**
[trend]

ⓝ 1. 유행 目 fashion, vogue 2. 경향, 흐름 目 tendency
Wearing expensive outfits or the latest **trends** is a way of hiding a sense of unease about oneself. 기출
고가이거나 최신 유행하는 옷을 입는다는 것은 자신에 대한 불안감을 감추는 한 방법이다.
➕ **trendy** ⓐ 최신 유행의

Advanced

□ 372 **quantity**
[kwántəti]

ⓝ 양 目 amount 目 quality 질
Quality always comes first — I do not prefer **quantity** to quality.
품질이 항상 최우선이에요. 저는 질보다 양을 더 좋아하지 않아요.
➕ **quantify** ⓥ 양을 측정하다

□ 373 **retail**
[rí:teil]

ⓝ 소매 目 wholesale 도매
At **retail** markets, goods are sold directly to the public usually in small quantities.
소매 시장에서는 상품이 대개 소량으로 대중에게 직접 판매된다.
➕ **retailer** ⓝ 소매상

□ 374 **merchandise**
[má:rtʃəndàiz]

ⓝ 상품 目 goods
Most retail businesses have Web sites where customers browse among the company's **merchandise**. 기출
대부분의 소매 사업자들은 소비자들이 자사 상품을 훑어볼 수 있는 웹사이트를 갖고 있다.
➕ **merchandiser** ⓝ 판매자

Voca tip '제품, 상품'의 다양한 표현

merchandise, goods, product, ware는 모두 '제품, 상품'의 뜻으로, 동의어로 사용되는 경우가 많습니다. 하지만 미세한 의미 차이가 있죠.

merchandise, goods	제품, 물품	general merchandise (잡화), essential goods (필수품)
product	생산품	natural products (천연 산물), industrial products (공산품)
ware	특정 소재로 만들어진 제품, 세공품	silverware (은 제품), glassware (유리 제품)

□ 375 **insert**
[insə́ːrt]

ⓥ 집어넣다
If you want to use a shopping cart, you sometimes have to pay a small deposit by **inserting** a coin. 기출
쇼핑 카트를 사용하고 싶다면 때로는 동전을 집어넣어 약간의 보증금을 내야 한다.
➕ **insertion** ⓝ 주입, 삽입

□ 376 **necessity**
[nəsésəti]

ⓝ 1. 필요(성) 2. 필수품 ⊟ essential ⊟ luxury 사치품
Shopping is no longer just a **necessity**, a way to get the things we must have to survive. 기출
쇼핑은 더 이상 필수품, 즉 우리가 생존하기 위해 꼭 가져야 하는 것들을 얻는 방법이 아니다.
➕ **necessary** ⓐ 필수적인

□ 377 **luxury**
[lʌ́kʃəri]

ⓝ 호화, 사치(품) ⊟ extravagance ⓐ 사치(품)의
If a necessity is something everybody needs, a **luxury** must be something nobody really needs but many people want.
필수품이 모든 사람이 필요로 하는 것이라면, 사치품은 아무도 진정으로 필요로 하지는 않지만 틀림없이 많은 사람이 원하는 것일 것이다.
➕ **luxurious** ⓐ 사치스러운

□ 378 **auction**
[ɔ́ːkʃən]

ⓥ 경매에서 팔다 ⓝ 경매
In 2006, one of Picasso's portraits of her, *Dora Maar au Chat* was **auctioned** at Sotheby's at a closing price of $95,216,000. 기출
피카소가 그린 그녀의 초상화 중 하나인 '도라 마르의 초상'이 2006년에 소더비 경매장에서 낙찰가 95,216,000달러에 경매되었다.

□ 379 **receipt**
[risíːt]

ⓝ 1. 영수증 ⊟ sales slip 2. 받음, 영수
After coming back home from the stationery store, I compared my purchases with the **receipt**. 기출
문방구에서 집으로 돌아온 후, 나는 구입한 물건과 영수증을 비교해 보았다.
➕ **receive** ⓥ 받다

Culture tip receipt vs. sales slip

receipt(영수증)는 물건이나 돈 등을 '받았다(receive)'는 증명서입니다. 우리가 일상에서 흔히 접하게 되는 영수증은 상점에서 물건을 구입한 후 받는 영수증이죠. 이러한 영수증을 일컬을 때 영국에서는 receipt를, 미국에서는 sales slip을 더 흔하게 사용합니다.

☐ 380
☐ **refund**
ⓝ [ríːfʌnd]
ⓥ [riːfʌnd]

ⓝ 환불(액) ⓥ 환불하다
Return your purchase within 14 days for a full **refund**.
전액을 환불받기 위해서는, 14일 이내에 구입하신 제품을 반품하세요.

☐ 381
☐ **exchange**
[ikstʃéindʒ]

ⓥ 교환하다 ⓝ 교환(물)
If the goods are defective, the retailer has an obligation to give you a refund or **exchange** the goods.
상품에 하자가 있다면, 소매업자는 환불해 주거나 상품을 교환해 줄 의무가 있다.
➕ **in exchange for** ~와 교환으로

☐ 382
☐ **claim**
[kleim]

ⓥ 1. 요구하다 ▭ demand 2. 주장하다 ⓝ 1. 요구 2. 주장
You can **claim** back the tax on your purchases.
구입 물품에 대한 세금 환불을 요구할 수 있다.

☐ 383
☐ **satisfy**
[sǽtisfài]

ⓥ 1. 만족시키다 ▭ dissatisfy 불만을 느끼게 하다
　　2. (조건을) 충족시키다 ▭ meet
To **satisfy** their young customers, they are providing a wide variety of caps of different patterns.
젊은 고객들을 만족시키기 위해, 그들은 여러 무늬의 다양한 모자를 제공하고 있다.
➕ **satisfaction** ⓝ 만족 **satisfactory** ⓐ 만족스러운

☐ 384
☐ **guarantee**
[ɡæ̀rəntíː]

ⓝ 보증(서) ▭ warranty ⓥ 보증하다 ▭ ensure
You pay a car mechanic to correct your problem, but there's no **guarantee** that it's fixed. 기출
문제를 해결해 달라고 자동차 정비공에게 돈을 지불하지만, 문제가 해결된다는 보증은 없다.
➕ **money-back guarantee** 환불 보증

□ 385 **exclude**
　　[iksklúːd]

ⓥ 배제하다　⊟ include 포함하다
This money-back guarantee **excludes** all shipping and handling costs, and banking fees.
이 환불 보증에 모든 배송 처리비 및 은행 수수료는 포함되지 않습니다.

Voca tip　ex-

ex-는 대체로 명사 또는 동사 앞에 붙어 'out of(밖으로)'의 뜻을 나타내는 접두사입니다. in-, im-(안으로) 과 반대의 뜻을 지닌 접두사죠.
import 수입하다 – export 수출하다　　impress 인상을 주다 – express (인상·감정을) 표현하다
interior 내부(의) – exterior 외부(의)　　intrude 밀고 들어가다, 침입하다 – extrude 밀어내다, 추방하다

□ 386 **reasonable**
　　[ríːzənəbl]

ⓐ 합리적인, 적절한
Here at Mountain View Campground near the spectacular Hampson Valley, we rent tents at **reasonable** prices. 기출
멋진 햄슨 계곡 근처에 위치한 이곳 산악 조망 야영지에서는 합리적인 가격에 텐트를 빌려 드립니다.
➕ **reason** ⓝ 이유, 이치　**at a reasonable price** 저당한 가격에

□ 387 **steady**
　　[stédi]

ⓐ 안정된, 꾸준한　⊟ unsteady 불안정한
Orders for new items are rising, after several years of **steady** sales decline.
수년간의 꾸준한 판매 감소 후에, 새로운 상품에 대한 주문이 증가하고 있다.

Idioms

□ 388 **pay for**

1. 대금을 지불하다 2. ~의 대가를 치르다
You do not need to **pay for** each item separately.
당신은 각 품목을 따로 지불할 필요가 없다.

□ 389 **leave out**

~을 빠뜨리다, 생략하다　⊟ exclude, omit
Leave out something that can be classified as a "want" rather than a "need".
'필요한 것'이 아닌 '원하는 것'으로 분류될 수 있는 것은 생략해라.

□ 390 **add up**

합산하다
When I **added up** the receipts, I realized I had spent too much.
영수증을 합산했을 때, 나는 내가 돈을 너무 많이 썼다는 것을 알게 됐다.

Exercise

[1~5] 다음 영영 풀이에 알맞은 단어를 보기에서 골라 쓰세요.

보기	goods	satisfy	necessity	luxury	insert

1 to put one thing into another _____

2 something made for sale _____

3 to make happy _____

4 something expensive which is not essential _____

5 something that is necessary or you must have in order to live _____

[6~9] 짝지어진 두 단어의 관계가 같도록 빈칸에 알맞은 단어를 쓰세요.

6 trend : fashion = label : _____

7 quality : quantity = retail : _____

8 merchandise : goods = claim : _____

9 wrap : unwrap = steady : _____

[10~12] 보기에서 알맞은 단어를 골라 문장을 완성하세요. (필요하면 단어 형태를 바꿀 것)

보기	refund	bargain	reduce

10 I was hoping they would _____ the price a little.

11 Return your purchase within 14 days for a full _____.

12 You can find a lot of great _____, if you shop at a wholesale mart after midnight.

Previous Check

- ☐ champion
- ☐ match
- ☐ tournament
- ☐ rival
- ☐ rank
- ☐ coach
- ☐ serve
- ☐ glide
- ☐ beat
- ☐ compete

- ☐ ability
- ☐ leisure
- ☐ pastime
- ☐ outdoor
- ☐ defeat
- ☐ amateur
- ☐ mound
- ☐ athletic
- ☐ opponent
- ☐ referee

- ☐ fair
- ☐ penalty
- ☐ foul
- ☐ outstanding
- ☐ participate
- ☐ applaud
- ☐ encourage
- ☐ extreme
- ☐ call off
- ☐ take place

Intermediate

☐ 391 **champion**
[tʃǽmpiən]

ⓝ 챔피언, 우승자 ⊜ champ, winner ⓐ 우승한

At 22, he became the youngest world **champion** in the history of the game.

22세의 나이로, 그는 그 경기의 역사상 최연소 세계 챔피언이 되었다.

✚ **championship** ⓝ 선수권; (pl.) 선수권 대회

☐ 392 **match**
[mætʃ]

ⓝ 경기 ⊜ game, competition
ⓥ 1. ~와 대결하다 2. ~에 어울리다

The soccer players from the two teams exchanged shirts at the end of the **match**.

두 팀의 축구 선수들은 경기가 끝났을 때 셔츠를 서로 바꾸었다.

☐ 393 **tournament**
[túərnəmənt]

ⓝ 토너먼트, 승자 진출전

She asked if she could borrow his tennis racket for the **tournament**.

그녀는 그 토너먼트 경기를 위해 그의 테니스 라켓을 빌릴 수 있는지 물었다.

✚ **tourney** ⓥ 토너먼트에 참가하다

☐ 394 **rival**
[ráivəl]

ⓝ 경쟁자, 경쟁 상대 ⊜ competitor, opponent
ⓥ ~와 경쟁하다

Since that day, his **rival** became not only a political supporter but also a good friend. 교과서

그날 이후로, 그의 경쟁자는 정치적인 후원자뿐만 아니라 좋은 친구가 되었다.

☐ 395 **rank**
[ræŋk]

ⓥ (순위를) 매기다 ⓝ 순위, 계급

At the end of each match, teams will be **ranked** according to their total score.

각 경기가 끝나면, 팀들은 그들의 총 득점에 따라 순위가 매겨질 것이다.

✚ **ranking** ⓝ 순위 ⓐ 일류의

Day 14

□ 396 **coach**
[koutʃ]

ⓝ (스포츠 팀의) 코치, 감독 ⓥ 코치하다, 지도하다
The team has two **coaches** who **coach** two groups of boxers.
그 팀에는 두 그룹의 권투 선수들을 지도하는 두 명의 코치가 있다.

□ 397 **serve**
[sə:rv]

ⓥ 1. 공을 서브하다 2. (식당·상점에서) 손님을 응대하다
He felt nervous when it was his turn to **serve**.
그가 서브할 차례가 되었을 때 그는 긴장했다.
➕ **service** ⓝ 봉사, 서비스

□ 398 **glide**
[glaid]

ⓥ 미끄러지다, 활주하다 ⓝ 미끄러짐 ⊟ slide
She skated so easily and gracefully that she seemed to **glide** across the ice.
그녀는 매우 쉽고 우아하게 스케이트를 타서 얼음판 위를 미끄러져 내려가는 듯했다.

□ 399 **beat**
[bi:t]

ⓥ 1. 이기다 2. 심장이 뛰다
In the 2002 World Cup, Korea **beat** Poland, Portugal, Italy and Spain one after another. 기출
2002년 월드컵에서 한국은 폴란드, 포르투갈, 이탈리아, 스페인을 차례로 이겼다.

□ 400 **compete**
[kəmpí:t]

ⓥ 경쟁하다, 겨루다
You will be **competing** against the best athletes in the world.
여러분은 세계 최고의 운동선수들과 겨루게 될 것입니다.
➕ **competition** ⓝ 경쟁, 대회 **competitive** ⓐ 경쟁적인

Culture tip Sports 관련 표현

우리가 흔히 사용하는 말들이 실제 영어로는 어떻게 쓰이는지 정확한 영어 표현을 알아봅시다.

파이팅! (Fighting!) → Go for it!, Way to go! 게임 셋 (game set) → game over
포볼 (four ball) → four balls, walk the batter 골인 (goal in) → get[score] a goal
등 번호 (back number) → uniform number, jersey number

☐ 401 **ability**
[əbíləti]

ⓝ 능력, 할 수 있음

Playing team sports is one of the best ways in which we can develop the **ability** to cooperate with each other. 기출
팀 스포츠를 하는 것은 우리가 서로 협동하는 능력을 기를 수 있는 가장 좋은 방법 중 하나이다.

➕ **able** ⓐ 할 수 있는

Advanced

☐ 402 **leisure**
[líːʒər]

ⓝ 여가, 레저, 자유 시간 ⓐ 한가한

An active **leisure** life, with activities like dancing or hiking, gives people a sense of accomplishment and satisfaction. 기출

춤이나 하이킹 같은 활동으로 적극적인 여가 생활을 하는 것은 사람들에게 성취감과 만족감을 준다.

☐ 403 **pastime**
[pǽstàim]

ⓝ 취미, 오락 ⊟ hobby

My favorite summer **pastime** is swimming because it is the best possible way to beat the heat.
내가 여름에 가장 즐기는 취미는 수영인데, 그것이 더위를 이길 수 있는 최상의 방법이기 때문이다.

☐ 404 **outdoor**
[áutdɔ̀ːr]

ⓐ 야외의, 집 밖의 ⊟ indoor 실내의, 집 안의

Take advantage of the sunshine and fresh air with **outdoor** exercises.
야외 운동을 하면서 햇빛과 신선한 공기를 잘 활용하라.

☐ 405 **defeat**
[difíːt]

ⓝ 패배 ⓥ 패배시키다, 물리치다

In the last game of the season, they suffered a humiliating **defeat**, losing 7-0 to Real Madrid.
시즌 마지막 경기에서, 그들은 레알 마드리드에 7 대 0으로 패하며 굴욕적인 패배를 당했다.

Day 14

☐ 406 **amateur**
[金mətʃûər]

ⓝ 아마추어, 비전문가 ⓐ 비전문가의 ⊟ professional 전문가의
After winning the **amateur** championship, I turned professional.
아마추어 대회 우승 후, 나는 프로 선수로 전향했다.
➕ **amateurish** ⓐ 미숙한

☐ 407 **mound**
[maund]

ⓝ (투수의) 마운드
When he stood on the **mound** in a baseball game, his catcher said to him, "You've got to have faith in your curve ball." 기출
야구 경기 중 그가 마운드에 섰을 때, 포수는 그에게 "너의 커브공에 자신을 가져야 해."라고 말했다.

☐ 408 **athletic**
[æθlétik]

ⓐ 운동 경기의, 운동선수다운
He played basketball in high school and was often praised for his **athletic** ablllty.
그는 고교 시절 농구를 했고 운동 실력으로 종종 칭찬을 들었다.
➕ **athlete** ⓝ 운동선수

☐ 409 **opponent**
[əpóunənt]

ⓝ 적수, 반대자 ⊟ rival, competitor ⓐ 반대하는
Despite desperate efforts, the match was over with a victory for my **opponent**.
필사적인 노력에도 불구하고, 시합은 나의 상대편의 승리로 끝났다.
➕ **oppose** ⓥ 반대하다

☐ 410 **referee**
[rèfərí:]

ⓝ (경기·시합의) 심판, 중재자
Ken Aston, an internationally known soccer **referee**, invented the yellow and red card system. 기출
국제적으로 잘 알려진 축구 심판인 Ken Aston은 옐로카드와 레드카드 시스템을 고안해 냈다.

Voca tip　　사람을 나타내는 말 -ee

사람을 나타내는 -ee는 '어떤 행위를 당하는 사람'을 나타낼 때 사용됩니다.
employee 종업원　　　　refugee 피난자　　　　　　interviewee 인터뷰 받는 사람
trainee 훈련생　　　　　nominee 지명자, 상의 후보 작품　　tutee 개인 교습을 받는 사람

☐ 411 **fair**
[fɛər]

ⓐ **공평한, 정정당당한** ⊟ unfair 불공평한

I got angry because I thought the referee's decision was not **fair**.

나는 심판의 판정이 공정하지 않다고 생각했기 때문에 화가 났다.

➕ **fairness** ⓝ 공평함

fair play (규칙을 어기지 않는) 정정당당한 경기 태도, 페어플레이

☐ 412 **penalty**
[pénəlti]

ⓝ 1. **(스포츠 경기에서) 벌칙, 페널티** 2. **처벌, 형벌**

He handled the ball and admitted the **penalty** that gave the other team the lead.

그는 공을 손으로 잡았고, 상대 팀에게 리드를 주는 벌칙을 인정했다.

➕ **penal** ⓐ 처벌의, 형벌의

☐ 413 **foul**
[faul]

ⓥ **반칙하다, 파울을 범하다** ⓐ **반칙인, 규칙 위반인**

The player was **fouled** inside the penalty box, so the referee called for a penalty kick.

그 선수가 벌칙 구역 안에서 반칙을 당해서 심판은 페널티 킥을 선언했다.

➕ **foully** ⓐ 부정하게

☐ 414 **outstanding**
[àutstǽndiŋ]

ⓐ **눈에 띄는, 우수한**

She is one of the most **outstanding** female athletes of our time.

그녀는 우리 시대의 가장 두드러진 여성 운동선수 중 한 사람이다.

➕ **outstand** ⓥ 눈에 띄다

☐ 415 **participate**
[pɑːrtísəpèit]

ⓥ **참여하다, 참가하다** ⊟ take part in

In this gym, students can **participate** in basketball, tennis, and swimming.

이 체육관에서 학생들은 농구, 테니스, 수영에 참여할 수 있다.

➕ **participation** ⓝ 참가

Day
14

□ 416 **applaud**
[əplɔ́:d]

ⓥ 박수 치다 ⊟ clap

When the runner slid into the second base, the audience **applauded**.

주자가 슬라이딩해서 2루로 진출하자, 관중들은 박수를 쳤다.

➕ **applause** ⓝ 박수갈채

□ 417 **encourage**
[inkə́:ridʒ]

ⓥ 용기를 북돋다, 격려하다 ⊟ discourage 낙담시키다

Coaches should **encourage** young athletes to keep a healthy perspective on their participation in sports.

코치들은 어린 운동선수들이 자신들의 경기 참가에 대해 건강한 관점을 유지하도록 격려해야 한다.

➕ **encouragement** ⓝ 격려

Voca tip   en-

명사 또는 형용사 앞에 en 을 붙이면 '~을 주다 ~하게 만들다'라는 뜻의 동사가 됩니다.

joy 즐거움 – enjoy 즐거움을 주다 → 즐기다
force 힘 – enforce 힘을 주다 → 시행하다
rich 부유한 – enrich 풍요롭게 하다

title 직함 – entitle 권리나 자격을 주다
sure 확실한 – ensure 확신시키다
large 큰 – enlarge 크게 하나, 확대하다

□ 418 **extreme**
[ikstrí:m]

ⓐ 극단적인

Some of the 42.195-kilometer races take place in **extreme** conditions.

42.195킬로미터 경주 중 일부는 극단적인 조건에서 열린다.

➕ **extremely** ⓐⓓ 극도로, 매우
extreme sports 극한 스포츠(빠른 스피드와 위험을 즐기는 스포츠)

Idioms

□ 419 **call off**

~을 취소하다, 철회하다 ⊟ cancel

If we have much more rain, the game might be **called off**.

비가 더 많이 오면 경기가 취소될 수도 있다.

□ 420 **take place**

개최되다, 열리다 ⊟ be held

Though this year's Olympic Games **took place** in 2021, they are still called the Tokyo 2020 Olympics.

올해 올림픽은 2021년에 열렸음에도 불구하고 여전히 도쿄 2020 올림픽으로 불린다.

Exercise

[1~5] 다음 영영 풀이에 알맞은 단어를 보기에서 골라 쓰세요.

> 보기   leisure   mound   ability   outstanding   penalty

1 free time (for enjoyment) _____

2 excellent, very good _____

3 power needed to do something _____

4 the place in baseball where the pitcher throws the ball _____

5 a disadvantage a sports player gets for breaking a rule _____

[6~9] 짝지어진 두 단어의 관계가 같도록 빈칸에 알맞은 단어를 쓰세요.

6 outdoor : indoor = _____ : professional

7 fair : unfair = _____ : discourage

8 outstand : outstanding = _____ : competitive

9 match : game = rival : _____

[10~12] 보기에서 알맞은 단어를 골라 문장을 완성하세요. (필요하면 단어 형태를 바꿀 것)

> 보기   opponent   applaud   defeat

10 When the runner slid into the second base, the audience _____

11 Despite desperate efforts, the match was over with a victory for my _____.

12 In the last game of the season, they suffered a humiliating _____, losing 7-0 to Real Madrid.

Travel

- ☐ transport
- ☐ passenger
- ☐ underground
- ☐ aboard
- ☐ depart
- ☐ sightseeing
- ☐ downtown
- ☐ ride
- ☐ abroad
- ☐ baggage

- ☐ cabin
- ☐ check-out
- ☐ tip
- ☐ destination
- ☐ available
- ☐ delay
- ☐ transfer
- ☐ vehicle
- ☐ highway
- ☐ convey

- ☐ accommodate
- ☐ cruise
- ☐ crew
- ☐ navigate
- ☐ locate
- ☐ journey
- ☐ spectacle
- ☐ come across
- ☐ head for
- ☐ pull over

Intermediate

□ 421 **transport**
ⓝ [trǽnspɔːrt]
ⓥ [trænspɔ́ːrt]

ⓝ **운송, 운송 수단** ⓥ **운반하다** ⊟ convey

Air **transport** is the quickest way to travel from one country to another.

항공 운송은 나라와 나라 사이를 여행하는 가장 빠른 방법이다.

➕ **transportation** ⓝ 운송, 운송 수단

□ 422 **passenger**
[pǽsəndʒər]

ⓝ **승객**

The **passengers** sleep for 120 years because it is expected to take that much time to get to a different planet. 교과서

그 승객들은 120년 동안 잠을 자게 되는데, 왜냐하면 다른 행성에 도달하는 데 그만큼 많은 시간이 걸릴 것으로 예상되기 때문이다.

□ 423 **underground**
[ʌ́ndərgràund]

ⓝ **(英) 지하철** ⊟ (美) subway ⓐ **지하의**

A lot of travelers use the **underground** to move from one place to another.

많은 여행자들이 한 장소에서 다른 장소로 이동하기 위해 지하철을 이용한다.

Culture tip 영국식 vs. 미국식 대중교통 수단

영국과 미국의 서로 다른 대중교통 수단의 명칭에 대해 알아볼까요?

Meaning	영국	미국
대중교통 (수단)	public transport	public transportation
장거리용 여객 버스	coach	bus
지하철	underground / tube	subway
지상의 선로 위를 운행하는 전차	tram	street car / trolly

□ 424 **aboard**
[əbɔ́ːrd]

ⓐⓓ **(배·기차·비행기 등에) 탄, 탑승[승선]한**

A bandwagon is a wagon in a parade that encourages people to jump **aboard** and enjoy the music. 교과서

밴드 왜건(악대차)은 사람들이 올라타서 음악을 즐기게끔 부추기는 퍼레이드에 있는 사륜마차이다.

☐ 425 **depart**
[dipáːrt]

ⓥ 출발하다 🟰 start 🔛 arrive 도착하다

The next train for Busan is going to **depart** in three minutes from platform one.
부산으로 가는 다음 열차는 3분 후 1번 승강장에서 출발합니다.

➕ **departure** ⓝ 출발

☐ 426 **sightseeing**
[sáitsìːiŋ]

ⓝ 관광, 유람 ⓐ 관광의, 유람의

My family is planning a **sightseeing** trip to Australia.
우리 가족은 호주 관광 여행을 계획하고 있다.

➕ **sightsee** ⓥ 유람하다, 구경하다

☐ 427 **downtown**
[dàuntáun]

ⓐ 도심의 🔛 uptown 주택 지구의 ⓓ 도심지에

The sightseeing double-decker departs daily from the **downtown** transit center every 15 minutes starting at 7:00 A.M.
2층 관광버스는 매일 아침 7시부터 15분 간격으로 도심 환승 센터에서 출발한다.

☐ 428 **ride**
[raid]

ⓥ (말·탈것 등을) 타다 ⓝ (탈것을) 타기, 승차

With cameras, sensors, and software, a self-driving car can navigate roads for you so that you can relax and enjoy the **ride**. 교과서
자율 주행차는 카메라, 감지기, 그리고 소프트웨어를 이용하여, 당신이 쉬면서 주행[승차]을 즐길 수 있도록 길을 안내할 수 있다.

➕ **rider** ⓝ 타는 사람

☐ 429 **abroad**
[əbrɔ́ːd]

ⓓ 해외로 🟰 overseas

Studying **abroad** provides students with many opportunities to improve their abilities to communicate in English. 기출
해외 유학은 학생들에게 영어로 대화하는 능력을 향상시킬 많은 기회를 제공한다.

□ 430 **baggage**
[bǽgidʒ]

ⓝ (배·비행기 여행의) **수하물** ⓔ luggage

I asked my friend to look after the **baggage** while I went to buy the tickets.

나는 내가 표를 사러 가는 동안 내 친구에게 짐을 봐 달라고 부탁했다.

➕ **baggage claim** (공항의) 수하물 찾는 곳

Voca tip   금지 품목 (banned items)

대부분의 항공사가 안전상의 이유로 제한하는 금지 품목(banned items)을 알아볼까요?

checked baggage (부치는 수하물)	carry-on baggage (기내 휴대 수하물)
flammable or toxic materials (가연성 혹은 유독성 물질)	razor blades (면도날), knives (칼) tools such as hammers, saws, and drills (망치, 톱, 드릴 같은 공구들)

□ 431 **cabin**
[kǽbin]

ⓝ 1. (배·비행기의) 선실, 객실 2. 오두막 ⓔ hut

Passengers are not allowed to include items which contain liquids in their **cabin** baggage.

승객들은 객실 수하물에 액체가 담긴 물품을 넣어서는 안 된다.

□ 432 **check-out**
[tʃékàut]

ⓝ 1. (호텔의) 퇴실, 체크아웃 ⓔ check-in 체크인 2. 계산(대)

If you require a late **check-out** time from the hotel, please let us know at the time of booking.

호텔의 규정 시간 이후에 퇴실하기를 원하시면, 예약 시 저희에게 알려 주십시오.

□ 433 **tip**
[tip]

ⓝ 1. 사례금, 팁 2. 끝 3. 조언 ⓔ advice ⓥ 사례금을 주다

A 15% **tip** is considered usual if the service was good.

서비스가 좋았다면 15%의 팁은 통상적인 것으로 간주된다.

Advanced

□ 434 **destination**
[dèstənéiʃən]

ⓝ 목적지

The horseman took the old man not just across the river, but to his **destination.** 기출

말을 탄 사람은 그 노인을 단지 강 건너가 아니라 그의 목적지까지 태워다 주었다.

☐ 435 **available**
[əvéiləbl]

ⓐ 1. 이용 가능한 ⊟ in use 사용되고 있는 2. 입수 가능한
The Dutch Ice Hotel is **available** only from December 1 to January 31. 기출
Dutch Ice 호텔은 12월 1일부터 1월 31일까지만 이용이 가능합니다.
➕ **availability** ⓝ 유용성

☐ 436 **delay**
[diléi]

ⓥ 지연시키다 ⓝ 지연
My flight was **delayed** due to strong winds.
내가 탈 비행기는 강풍으로 인해 지연되었다.

☐ 437 **transfer**
[trænsfə́r]

ⓥ 1. 갈아타다 2. 이동하다, 옮기다 ⊟ move
We should **transfer** planes in Hong Kong.
우리는 홍콩에서 비행기를 갈아타야 한다.

Voca tip　　trans-

trans-는 '~을 가로질러(across), ~을 넘어(beyond), ~반대편의(on the opposite side)'라는 뜻을 추가하는 접두사입니다. 예를 통해 알아볼까요?

trans- +			
continental (대륙의)	Atlantic (대서양의)	mundane (속세의)	fusion (녹아서 액체화)
↓			
transcontinental (대륙 횡단의)	transatlantic (대서양 횡단의)	transmundane (속세의 것이 아닌)	transfusion (옮겨 붓기, 수혈)

☐ 438 **vehicle**
[víːikl]

ⓝ 탈것, 운송 수단 ⊟ conveyance
Choosing the right **vehicle** to travel around Australia on a road trip is no easy task.
도로 여행 시 호주 곳곳을 다니는 데 적절한 차량을 선택하는 것은 쉬운 일이 아니다.

☐ 439 **highway**
[háiwèi]

ⓝ 고속 도로, 간선 도로
It's the start of the holiday season and vehicles on holidays are on the **highway**. 기출
휴가철이 시작되자 휴양 차량들이 고속 도로로 나섰다.

□ 440 **convey**
[kənvéi]

ⓥ 1. (물건·승객 등을) 나르다 ▤ transport 2. 전달하다
Your luggage will be **conveyed** to the hotel by taxi.
당신의 짐은 택시로 호텔에 운반될 것입니다.
➕ **conveyance** ⓝ 운반, 탈것

□ 441 **accommodate**
[əkámədèit]

ⓥ 수용하다, 숙박시키다
For this trip, we're going to rent an SUV which can **accommodate** the whole family.
이번 여행을 위해 우리는 가족 전부를 태울 수 있는 SUV를 빌릴 예정이다.
➕ **accommodation** ⓝ 수용, 숙박

□ 442 **cruise**
[kru:z]

ⓝ 1. 크루즈, 유람선 (여행) ▤ voyage 2. 순항 ⓥ 순항하다
When his father retired, his family went on a **cruise**.
그의 아버지가 은퇴했을 때, 그의 가족은 크루즈 여행을 갔다.

□ 443 **crew**
[kru:]

ⓝ (배·비행기·열차 등의) 승무원
The plane was carrying 150 passengers and a **crew** of seven.
그 비행기에는 150명의 승객과 7명의 승무원이 타고 있었다.

□ 444 **navigate**
[nǽvəgèit]

ⓥ 항해하다, (강·바다 등을) 건너다
The crew of the ship had nothing else to rely on other than the stars to **navigate** back home.
그 배의 선원들이 항해해서 집으로 돌아오는 길에 의지할 것은 별밖에 없었다.
➕ **navigation** ⓝ 항해

□ 445 **locate**
[lóukeit]

ⓥ (어떤 장소에) 정하다, 두다
This temple is **located** close to the tip of the Luang Prabang peninsula, where the Nam Khan flows into the Mekong River. 기출
이 사원은 남칸이 메콩강으로 흘러 들어가는 루앙프라방 반도의 가장자리 근처에 위치하고 있다.
➕ **location** ⓝ 위치

Day 15

□ 446 **journey**
[dʒə́ːrni]

ⓝ 여행, 여정   ⓥ 여행하다
When you travel, forget about guide books and must-see tourist attractions. Instead, enjoy the **journey** and be adventurous. 기출
여행할 때 여행 안내 책자와 꼭 봐야 하는 관광 명소는 잊어라. 대신 여행을 즐기고, 모험가가 돼라.

□ 447 **spectacle**
[spéktəkl]

ⓝ (인상적인) 광경, 구경거리
How about Grand Canyon? They say it is a real **spectacle**.
그랜드 캐니언은 어때? 정말 볼만하다던데.
➕ **spectacular** ⓐ 장관인

Idioms

□ 448 **come across**

(우연히) 마주치다, 발견하다
I **came across** these old photos when I was cleaning my room.
나는 내 방을 청소하다가 우연히 이 오래된 사진들을 발견했다.

□ 449 **head for**

~로 향해 가다
By this time, the sailors knew the ship was **heading for** Samoa.
이때쯤 선원들은 배가 사모아로 향해 가고 있다는 것을 알았다.

□ 450 **pull over**

차를 길 한쪽에 대다
She **pulled over** and looked at the tour map.
그녀는 차를 길 한쪽에 대고 관광 안내도를 보았다.

Exercise

[1~5] 다음 영영 풀이에 알맞은 단어를 보기에서 골라 쓰세요.

| 보기 | aboard | crew | spectacle | highway | cruise |

1 an impressive sight or event

2 a vacation on a huge ship

3 a main road, especially one that connects cities

4 all the people who work on a ship or plane

5 on or onto a ship, plane, or train

[6~9] 짝지어진 두 단어의 관계가 같도록 빈칸에 알맞은 단어를 쓰세요.

6 transfer : move = convey : _____

7 check-out : check-in = downtown : _____

8 subway : underground = baggage : _____

9 accommodate : accommodation = _____ : navigation

[10~12] 보기에서 알맞은 단어를 골라 문장을 완성하세요. (필요하면 단어 형태를 바꿀 것)

| 보기 | delay | accommodate | locate |

10 For this trip, we're going to rent an SUV which can _____ the whole family.

11 My flight was _____ due to strong winds.

12 This temple is _____ close to the tip of the Luang Prabang peninsula, where the Nam Khan flows into the Mekong River.

Art & Culture

✓ **Previous Check**

- ☐ appreciate
- ☐ craft
- ☐ exhibit
- ☐ literature
- ☐ version
- ☐ copyright
- ☐ tone
- ☐ noble
- ☐ conduct
- ☐ tune

- ☐ director
- ☐ theme
- ☐ chorus
- ☐ interval
- ☐ rehearse
- ☐ compose
- ☐ sculpture
- ☐ masterpiece
- ☐ classic
- ☐ imitate

- ☐ tradition
- ☐ exclaim
- ☐ creature
- ☐ distinct
- ☐ context
- ☐ monologue
- ☐ tragedy
- ☐ line up
- ☐ live up to
- ☐ be into

Intermediate

□ 451 **appreciate**
[əprí:ʃièit]

ⓥ 1. 감상하다, 평가하다 2. 감사하다

You can't fully **appreciate** a poem without enough background knowledge of the poet.
시인에 대한 충분한 배경지식 없이는 시를 완전히 감상할 수 없다.

➕ **appreciation** ⓝ 감상, 평가; 감사

□ 452 **craft**
[kræft]

ⓝ 공예(품), 기교, 기술

Local artists have produced many paintings or **crafts**.
지역 예술가들은 그림이나 공예품들을 많이 만들어 냈다.

➕ **craftsman** ⓝ 장인, 숙련공

□ 453 **exhibit**
[igzíbit]

ⓥ 전시하다, 전시회를 열다 ⊟ display　ⓝ 전시, 전람

It has a huge main hall, so it can **exhibit** a lot of works of art. 기출

거기에는 거대한 주 강당이 있어서 많은 예술 작품을 전시할 수 있다.

➕ **exhibition** ⓝ 전시, 전람　**on exhibit** 전시되어

□ 454 **literature**
[lítərətʃər]

ⓝ 문학

Korean classical **literature** is based on traditional folk beliefs and folk tales.
한국 고전 문학은 전통 토속 신앙과 민간 설화를 기반으로 한다.

➕ **literary** ⓐ 문학의

Voca tip	literature(문학)의 genre(장르)		
novel(= fiction) 소설	short story 단편 소설	fable 우화	nonfiction 비소설 산문
essay 수필, 에세이	biography 전기	poetry 시	drama(= play) 희곡

□ 455 **version**
[vɜ́:rʒən]

ⓝ 1. 번역, 번역서 2. 각색, 개작

In a **version** from the Philippines, a forest spirit helps the Cinderella character. 기출
필리핀의 번역서에서는 숲의 정령이 신데렐라라는 인물을 돕는다.

□ 456 **copyright**
[kápiràit]

ⓝ 판권, 저작권 ⓐ 저작권이 있는 ⓥ 저작권을 취득하다
Copyrights protect the authors in the same way that patents protect inventors.
특허권이 발명가들을 보호하는 것과 같이 저작권은 저자들을 보호한다.
➕ hold[own] a copyright 저작권을 소유하다

Culture tip   copyright vs. plagiarism

미국에서는 저작권(copyright)을 매우 중요하게 생각하기 때문에 남의 글을 무단으로 베끼는 표절(plagiarism)을 할 경우 대학에서는 퇴학 조치를 할 정도로 매우 엄격하게 처벌합니다. 시험 중 부정행위(cheating)에 대해서도 마찬가지죠.

□ 457 **tone**
[toun]

ⓝ 1. 어조 2. 음색, 음조 ⊟ sound
The book club criticizes the narrative **tone** and word choice of new authors.
그 독서 클럽은 신인 작가들의 서술 어조와 단어 선택을 비평한다.

□ 458 **noble**
[nóubl]

ⓐ 1. 고귀한, 고상한 2. 귀족의 ⊟ ignoble 천한 ⓝ 귀족
The cellist plays with long singing phrases and **noble** tone.
그 첼로 연주자는 긴 노래하는 악구와 고상한 음조로 연주한다.
➕ **nobility** ⓝ 고귀함; 귀족

□ 459 **conduct**
ⓥ [kəndʌ́kt]
ⓝ [kándʌkt]

ⓥ 1. 지휘하다 2. 행동하다, 실시하다 ⓝ 1. 지휘 2. 행동
He is a music teacher and volunteers after school to **conduct** chorus rehearsals.
그는 음악 교사이고 방과 후에 자원하여 합창단 연습을 지휘한다.
➕ **conductor** ⓝ 지휘자

□ 460 **tune**
[tju:n]

ⓥ 조율하다, (TV·라디오 등의) 프로그램에 맞추다
ⓝ 곡조, 가락 ⊟ melody
There were little tender sounds here and there, as if birds were beginning to **tune** up for a concert. 기출
마치 새들이 음악회를 하려고 조율하기 시작하는 것처럼 여기저기에서 작고 부드러운 소리가 들렸다.

☐ 461 **director**
[diréktər]

ⓝ 감독, 연출자, 지도자 ⊟ leader

Handel's successes in London continued, and he eventually became the musical **director** of The Royal Academy of Music.

런던에서 헨델의 성공은 계속되었고 결국 그는 왕립 음악원의 음악 감독이 되었다.

➕ **direct** ⓥ 연출하다 **directorial** ⓐ 감독의

Advanced

☐ 462 **theme**
[θi:m]

ⓝ 주제, 테마 ⊟ subject

The main **theme** of the book is the importance of courage and justice.

이 책의 주요 주제는 용기와 정의의 중요성이다.

☐ 463 **chorus**
[kɔ́:rəs]

ⓝ 1. 합창, 합창곡 2. 합창단

The **chorus** is the part that carries the main theme of the song.

그 합창곡은 노래의 주제 음악을 전달하는 부분이다.

➕ **in chorus** 합창으로, 이구동성으로

☐ 464 **interval**
[íntərvəl]

ⓝ 1. (연극·연주 등의) 막간, 휴식 시간 2. (시간적) 간격

There was a long **interval** after the first five songs in the concert.

연주회에서 처음 다섯 곡이 끝난 후에 긴 휴식 시간이 있었다.

☐ 465 **rehearse**
[rihə́:rs]

ⓥ (연극·연설·음악의) 예행연습을 하다

The chorus are only given one week to **rehearse**, but they are still out of tune.

그 합창단은 연습할 시간이 일주일밖에 없는데 여전히 음이 안 맞는다.

➕ **rehearsal** ⓝ 예행연습

□ 466 **compose**
[kəmpóuz]

ⓥ 1. 작곡하다, 작문하다 2. 구성하다 ⊟ make up
3. (마음·태도를) 가라앉히다

In 1787, Mozart was asked to **compose** an opera which was called *Don Giovanni*, a great hit. 기출
1787년에 모차르트는 '돈 조반니'라는 오페라를 작곡하도록 부탁받았고, 그것은 아주 인기가 많았다.

➕ **composer** ⓝ 작곡가 **composition** ⓝ 작곡

□ 467 **sculpture**
[skʌ́lptʃər]

ⓝ 조각(술) ⓥ 조각하다

Yves Klein used the color which became famous as International Klein Blue to make paintings and **sculptures**. 기출

이브 클라인은 인터내셔널 클라인 블루(IKB)로 유명해진 그 색을 사용하여 회화와 조각을 제작했다.

➕ **sculptor** ⓝ 조각가

□ 468 **masterpiece**
[mǽstərpìːs]

ⓝ 걸작, 명작

The Thinker is a bronze and marble sculpture which is one of Rodin's **masterpieces**.
'생각하는 사람'은 로댕의 걸작 중 하나로 청동과 대리석으로 만든 조각상이다.

□ 469 **classic**
[klǽsik]

ⓐ 1. (예술품이) 일류의 2. 고전의   ⓝ 일류 작가, 일류 작품

One reviewer called the film 'a truly epic tale — a **classic** masterpiece.'
한 평론가는 그 영화를 '진정한 서사시, 즉 일류 작품'이라고 칭했다.

□ 470 **imitate**
[ímitèit]

ⓥ 1. 모방하다 2. 모조하다, 모사하다 ⊟ copy

Consciously and unconsciously, people tend to **imitate** those around them. 기출
의식적으로 그리고 무의식적으로, 사람들은 주변 사람들을 모방하는 경향이 있다.

➕ **imitation** ⓝ 모방, 모조

□ 471　**tradition**
[trədíʃən]

ⓝ 전통, 관례

But there was a time when priority was given to an observance of **tradition** rather than to an artist's personality. 기출

그러나 예술가의 개성보다는 전통을 따르는 것이 우선시되던 시기가 있었다.

✚ **traditional** ⓐ 전통적인

□ 472　**exclaim**
[ikskléim]

ⓥ (감동하여) 외치다

One child, seeing oil in a puddle of water, **exclaimed**, "Oh, look! A dead rainbow!" 기출

한 아이가 웅덩이에 기름이 떠 있는 것을 보고 "아, 봐! 죽은 무지개야!"라고 소리쳤다.

✚ **exclamation** ⓝ 외침, 감탄

□ 473　**creature**
[krí:tʃər]

ⓝ 1. 생물, 창조물　2. 동물

Haetae is an imaginary **creature** that often appears in Korean myths.

해태는 한국 신화에 자주 등장하는 상상 속의 창조물[동물]이다.

✚ **create** ⓥ 창조하다

□ 474　**distinct**
[distíŋkt]

ⓐ 1. 다른 ≡ different, 별개의 ≡ individual
　　2. 뚜렷한 ≡ clear

Mozart's musical style is quite **distinct** from Beethoven's.

모차르트의 음악 스타일은 베토벤의 음악 스타일과 상당히 다르다.

✚ **be distinct from** ~와는 다르다

□ 475　**context**
[kántekst]

ⓝ 1. 문맥, 전후 관계　2. 정황, 주변 상황

The meaning of some word form is different in every distinct **context** in which it occurs.

어떤 단어형의 의미는 그것이 쓰이는 모든 다른 문맥에서 달라진다.

✚ **contextual** ⓐ 문맥의　**out of context** 문맥을 무시하고

□ 476 **monologue**
[mánəlɔ̀ːg]

ⓝ (극의) 독백

The play which was mostly composed of a **monologue**, was not entertaining at all.

그 연극은 대부분 독백으로 구성되어 전혀 재미있지 않았다.

Voca tip   **mono-**

mono-는 '하나의(one), 유일한(single), 혼자(alone)'라는 뜻을 나타내는 접두사입니다.
drama 드라마, 극 – monodrama 1인극   lingual 언어의 – monolingual 1개 국어를 사용하는
tone 음조, 어조 – monotone (말하는 방식이) 단조로움
rail 철도의 레일 – monorail 모노레일, 단궤 철도

□ 477 **tragedy**
[trǽdʒədi]

ⓝ 1. 비극 (작품) ⊟comedy 희극   2. 재난, 참사

Charlie Chaplin, a great actor, was good at shifting from comedy to **tragedy**.

위대한 배우인 찰리 채플린은 희극에서 비극으로 옮겨 가는 데 능숙했다.

➕ **tragic** ⓐ 비극의, 비극적인

Idioms

□ 478 **line up**

줄을 서다 ⊟ stand in line

Hundreds of people **lined up** to buy tickets to Broadway plays or musicals in Times Square.

수백 명의 사람들이 타임스 스퀘어의 브로드웨이 연극이나 뮤지컬 티켓을 사기 위해 줄을 섰다.

□ 479 **live up to**

(다른 사람의 기대에) 부응하다

His latest film has certainly **lived up to** my expectations.

그의 최신 영화는 확실히 내 기대에 부응했다.

□ 480 **be into**

~에 푹 빠져 있다, ~에 관심이 많다

Whether you **are into** art or not, you'll find yourself fascinated by the history and the culture of this region.

당신이 예술에 관심이 있든 없든 간에, 당신은 이 지역의 역사와 문화에 푹 빠져 있는 자신을 발견하게 될 것입니다.

Exercise

[1~5] 다음 영영 풀이에 알맞은 단어를 보기에서 골라 쓰세요.

| 보기 | appreciate | masterpiece | chorus | interval | tragedy |

1 space of time between events _____

2 a piece of music written to be sung by a large group of people _____

3 to recognize the good qualities of something or somebody _____

4 a work of art such as a painting, movie, book, that is an excellent example of the artist's work _____

5 a serious play, movie, etc. that ends with a very sad event _____

[6~9] 짝지어진 두 단어의 관계가 같도록 빈칸에 알맞은 단어를 쓰세요.

6 imitate : copy = subject : _____

7 rehearse : rehearsal = compose : _____

8 comedy : tragedy = noble : _____

9 exclaim : exclamation = appreciate : _____

[10~12] 보기에서 알맞은 단어를 골라 문장을 완성하세요. (필요하면 단어 형태를 바꿀 것)

| 보기 | tradition | distinct | director |

10 Handel's successes in London continued, and he eventually became the musical _____ of The Royal Academy of Music.

11 But there was a time when priority was given to an observance of _____ rather than to an artist's personality.

12 Mozart's musical style is quite _____ from Beethoven's.

Health & Illness

✓ Previous Check

- □ condition
- □ chemical
- □ digest
- □ disorder
- □ worsen
- □ dental
- □ medical
- □ mental
- □ recover
- □ emergency

- □ allergy
- □ joint
- □ spine
- □ sight
- □ pulse
- □ infection
- □ sanitary
- □ symptom
- □ disabled
- □ inject

- □ prescribe
- □ tablet
- □ wound
- □ injure
- □ heal
- □ immune
- □ strain
- □ bruise
- □ come down with
- □ ease off

Intermediate

□ 481 **condition**
[kəndíʃən]

ⓝ 1. 건강 상태, 컨디션 2. 상황, 조건
After taking some medicine, his **condition** improved a lot.
약을 복용한 후, 그의 건강 상태는 많이 호전되었다.
➕ **be in good condition** 건강 상태가 좋다

□ 482 **chemical**
[kémikəl]

ⓝ 화학 물질 ⓐ 화학의, 화학적인
Researchers say that the **chemicals** that make tomatoes red are good for your heart and blood. 교과서
연구원들은 토마토를 붉게 만드는 화학 물질이 사람의 심장과 피에 유익하다고 한다.

□ 483 **digest**
[daidʒést]

ⓥ 소화하다 ▤ take in
Our bodies **digest** the food we eat and break it down into specific nutrients.
우리의 몸은 우리가 먹은 음식을 소화시켜 그것을 특정 영양소로 분해한다.
➕ **digestion** ⓝ 소화

□ 484 **disorder**
[disɔ́ːrdər]

ⓝ 1. (가벼운) 병, (신체 기능의) 장애[이상]
    2. 무질서, 혼란 (상태)
Twenty-five percent of the population suffers from some type of stomach **disorder** including abdominal pain and indigestion.
인구의 25%는 복통과 소화 불량을 포함한 어떤 형태의 위장 장애를 앓고 있다.

□ 485 **worsen**
[wɔ́ːrsn]

ⓥ 악화되다
I have to continue taking medicine because my health has **worsened** over the months.
지난 몇 달 동안 나의 건강이 악화되었기 때문에 나는 계속 약을 먹어야 한다.
➕ **worse** ⓐ 악화된, 더 심한

☐ 486 **dental**
[déntl]

ⓐ 치아의
Drinking juice can lead to **dental** cavities and stomachache.
주스를 마시는 것은 충치와 복통을 유발할 수 있다.
➕ **dental clinic** 치과

☐ 487 **medical**
[médikəl]

ⓐ 의학의, 의술의, 의료용의
The Ministry of Health and Welfare suggests that people take a **medical** examination every year.
보건 복지부는 국민들에게 매년 건강 검진을 받으라고 제안한다.
➕ **medical examination** 건강 검진

☐ 488 **mental**
[méntəl]

ⓐ 정신의, 심적인 ⊟ physical 신체의, 육체의
Stress has an effect on both your physical and **mental** health.
스트레스는 신체적, 정신적 건강 모두에 영향을 미친다.
➕ **mental illness** 정신질환

☐ 489 **recover**
[rikʌ́vər]

ⓥ 회복하다, 되찾다
Taking a rest can help a patient cure his disease and **recover** his strength soon. 기출
휴식을 취하는 것은 환자가 질병을 치료하고, 곧 원기를 회복하는 데 도움이 될 수 있다.
➕ **recovery** ⓝ 회복

☐ 490 **emergency**
[imə́:rdʒənsi]

ⓝ 비상사태, 위급 ⊟ crisis, danger
The **emergency** physicians group says if you have chest or back pain, go to a hospital as soon as possible. 기출
응급 의료진은 만약 가슴이나 등에 통증이 있으면, 가능한 한 빨리 병원에 가라고 말한다.
➕ **emergent** ⓐ 긴급한, 응급의   **emergency room (ER)** 응급실

☐ 491 **allergy**
[ǽlərdʒi]

ⓝ 알레르기 ⊟ sensitivity
I myself have a food **allergy** to peanuts. 기출
나는 땅콩에 음식 알레르기가 있다.
➕ **allergic** ⓐ 알레르기의

Advanced

☐ 492 **joint**
[dʒɔint]

ⓝ 관절, 접합
Simple stretching can loosen muscles and **joints** as well.
간단한 스트레칭은 근육뿐만 아니라 관절도 이완시킬 수 있다.

☐ 493 **spine**
[spain]

ⓝ 척추, 등뼈 ⊟ backbone
Excess weight can put extra stress on the **spine**, decreasing
the function and motion of the **spine**.
과체중은 척추에 추가적인 압박을 가하여 척추의 기능과 운동을 감소시킬 수
있다.

☐ 494 **sight**
[sait]

ⓝ 시각, 시력 ⊟ vision, eyesight
The five senses of human beings are **sight**, hearing, touch,
smell, and taste.
인간의 오감은 시각, 청각, 촉각, 후각, 미각이다.
➕ **have good sight** 시력이 좋다

☐ 495 **pulse**
[pʌls]

ⓝ 맥박, 고동
The doctor carefully checked my blood pressure and
pulse rate.
의사는 신중히 내 혈압과 맥박수를 측정했다.

☐ 496 **infection**
[infékʃən]

ⓝ 감염, 전염(병)
He was sneezing and spreading **infection** to other people
in the office.
그는 재채기를 해서 사무실 안의 다른 사람들에게 전염병을 퍼뜨리고 있었다.
➕ **infect** ⓥ 감염시키다 **infectious** ⓐ 전염성의

□ 497 **sanitary**
[sǽnətèri]

ⓐ 위생의, 위생적인, 깨끗한 ⊟ insanitary 비위생적인
To keep our environment **sanitary**, cleaning the streets is one of the most important things.
우리의 환경을 위생적으로 유지하기 위해서는 거리를 청소하는 것이 가장 중요한 일 중 하나이다.
➕ **sanitate** ⓥ 위생적으로 하다

□ 498 **symptom**
[símptəm]

ⓝ 징후, 증상 ⊟ sign, mark
They will also search online more about flu **symptoms**.
그들은 또한 독감 증상에 대해서 온라인에서 더 많이 찾아볼 것이다.　교과서

□ 499 **disabled**
[diséibld]

ⓐ 장애를 입은, 장애의 ⊟ physically challenged
Instead of using '**disabled**' or 'handicapped,' we use a more encouraging expression such as 'physically challenged.'　기출
우리는 '장애를 입은' 또는 '장애가 있는'이라는 말을 사용하는 대신에, '신체적으로 노력을 요하는'이라는 더 고무적인 표현을 사용한다.
➕ **disability** ⓝ 장애

Culture tip　disabled vs. physically challenged

disabled는 '장애를 입은'이란 뜻이지만, 자칫하면 상대방의 기분을 상하게 할 수 있으므로 좀 더 완곡한 표현을 사용하는데, 이것을 PC word(politically correct word)라고 합니다. 따라서 disabled는 physically challenged로, computer illiterate(컴맹)은 technically challenged, short(키가 작은)는 vertically challenged로, skinny, bony(뼈만 남은, 앙상한 체격의)는 horizontally challenged, stupid는 differently brained라고 표현합니다.

□ 500 **inject**
[indʒékt]

ⓥ 주사하다, 투여하다
My father is a diabetic and has to **inject** himself with insulin every day.
나의 아버지는 당뇨병이 있으셔서 매일 인슐린을 투여해야 한다.
➕ **injection** ⓝ 주사

☐ 501 **prescribe**
[priskráib]

ⓥ 처방하다

About 2,400 years ago, Hippocrates **prescribed** willow bark, which contains a natural form of aspirin. 기출

약 2천 4백 년 전에 히포크라테스는 버드나무 껍질을 처방했는데, 그것은 천연 상태의 아스피린을 함유하고 있다.

➕ **prescription** ⓝ 처방

☐ 502 **tablet**
[tǽblit]

ⓝ 알약, 정제

Doctor told me to take two **tablets** a day if symptoms persist.

의사는 나에게 증세가 지속되면 하루에 알약을 두 알씩 먹으라고 말했다.

☐ 503 **wound**
[wuːnd]

ⓝ 상처, 부상 ⓥ 상처를 입히다, 상하게 하다

She will not play any sports until her **wounds** heal up.

그녀는 상처가 완치될 때까지 어떤 운동도 하지 않을 것이다.

☐ 504 **injure**
[índʒər]

ⓥ 상처를 입히다, 다치게 하다

At the first stage, you recognize the human flaws that led the person to **injure** you. 기출

첫 단계에서, 당신은 그 사람이 당신에게 상처를 주게 만든 인간적인 결점을 인식한다.

➕ **injury** ⓝ 상처

Voca tip   injure vs. hurt vs. wound vs. damage

injure, hurt, wound, damage는 모두 '~을 손상시키다, 부상을 입히다'라는 뜻을 갖지만, 그 의미와 쓰임은 약간씩 차이가 있습니다. injure는 '신체·건강·감정 등을 손상시키다'라는 뜻으로 가장 일반적으로 쓰이며, hurt도 injure와 거의 같은 뜻으로 쓰여요. wound는 '칼·총 등으로 상처를 입히다'라는 뜻으로 주로 전쟁에서의 부상을 언급할 때 씁니다. 반면 damage는 주로 사람이 아닌 물건의 손상을 나타냅니다.
Two soldiers were badly wounded. 군인 두 명이 심하게 부상당했다.
A desk was damaged in shipping. 책상이 운송 중에 손상되었다.

☐ 505 **heal**
[hiːl]

ⓥ 치유되다, 치료하다, 고치다 ⊜ get well, get better

After a special medical treatment, his wound completely **healed** up.

특별한 치료 후에, 그의 상처는 완전히 치유되었다.

➕ **heal up** 상처가 완치되다

□ 506 **immune**
[imjúːn]

ⓐ 면역의

Being under too much stress limits our ability to fight the viruses, because it weakens our **immune** responses. 기출
지나치게 많은 스트레스를 받는 것이 우리의 면역 반응을 약하게 만들기 때문에 바이러스와 싸울 수 있는 우리의 능력을 제한한다.

➕ **immunity** ⓝ 면역

□ 507 **strain**
[strein]

ⓝ 긴장, 큰 부담   ⓥ 긴장시키다, (발목을) 접질리다

Swimming is so-called a relaxing sport because it doesn't put a **strain** on the joints and bones.
수영은 관절과 뼈에 부담을 주지 않기 때문에 소위 긴장을 완화하는 운동이다.

➕ **strain oneself** 무리하다, 무리하여 건강을 해치다

□ 508 **bruise**
[bruːz]

ⓝ 멍, 타박상, 좌상   ⓥ 타박상을 입히다

He often comes home from rugby covered in cuts and **bruises**.
그는 럭비 경기 후 종종 긁힌 상처와 멍으로 뒤덮인 채 집으로 돌아온다.

➕ **get a bruise** 타박상을 입다

Idioms

□ 509 **come down with**

~의 병에 걸리다

About 80 percent of people **come down with** the stomach flu between November and April.
약 80%의 사람들이 11월과 4월 사이에 장염에 걸린다.

□ 510 **ease off**

누그러지다, 완화되다[시키다]

Simple, everyday activities like walking can **ease off** some of the pain by blocking pain signals to the brain.
걷기와 같은 간단하고 일상적인 활동들은 뇌에 전달되는 통증 신호를 차단함으로써 통증을 어느 정도 완화시킬 수 있다.

Exercise

[1~5] 다음 영영 풀이에 알맞은 단어를 보기에서 골라 쓰세요.

보기	disabled	sight	heal	bruise	symptom

1 to become healthy again _____

2 a sign that shows your body is sick _____

3 the ability to see, the act of seeing something _____

4 having either physical or mental impairments _____

5 an injury which appears as a purple mark on
   your body _____

[6~9] 짝지어진 두 단어의 관계가 같도록 빈칸에 알맞은 단어를 쓰세요.

6 prescription : prescribe = _____ : injure

7 digest : digestion = recover : _____

8 allergy : _____ = emergency : emergent

9 sanitary : insanitary = mental : _____

[10~12] 보기에서 알맞은 단어를 골라 문장을 완성하세요. (필요하면 단어 형태를 바꿀 것)

보기	pulse	strain	tablet

10 Swimming is so-called a relaxing sport because it doesn't put a
   _____ on the joints and bones.

11 Doctor told me to take two _____ a day if symptoms persist.

12 The doctor carefully checked my blood pressure and _____
   rate.

Day
18 Industry

✓ Previous Check

- ☐ enrich
- ☐ barrel
- ☐ herd
- ☐ crisis
- ☐ provide
- ☐ material
- ☐ export
- ☐ construct
- ☐ pollution
- ☐ agriculture

- ☐ graze
- ☐ pasture
- ☐ cattle
- ☐ cultivate
- ☐ concrete
- ☐ crane
- ☐ invest
- ☐ expand
- ☐ scale
- ☐ proportion

- ☐ surpass
- ☐ generate
- ☐ constant
- ☐ optimistic
- ☐ undertake
- ☐ assemble
- ☐ innovative
- ☐ enterprise
- ☐ shut down
- ☐ set up

Intermediate

□ 511 **enrich**
[inrítʃ]

ⓥ 풍부하게 하다, 부유하게 하다
Foreign trade is the only means to **enrich** this kingdom.
해외 무역은 이 왕국을 부유하게 하는 유일한 수단이다.
➕ **enrichment** ⓝ 풍부하게 함, 비옥화

□ 512 **barrel**
[bǽrəl]

ⓝ 1. 배럴(용량의 단위로 약 159리터) 2. 통
A reduction of 5% of global energy use would save us the
equivalent of over 10 million **barrels** of oil a day. 기출
세계 에너지 사용의 5% 감소는 하루에 천만 배럴 이상의 석유를 절약하는 것과
같다.

□ 513 **herd**
[həːrd]

ⓝ (가축의) 떼, 무리 ⊟ group
Herds of the wild animals once ran over the plains of
South Africa. 기출
야생 동물 무리들이 한때 남아프리카 평원을 질주했었다.

□ 514 **crisis**
[kráisis]

ⓝ 위기 ⊟ emergency (*pl.* crises)
The decline in house prices is illustrative of the **crisis**
facing the construction industry.
집값의 하락은 건설업에 닥쳐온 위기를 설명해 준다.
➕ **critical** ⓐ 비판적인, 위태로운

□ 515 **provide**
[prəváid]

ⓥ 1. 공급하다(with) ⊟ supply 2. 준비하다(for, against)
Maybe you are heading toward retirement and therefore
need investments that **provide** you with a steady income.
기출
아마도 당신은 은퇴를 향해 나아가고 있고 그래서 당신에게 지속적인 수입을
제공하는 투자를 필요로 할지도 모른다.
➕ **provider** ⓝ 공급자

Day 18

□ 516 **material**
[mətíəriəl]

ⓝ 물질, 재료 ⊟ substance, matter ⓐ 물질적인, 세속적인
This new **material** has already been used to make snowboards and bicycles. 교과서
이 새로운 물질은 스노보드와 자전거를 만드는 데 이미 사용되어 왔다.
➕ **materially** ⓐⓓ 물질적으로 **raw material** 원료, 소재

□ 517 **export**
ⓥ [ikspɔ́ːrt]
ⓝ [ékspɔːrt]

ⓥ **수출하다** ⊟ import 수입하다 ⓝ **수출** ⊟ exportation
Their toys sell so well in their country that they don't have to **export**.
그들의 장난감은 그들의 나라에서 매우 잘 팔려서 수출할 필요가 없다.
➕ **exportable** ⓐ 수출할 수 있는

□ 518 **construct**
[kənstrʌ́kt]

ⓥ **건설하다, 조립하다** ⊟ build
This narrow bridge was **constructed** in 1998.
이 좁은 다리는 1998년에 건설되었다.

□ 519 **pollution**
[pəlúːʃən]

ⓝ **오염, 공해**
The air **pollution** in Korea is often so bad that people have started wearing face masks.
한국의 대기 오염은 종종 매우 나빠서 사람들이 보호 마스크를 쓰기 시작했다.
➕ **pollute** ⓥ 오염시키다

Advanced

□ 520 **agriculture**
[ǽgrikʌ̀ltʃər]

ⓝ **농업** ⊟ farming
Global **agriculture** must produce more food to feed a growing population. 기출
전 세계의 농업은 늘어나는 인구를 먹일 수 있는 더 많은 식량을 생산해야 한다.

□ 521 **graze**
[greiz]

ⓥ (가축이) 풀을 뜯어 먹다 ▣ feed
The cattle **grazed** on the pasture which now turned green after the long winter.
소들은 긴 겨울 후 지금은 푸른 잎으로 덮인 목초지에서 풀을 뜯어 먹었다.

□ 522 **pasture**
[pǽstʃər]

ⓝ 목초지 ▣ grassland, meadow
They let the sheep out to graze on the **pasture** of their family's farm.
그들은 가족 농장의 목초지에서 양들이 풀을 뜯어 먹도록 풀어 주었다.

□ 523 **cattle**
[kǽtl]

ⓝ 1. 소 2. 가축 ▣ livestock
The European settlers hunted them to protect the grazing land for their **cattle**. 기출
유럽 정착민들은 그들의 가축을 위한 목초지를 보호하기 위해 그것들을 사냥했다.

□ 524 **cultivate**
[kʌ́ltəvèit]

ⓥ 경작하다, 재배하다 ▣ farm
Modern farming uses many specialized machines to make **cultivated** land more productive. 기출
현대 농업은 경작지를 더욱 생산적으로 만들기 위해 많은 전문화된 기계들을 사용한다.
➕ **cultivation** ⓝ 경작

Culture tip culture

라틴어 cultur는 '농사짓다'라는 뜻입니다. 여기로부터 cultivate(경작하다), agriculture(농업), culture(문화)까지 파생되었습니다. 농사가 근본이 되어 문화까지 이어지다니, 인류 역사에서 농사가 차지하는 비중이 정말 크다고 볼 수 있죠?

□ 525 **concrete**
[kánkri:t]

ⓝ 콘크리트 ⓐ 1. 구체적인 ▣ specific 2. 콘크리트의
I question, however, whether another vast area of steel, glass, and **concrete** really represents progress. 기출
그러나 나는 철, 유리, 콘크리트로 된 또 다른 거대한 지역이 정말 진보를 나타내는지 의문이다.
➕ **concrete evidence** 구체적인 증거

□ 526 **crane**
[krein]

ⓝ 기중기

They moved the concrete blocks using the **crane**.

그들은 콘크리트 벽돌을 기중기를 사용하여 옮겼다.

Voca tip   건설 장비

다양한 건설 장비들에 대해 알아볼까요?

excavator 굴착기   bulldozer 불도저   cement mixer 콘크리트 혼합기

□ 527 **invest**
[invést]

ⓥ 투자하다

When you **invest** in the stock market, you need to have a concrete plan.

주식 시장에 투자할 때는 구체적인 계획을 세울 필요가 있다.

➕ **investment** ⓝ 투자

□ 528 **expand**
[ikspǽnd]

ⓥ 1. 확장하다   2. 팽창하다   ⊟ contract 수축하다

The company first **expanded** to major American cities before becoming a multinational company. 기출

그 회사는 다국적 기업이 되기 전에 먼저 미국의 주요 도시들로 확장해 나갔다.

□ 529 **scale**
[skeil]

ⓝ 1. 규모   ⊟ size   2. 저울   3. 비늘

The company began to export furniture on a very large **scale** this year.

그 회사는 올해 가구를 대규모로 수출하기 시작했다.

➕ **full-scale** ⓐ 전면적인, 본격적인

□ 530 **proportion**
[prəpɔ́:rʃən]

ⓝ 비율   ⊟ percentage

In 1940, the **proportion** of people aged 65 or more was 5% in Japan, and 9% in the USA. 기출

1940년에 65세 이상의 인구 비율은 일본에서 5%, 미국에서 9%였다.

□ 531 **surpass**
[sərpǽs]

ⓥ 초월하다, ~보다 낫다 ⊟ exceed

The proportion of state investment **surpasses** that of foreign investment.

정부 투자 비율이 외국 투자 비율을 넘는다.

Voca tip　　sur-

sur-는 단어의 앞에 붙어서 '위에 있는(above), 넘어선(over)'의 의미를 가진 단어로 만드는 접두사입니다. 다른 예들도 알아볼까요?

round 돌다 – surround 둘러싸다　　　　render 제공하다 – surrender 넘겨주다
face 얼굴 – surface 표면　　　　　　　　plus 여분, 나머지 – surplus 과잉

□ 532 **generate**
[dʒénərèit]

ⓥ 발생시키다 ⊟ produce

Now, human voices fill our house, and are richer than any electrically-**generated** sound. 기출

이제 사람 목소리가 우리집을 채우고, 전기적으로 발생된 어떤 소리보다 더 윤택하다.

□ 533 **constant**
[kánstənt]

ⓐ 일정한, 지속적인 ⊟ continuous

The employment rate of women is likely to remain more or less **constant** for the next two years.

여성들의 취업률은 향후 2년간 다소 일정하게 유지될 것 같다.

□ 534 **optimistic**
[àptəmístik]

ⓐ 낙관적인 ⊟ pessimistic 비관적인

The accountant has taken an **optimistic** view of economic recovery.

그 회계사는 경제 회복에 대해 낙관적인 견해를 취했다.

➕ **optimism** ⓝ 낙관주의　**optimist** ⓝ 낙관주의자

□ 535 **undertake**
[ʌ̀ndərtéik]

ⓥ 떠맡다, 착수하다

In order to gain good-quality and low-cost coffee, they **undertook** projects in India.

품질은 우수하고 가격은 저렴한 커피를 구하기 위해 그들은 인도에서 사업에 착수했다.

☐ 536 **assemble**
[əsémbl]

ⓥ 1. **조립하다** ⊟ disassemble 분해하다 2. **모으다** ⊟ gather
The factory will **assemble** 3 million smartphone units annually.
그 공장은 연간 3백만 대의 스마트폰을 조립할 것이다.
➕ **assembly** ⓝ 조립

☐ 537 **innovative**
[ínəvèitiv]

ⓐ **획기적인, 혁신적인**
He wanted to create a place where people could try his **innovative** food. 교과서
그는 사람들이 그의 획기적인 음식을 맛볼 수 있는 장소를 만들기를 원했다.
➕ **innovation** ⓝ 혁신, 획기적인 것

☐ 538 **enterprise**
[éntərpràiz]

ⓝ 1. **기업, 회사** ⊟ business 2. **(특히 모험적인) 사업**
We need a government that works to encourage **enterprise**.
우리는 기업을 장려하기 위해 일하는 정부가 필요하다.
➕ **entrepreneur** ⓝ (특히 모험적인) 사업가[기업가]

Idioms

☐ 539 **shut down**

문을 닫다, 폐쇄하다
Production was stopped and the factory **shut down**.
생산은 중단되었고 공장은 문을 닫았다.

☐ 540 **set up**

시작하다, 창설하다, 건립하다
They plan to **set up** their own import-export business.
그들은 자신들만의 수출입 사업을 시작할 계획이다.

Exercise

[1~5] 다음 영영 풀이에 알맞은 단어를 보기에서 골라 쓰세요.

보기	pasture	construct	optimistic	constant	crane

1 to build a building, road or machine   _____

2 happening all the time   _____

3 expecting hopeful future   _____

4 a machine that moves heavy things by lifting them   _____

5 land with grass growing on it for farm animals to eat   _____

[6~9] 짝지어진 두 단어의 관계가 같도록 빈칸에 알맞은 단어를 쓰세요.

6 expand : contract = optimistic : _____

7 surpass : exceed = generate : _____

8 farming : _____ = herd : group

9 assemble : _____ = pollute : pollution

[10~12] 보기에서 알맞은 단어를 골라 문장을 완성하세요. (필요하면 단어 형태를 바꿀 것)

보기	scale	enrich	proportion

10 Foreign trade is the only means to _____ this kingdom.

11 The company began to export furniture on a very large _____ this year.

12 In 1940, the _____ of people aged 65 or more was 5% in Japan, and 9% in the USA.

Economy

- ☐ budget
- ☐ capital
- ☐ account
- ☐ expense
- ☐ collapse
- ☐ economic
- ☐ risk
- ☐ decline
- ☐ stock
- ☐ possess

- ☐ property
- ☐ asset
- ☐ finance
- ☐ loan
- ☐ estimate
- ☐ commerce
- ☐ negotiate
- ☐ currency
- ☐ boost
- ☐ fortune

- ☐ unemployed
- ☐ income
- ☐ annual
- ☐ strategy
- ☐ temporary
- ☐ outcome
- ☐ potential
- ☐ pay off
- ☐ lay off
- ☐ in need

Intermediate

□ 541 **budget**
[bʌ́dʒit]

ⓝ 예산, 예산안

Our company has difficulty balancing the **budget** every year.

우리 회사는 매년 예산의 균형을 맞추는 데 어려움을 겪는다.

➕ **make a budget** 예산을 편성하다

□ 542 **capital**
[kǽpətl]

ⓝ 1. 자본 2. 수도 3. 대문자 ⓐ 1. 자본의 2. 주요한

A lack of **capital** kept the company from employing more workers.

자본 부족은 회사가 더 많은 근로자를 고용하지 못하도록 했다.

➕ **capitalism** ⓝ 자본주의 **capital punishment** 사형, 극형

Culture tip | capital punishment가 '사형, 극형'이 된 이유

capital punishment는 '사형'을 뜻하며, 다른 표현으로는 the death penalty 또는 execution이 있습니다. 사형 선고를 받을 만한 죄를 흔히 capital crime 혹은 capital offence라고 부르죠. 여기에 쓰인 capital은 라틴어 capitalis에서 온 것으로 '머리와 관련된(regarding the head)'이라는 의미입니다. 따라서 capital crime이 '머리를 가혹하게 벌할 수 있는 죄', 즉 사형에 처할 수 있는 죄를 뜻하게 된 것이죠.

□ 543 **account**
[əkáunt]

ⓝ 1. 거래, 예금 계좌 2. 계산, 회계

He wanted to open a new savings **account** at the bank near his company.

그는 회사 근처에 있는 은행에서 새로운 예금 계좌를 개설하기를 원했다.

➕ **accountant** ⓝ 회계사
have an account with ~와 거래가 있다, ~에 계좌가 있다

□ 544 **expense**
[ikspéns]

ⓝ 지출, 비용, 경비

These combined housing **expenses** should not be more than 28 percent of your gross income. 기출

이러한 총 주택 비용은 총수입의 28%를 넘어서는 안 된다.

➕ **expensive** ⓐ 값비싼

□ 545 **collapse**
[kəlǽps]

ⓥ 붕괴되다, 무너지다, (가치가) 폭락하다　ⓝ 붕괴, 실패
The luxury car market has **collapsed**.
고급차 시장이 붕괴되었다.

□ 546 **economic**
[ìːkənámik]

ⓐ 경제학의, 경제(상)의　⊟ financial
They study the current **economic** situation to decide whether to increase taxes or not.
그들은 세금을 올릴지 말지 결정하기 위해 현재의 경제 상황을 연구한다.

➕ **economy** ⓝ 경제　**economist** ⓝ 경제학자

> **Voca tip** economic vs. economical
>
> economic은 '경제의'라는 뜻으로 economic fluctuations(경제 변동)처럼 주로 경제 용어와 함께 쓰입니다. 반면에 economical은 '낭비하지 않는, 검소한'이라는 의미로 frugal, sparing, thrifty 등과 유사하게 사용됩니다.

□ 547 **risk**
[risk]

ⓝ 위험, 모험　⊟ danger, hazard
The target of this economic policy was to recover the financial condition at **risk**.
이번 경제 정책의 목표는 위험에 처한 재정 상태를 회복하는 것이었다.

➕ **risky** ⓐ 위험한　**at risk** 위험한 상태에

□ 548 **decline**
[dikláin]

ⓝ (가격) 하락　ⓥ (가격·가치가) 하락하다
A **decline** in prices affects the increase in demand.
가격 하락은 수요의 증가에 영향을 미친다.

□ 549 **stock**
[stɑk]

ⓝ 1. 주식, 주　⊟ shares　2. 재고(품)
The declining **stock** market was the sign of the national economy at risk.
하강세의 주식 시장은 국가 경제가 위험에 처했다는 것을 보여 주는 징후였다.

Advanced

□ 550 **possess**
[pəzés]

ⓥ **소유하다, 가지다** ⊜ own

The nation's wealthy **possessed** more than 80% of the total private real estate.

국가의 부유층이 전체 사유 부동산의 80퍼센트 이상을 소유했다.

➕ **possession** ⓝ 소유

□ 551 **property**
[prápərti]

ⓝ 1. **재산, 소유물** ⊜ possessions 2. **부동산, 토지**

According to his will, all his **property** is to be donated to a charitable organization.

그의 유언에 따라, 그의 모든 재산은 자선 단체에 기부된다.

□ 552 **asset**
[ǽset]

ⓝ **자산, 재산** ⊜ money, effects

When it was certain the company was going bankrupt, the government froze all their **assets**.

그 회사가 파산하는 것이 명백해졌을 때, 정부는 그들의 모든 재산을 동결시켰다.

□ 553 **finance**
[fáinæns]

ⓝ **재정, 재무**

Many small and medium-sized arts organizations are facing growing pressure from **finance**. 기출

많은 중소 규모의 예술 단체들이 증가하는 재정적인 압박에 직면해 있다.

➕ **financial** ⓐ 재정의

□ 554 **loan**
[loun]

ⓝ **대출(금), 대여**

You need to figure out all of your other debts such as credit card debt and student **loans**. 기출

신용 카드 대금 및 학자금 대출과 같은 당신의 다른 빚들도 모두 계산해 봐야 한다.

□ 555 **estimate**
ⓥ [éstəmèit]
ⓝ [éstəmət]

ⓥ 평가하다, 견적하다 ⊟ evaluate   ⓝ 평가, 견적
The total **estimated** sum of the repair for cultural assets amounted to thousands of dollars.
문화재 보수비의 총 견적액은 수천 달러에 달했다.
➊ **estimated sum** 견적액, 견적 비용

□ 556 **commerce**
[kámərs]

ⓝ 상업, 통상, 교섭
Probably the fastest-growing part of the Web is called e-**commerce**. 기출
아마도 웹의 가장 빠르게 성장하는 분야는 전자 상거래라고 불릴 것이다.
➊ **commercial** ⓐ 상업의
   e-commerce (electronic commerce) 전자 상거래

□ 557 **negotiate**
[nigóuʃièit]

ⓥ 협상하다
Union leaders **negotiated** higher wages, better working conditions and improved benefits for its members.
노조 지도부는 임금 인상, 근로 조건 개선, 조합원 복리 후생 개선 등을 협상했다.
➊ **negotiation** ⓝ 협상

□ 558 **currency**
[kə́:rənsi]

ⓝ 1. 통화, 화폐 2. 유통
The tourist industry brings a lot of foreign **currency** into the country.
관광 산업은 그 나라에 많은 외화를 들여온다.
➊ **current** ⓐ 통용되는; 현재의

□ 559 **boost**
[bu:st]

ⓥ 증대하다 ⊟ decrease 감소하다   ⓝ 경기 부양, (가격의) 상승
Economists warn that some real estate agents will do whatever it takes to **boost** house prices.
경제학자들은 일부 부동산업자들이 집값을 올리기 위해서는 무슨 일이든 할 것이라고 경고한다.

☐ 560 **fortune**
[fɔ́ːrtʃən]

ⓝ 1. 재산, 부 ⊟ wealth 2. 행운
That is why he was called a parakho, which means someone who ruins his family's **fortune**. 교과서
그것이 그가 집안의 재산을 탕진하는 사람이라는 뜻의 파락호로 불렸던 이유이다.
➕ **fortunate** ⓐ 운 좋은

☐ 561 **unemployed**
[ʌ̀nimplɔ́id]

ⓐ **실업의, 무직의** ⊟ employed 고용된
There were roughly 1.7 job openings for every **unemployed** worker in December.
12월에는 실업자 1인당 대략 1.7개의 일자리가 생겼다.
➕ **unemployment rate** 실업률

Voca tip　un-

un-은 단어 앞에 붙어서 '~와는 반대의, ~이 아닌'의 뜻을 추가하는 접두사입니다. employed(고용된)에 un-이 붙으면 unemployed(실업의)라는 반의어가 됩니다.

skilled 숙련된 – unskilled 서툰　　cooked 조리가 된 – uncooked 조리가 되지 않은
dress 입다 – undress 벗다　　important 중요한 – unimportant 중요하지 않은
fold 접다 – unfold 펴다　　believable 믿을 수 있는 – unbelievable 믿을 수 없는

☐ 562 **income**
[íŋkʌm]

ⓝ **수입, 소득** ⊟ earnings ⊟ expenditure 지출
Poor families tend to spend most of their **income** on food.
가난한 가정은 수입의 대부분을 식료품에 소비하는 경향이 있다.

☐ 563 **annual**
[ǽnjuəl]

ⓐ **1년의, 해마다의**
Alex held an **annual** lemonade stand to raise money for childhood cancer research. 기출
Alex는 소아암 연구를 위한 기금을 마련하기 위해 매년 레모네이드 매점을 열었다.
➕ **annually** ⓐ 매년, 해마다

☐ 564 **strategy**
[strǽtədʒi]

ⓝ **전략, 계획** ⊟ plan, approach
Everybody hopes that the government's long-term economic **strategy** will work.
모든 사람들이 정부의 장기적인 경제 전략이 효과가 있기를 바란다.

□ 565 **temporary**
[témpərèri]

ⓐ **일시적인, 임시의** ⊟ permanent 영구적인, 불멸의

The new **temporary** accountant successfully finished his job.

새로 온 임시직 회계사는 성공적으로 그의 일을 끝마쳤다.

➕ **temporarily** ⓐⓓ 임시로

□ 566 **outcome**
[áutkʌm]

ⓝ **결과(물), (구체적인) 성과** ⊟ effect

The company failed to produce an efficient **outcome** because of free riders.

그 회사는 무임승차자들 때문에 효과적인 결과물을 만들어 내지 못하게 되었다.

□ 567 **potential**
[pətén∫əl]

ⓐ **잠재적인, 발전 가능성이 있는** ⊟ latent

Our **potential** customers will play an important role in restoring this economic crisis.

우리의 잠재적인 고객은 이번 경제 위기를 회복하는 데 중요한 역할을 할 것이다.

➕ **potentially** ⓐⓓ 잠재적으로

Idioms

□ 568 **pay off**

1. (빚 등을) 다 갚다 2. 성공하다, 성과를 올리다

The company can earn foreign currency from its exports and begin to **pay off** its huge debt.

그 회사는 수출로 외화를 벌 수 있고 막대한 부채를 갚기 시작할 수 있다.

□ 569 **lay off**

~을 해고하다

The company **laid off** 280 workers last month.

그 회사는 지난달에 280명의 직원을 해고했다.

□ 570 **in need**

어려움에 처한, 궁핍한

A charity fund is an amount of money used to help particular people **in need**.

자선기금이란 어려움에 처한 특정한 사람들을 돕는 데에 쓰이는 돈을 말한다.

Exercise

[1~5] 다음 영영 풀이에 알맞은 단어를 보기에서 골라 쓰세요.

| 보기 | estimate | possess | collapse | risk | currency |

1 to have something as property _____
2 the possibility of suffering harm or loss _____
3 the specific money system of a country _____
4 to make a judgment of something _____
5 to fall down suddenly, often after breaking apart _____

[6~9] 짝지어진 두 단어의 관계가 같도록 빈칸에 알맞은 단어를 쓰세요.

6 _____ : decrease = temporary : permanent
7 risk : danger = economic : _____
8 asset : effects = property : _____
9 estimate : _____ = stock : shares

[10~12] 보기에서 알맞은 단어를 골라 문장을 완성하세요. (필요하면 단어 형태를 바꿀 것)

| 보기 | currency | expense | outcome |

10 The company failed to produce an efficient _____ because of free riders.
11 These combined housing _____ should not be more than 28 percent of your gross income.
12 The tourist industry brings a lot of foreign _____ into the country.

Previous Check

- ☐ elect
- ☐ declare
- ☐ democracy
- ☐ official
- ☐ candidate
- ☐ oppose
- ☐ immediate
- ☐ insist
- ☐ union
- ☐ indifferent

- ☐ campaign
- ☐ party
- ☐ dispute
- ☐ postpone
- ☐ convince
- ☐ persuade
- ☐ assume
- ☐ approve
- ☐ session
- ☐ deed

- ☐ reputation
- ☐ conservative
- ☐ command
- ☐ hostile
- ☐ authority
- ☐ cabinet
- ☐ federal
- ☐ unify
- ☐ run for
- ☐ speak for

Intermediate

□ 571 **elect**
[ilékt]

ⓥ 선거하다, 선출하다, 고르다
He lost many elections before he was **elected** President of the United States.
그는 미국 대통령으로 당선되기 전에 많은 선거에서 패했다.
➕ **election** ⓝ 선거   **elective** ⓐ 선거의

□ 572 **declare**
[diklέər]

ⓥ 1. 선언하다, 공표하다 ⊟ announce 2. 단언하다
The United Nations has **declared** this year to be 'The Year of the Teen.' 기출
국제연합(UN)은 올해를 '십 대의 해'로 선언했다.
➕ **declaration** ⓝ 선언, (세관 등에의) 신고(서)

□ 573 **democracy**
[dimάkrəsi]

ⓝ 민주주의, 민주제
I think we have to practice **democracy** by using our right to vote.
나는 우리가 투표권을 행사함으로써 민주주의를 실천해야 한다고 생각한다.

Voca tip 민주주의와 국회

민주주의(democracy)에서는 국민들이 투표(vote)를 통해 자신들의 대표자를 선출(elect)합니다. 선거에 뽑힌 대표자들은 국회로 가서 자신들이 대표하고 있는 국민들을 위한 정책을 입안하게 되지요. 미국의 국회의원은 상원의원(senator)과 하원의원(representative)으로 나뉩니다.

□ 574 **official**
[əfíʃəl]

ⓝ 공무원, 관리   ⓐ 공무상의, 공식의
Akbar, the third Mogul emperor, had a number of wise **officials** at his court. 교과서
악바르는 무굴 제국의 제3대 황제로, 그의 궁정에는 현명한 관리들이 많이 있었다.
➕ **office** ⓝ 사무실; 공직, 관직   **officiate** ⓥ 공무를 수행하다

□ 575 **candidate**
[kǽndidèit]

ⓝ (선거의) 후보자[출마자]; 지원자, 응시자
She was nominated as a presidential **candidate**.
그녀는 대통령 후보자로 지명되었다.

Day 20

☐ 576 **oppose**
[əpóuz]

Ⓥ **반대하다, 대항하다** 🄴 resist

They plan to build a nuclear power plant there, but residents **oppose** it.

그들은 그곳에 원자력 발전소를 지을 계획이지만, 주민들은 그것에 반대하고 있다.

➕ **opposite** ⓐ 반대편의

☐ 577 **immediate**
[imí:diət]

ⓐ 1. **즉각적인** 🄴 instant 　2. **직접적인, 가장 가까운** 🄴 nearest

There should be **immediate** changes in the nation's health care policies.

국가의 의료 정책들에는 즉각적인 변화가 있어야만 한다.

➕ **immediately** ⓐⓓ 즉시; 직접

☐ 578 **insist**
[insíst]

Ⓥ **고집하다, 주장하다, 요구하다** 🄴 demand

They **insist** that the media has to remain politically neutral.

그들은 언론이 정치적으로 중립을 유지해야 한다고 주장한다.

➕ **insistent** ⓐ 강요하는, 끈질긴
　with insistence 끈질기게, 집요하게

☐ 579 **union**
[jú:njən]

Ⓝ 1. **연합, 합병** 　2. **(노동) 조합**

The two countries are holding a meeting to discuss a political **union**.

그 두 나라는 정치적인 연합에 대해 토론하기 위해 회의를 하고 있다.

➕ **unionize** Ⓥ 연합하다

Advanced

☐ 580 **indifferent**
[indífərənt]

ⓐ **무관심한** 🄴 unconcerned

The citizens of our state are mostly **indifferent** to the election.

우리 주의 시민들은 선거에 거의 무관심하다.

➕ **indifference** Ⓝ 무관심

□ 581 **campaign** [kæmpéin]

ⓝ 선거 운동, 유세, 캠페인

The mayor tried to carry out the promises that he had made during his **campaign**.

그 시장은 자신이 선거 운동 기간에 했던 약속들을 이행하려고 노력했다.

□ 582 **party** [pɑ́:rti]

ⓝ 1. 정당 2. 파티, 회합

The **party** has decided not to take part in this election.

그 정당은 이번 선거에 참가하지 않기로 결정했다.

□ 583 **dispute** [dispjú:t]

ⓝ 논쟁 ⊜ argument ⓥ 논쟁하다 ⊜ argue

A long **dispute** in the National Assembly is holding up a bill aimed at helping people who can't pay their medical expenses.

국회에서의 긴 논쟁은 의료비를 지불할 수 없는 사람들을 돕는 것을 목적으로 하는 법안을 (통과되지 못하게) 막고 있다.

□ 584 **postpone** [poustpóun]

ⓥ 연기하다, 뒤로 미루다 ⊜ put off, delay

The session of the National Assembly was **postponed** again due to the severe dispute.

격한 논쟁으로 인해 국회 개원이 또다시 연기되었다.

Voca tip post-

post-는 접두어로 사용될 경우 '뒤에, 후에', 즉 after의 의미를 나타냅니다.

post + pone('두다'라는 의미의 어근) = postpone 연기하다, 뒤로 미루다

post + script('쓰기'의 뜻) = postscript (P.S.) 추신

postwar 전후(戰後)의 post-election 선거 후의 post-revolution 혁명 후의

□ 585 **convince** [kənvíns]

ⓥ 1. (설득하여) 납득시키다 ⊜ persuade
2. 확신시키다 ⊜ assure

The government is trying to **convince** the public that it's getting tough on corruption.

정부는 부패에 대해 강경 대응할 것임을 국민에게 납득시키려고 노력하고 있다.

⊕ conviction ⓝ 확신

Day
20

□ 586 **persuade**
[pəːrswéid]

ⓥ 설득하다
The National Assembly could not **persuade** the President into cancelling the project.
국회는 대통령이 그 프로젝트를 취소하도록 설득할 수 없었다.
➕ **persuasion** ⓝ 설득

□ 587 **assume**
[əsjúːm]

ⓥ 추측하다, 사실이라고 생각하다 ⊟ suppose
Political analysts **assume** he will succeed to win a majority in this election.
정치 분석가들은 그가 이번 선거에서 과반수를 얻는 데 성공할 것이라고 추측한다.
➕ **assumption** ⓝ 가정, 가설
assuming[supposing] that ~라고 가정하면

□ 588 **approve**
[əprúːv]

ⓥ 찬성하다, 승인하다 ⊟ allow
The city council decided to **approve** the construction of a new central library. 기출
시 의회는 새로운 중앙 도서관 건립을 승인하기로 결정했다.
➕ **approval** ⓝ 찬성, 승인

□ 589 **session**
[séʃən]

ⓝ 1. (국회의) 회기, 기간 2. (대학) 학기, 수업
The 13th regular **session** of the National Assembly will end next Friday.
13차 정기 국회는 다음 주 금요일에 끝날 것이다.
➕ **sessional** ⓐ 개정 중의, 회기마다의

□ 590 **deed**
[diːd]

ⓝ 1. 업적 ⊟ achievement 2. 행위 ⊟ action, conduct
Former presidents are judged by their **deeds**, not by their words.
전직 대통령들은 그들의 말이 아니라 그들의 업적에 의해 평가된다.

☐ 591 **reputation**
[rèpjutéiʃən]

ⓝ 1. 평판 2. 명성, 덕망 ⊟ fame
The candidate tried to damage the opponents' **reputation** by spreading rumors about them.
그 후보자는 상대들에 대한 소문을 퍼뜨려서 그들의 평판을 떨어뜨리려고 노력했다.
➕ **reputational** ⓐ 명성의, 평판의

☐ 592 **conservative**
[kənsɔ́:rvətiv]

ⓐ 보수적인 ⊟ progressive 진보적인
A survey asked voters whether they were **conservative** or progressive.
한 조사는 유권자들에게 그들이 보수적인지 진보적인지를 물었다.
➕ **conservatism** ⓝ 보수주의

☐ 593 **command**
[kəmǽnd]

ⓥ 1. (군대 등을) 지휘하다 ⊟ lead 2. 명령하다 ⊟ order
ⓝ 1. 지휘권 2. 명령 3. (언어) 구사 능력
He will **command** U.S. naval forces operating in European waters.
그는 유럽 해역에서 작전 중인 미 해군을 지휘할 것이다.
➕ **commander** ⓝ 지휘관, 사령관

☐ 594 **hostile**
[hástəl]

ⓐ 적대적인 ⊟ unfriendly ⊟ friendly 친절한
Hostile forces have taken control of cities in the north of the country.
적대적인 세력이 그 나라 북부의 도시들을 장악했다.
➕ **hostility** ⓝ 적의, 적개심

☐ 595 **authority**
[əθɔ́:rəti]

ⓝ 1. 권위, 권한 ⊟ power 2. (pl.) 당국
Who gave you the **authority** to do this?
누가 당신에게 이런 일을 할 권한을 주었습니까?

□ 596 **cabinet**
[kǽbənit]

ⓝ 1. (정치) 내각　2. 장식장, 캐비닛
The U.S. government intends to resume **cabinet**-level talks with North Korea.
미국 정부는 북한과 장관급 회담을 다시 시작할 생각이다.
➕ **cabinet council** 각료 회의, 국무 회의

Culture tip　cabinet의 유래

원래 cabinet은 '작은 방'이라는 뜻이 있습니다. 영국에서는 17세기부터 왕이 councillor(의원)들을 모아 자문 회의(council)를 거친 후 의사 결정을 하는 제도가 확립되었지요. 이 council이 모인 궁정의 작은 방을 cabinet이라고 하고, 이 모임을 cabinet council이라고 부르다가 점차 council을 생략하고 그냥 cabinet이라고 부르게 되어 오늘날의 '내각'이라는 뜻이 된 것입니다.

□ 597 **federal**
[fédərəl]

ⓐ 연방의, 연방제의
The housing policy of the U.S. **Federal** Government has been drastically changed through the years.
미국 연방 정부의 주택 정책은 몇 년간 극적으로 변화되어 왔다.
➕ **Federal Government** (미국) 연방 정부

□ 598 **unify**
[júːnəfài]

ⓥ 통일하다, 단일화하다　⊟ divide, split 나누다, 분열시키다
Many people believe that South and North Korea should be **unified** as soon as possible.
많은 사람들이 남한과 북한이 될 수 있는 한 빨리 통일되어야 한다고 믿는다.

Idioms

□ 599 **run for**

~에 입후보하다, 출마하다
The election is coming up. Why don't you **run for** class representative, Yumi? 교과서
선거가 다가오고 있어. 반 대표에 입후보하는 게 어때, 유미야?

□ 600 **speak for**

~을 대변하다
We believe our party **speaks for** the poor and unemployed.
우리는 우리 당이 가난한 사람들과 실업자들을 대변한다고 믿는다.

Exercise

[1~5] 다음 영영 풀이에 알맞은 단어를 보기에서 골라 쓰세요.

보기	oppose	command	hostile	elect	dispute

1 an argument about something　＿＿＿＿＿＿＿＿＿

2 to be against, to be in conflict with　＿＿＿＿＿＿＿＿＿

3 to order someone to do something　＿＿＿＿＿＿＿＿＿

4 relating to an enemy, not friendly　＿＿＿＿＿＿＿＿＿

5 to pick someone (by voting) to take an official
   position　＿＿＿＿＿＿＿＿＿

[6~9] 짝지어진 두 단어의 관계가 같도록 빈칸에 알맞은 단어를 쓰세요.

6 ＿＿＿＿＿＿＿＿ : progressive = hostile : friendly

7 approve : approval = assume : ＿＿＿＿＿＿＿＿

8 insist : insistent = oppose : ＿＿＿＿＿＿＿＿

9 convince : persuade = ＿＿＿＿＿＿＿＿ : announce

[10~12] 보기에서 알맞은 단어를 골라 문장을 완성하세요. (필요하면 단어 형태를 바꿀 것)

보기	authority	candidate	unify

10 She was nominated as a presidential ＿＿＿＿＿＿＿＿.

11 Many people believe that North and South Korea should be ＿＿＿＿＿＿
   as soon as possible.

12 Who gave you the ＿＿＿＿＿＿＿＿ to do this?

Society

- □ social
- □ moral
- □ ethic
- □ tend
- □ allow
- □ affect
- □ expire
- □ organization
- □ liberty
- □ factor
- □ opportunity
- □ standard
- □ status
- □ facility
- □ circumstance
- □ charity
- □ volunteer
- □ prospect
- □ advantage
- □ stereotype
- □ secure
- □ complex
- □ inadequate
- □ proper
- □ indicate
- □ deserve
- □ acquire
- □ sign up for
- □ contribute to
- □ put off

Intermediate

□ 601 **social**
[sóuʃəl]

ⓐ **사회의**

The high youth unemployment rate is one of the most serious **social** problems.

높은 청년 실업률은 가장 심각한 사회 문제 중 하나이다.

➕ **society** ⓝ 사회 **socialize** ⓥ 사회화하다

□ 602 **moral**
[mɔ́ːrəl]

ⓐ **도덕적인** ⊟immoral 부도덕한 ⓝ **교훈, (pl.) 도덕**

For those who put money ahead of everything else, we need to teach **moral** values. 기출

다른 무엇보다도 돈을 최우선으로 생각하는 사람들에게는, 도덕적 가치관을 가르쳐 줄 필요가 있다.

➕ **morality** ⓝ 도덕성

□ 603 **ethic**
[éθik]

ⓝ **윤리, 도덕**

Social **ethics** includes all the norms of behavior that the human being has to be able to live with others.

사회 윤리는 인간이 타인과 더불어 살아가기 위해 갖추어야 할 모든 행동 규범을 포함한다.

➕ **ethics** ⓝ 윤리학 **ethical** ⓐ 윤리의

> **Voca tip** morals vs. ethics
>
> morals는 보통 사회적으로 인정되는 도덕적 기준을 뜻하고, ethics는 work ethics, business ethics, political ethics처럼 전문적인 영역에서 특별히 공정하게 요구되는 도덕적 기준을 의미합니다.

□ 604 **tend**
[tend]

ⓥ **~하는 경향이 있다, ~하기 쉽다**

One of the characteristics of the United States is that it **tends** to be oversensitive to domestic political concerns. 기출

미국의 특징 중 하나는 미국이 국내의 정치적 문제에 지나치게 민감한 경향이 있다는 것이다.

➕ **tendency** ⓝ 경향 **have a tendency to** ~하는 경향이 있다

☐ 605 **allow**
[əláu]

ⓥ 허락하다, 허가하다
We do not **allow** smoking in public places.
공공장소에서는 흡연을 허용하지 않는다.
➕ **allowance** ⓝ 승인; 용돈

☐ 606 **affect**
[əfékt]

ⓥ ~에 영향을 미치다 ☰ influence
The price mentioned first **affects** our opinion of prices mentioned afterwards. 교과서
처음에 언급된 가격이 이후에 언급되는 가격에 대한 우리의 의견에 영향을 미친다.

☐ 607 **expire**
[ikspáiər]

ⓥ 만기가 되다 ☰ end
Though his visa **expired**, he continued to stay in the country illegally.
비자가 만료되었음에도 불구하고, 그는 그 나라에 불법으로 계속 머물렀다.
➕ **expiration** ⓝ 종료, 만기

☐ 608 **organization**
[ɔ̀rgənəzéiʃən]

ⓝ 조직, 단체, 기구
I hope to work for an international human rights **organization** in the future.
나는 미래에 국제 인권 단체에서 일하기를 바란다.
➕ **organize** ⓥ 조직하다　**organizational** ⓐ 조직의

☐ 609 **liberty**
[líbərti]

ⓝ 1. 자유 ☰ freedom 2. 해방, 석방
Every person has the right to the enjoyment of life, **liberty** and property.
모든 사람에게는 삶의 즐거움, 자유, 재산에 대한 권리가 있다.

☐ 610 **factor**
[fǽktər]

ⓝ 요소, 요인
There are some people who work hard, despite low pay and without big reward, but still money is a motivating **factor** for most diligent workers. 기출
낮은 보수와 큰 보상이 없이도 열심히 일하는 사람들이 있기는 하지만, 여전히 돈이 대부분의 근면한 직원들에게 동기를 부여하는 요소이다.

□ 611 **opportunity**
[àpərtjúːnəti]

ⓝ 기회　ⓔ chance

You know, all your dreams are worth chasing, even if you catch only a few of them. Never miss an **opportunity**. 교과서
너도 알겠지만, 모든 꿈은 추구할 가치가 있다. 비록 일부만 이루게 되더라도 말이다. 절대 기회를 놓치지 마라.

➕ **golden opportunity** 절호의 기회

Advanced

□ 612 **standard**
[stǽndərd]

ⓝ 표준, 기준　ⓔ criterion　ⓐ 표준의

One of the smartphone's influences on our lives is the sudden breaking of **standards** of etiquette. 기출
스마트폰이 우리의 삶에 끼치는 영향들 중 하나는 갑작스러운 예절 기준의 파괴이다.

➕ **standardize** ⓥ 표준화하다

□ 613 **status**
[stǽtəs]

ⓝ 1. 지위, 신분　ⓔ position　2. 상태

Jealousy is generally found among equals or near equals like friends of equal social **status**, colleagues in the office and relatives. 기출
질투는 일반적으로 동등한 사회적 지위의 친구, 회사 동료 그리고 친척과 같이 비슷하거나 거의 비슷한 사람들 사이에서 생긴다.

□ 614 **facility**
[fəsíləti]

ⓝ 편의, 편리, (pl.) 편의 시설

Since we all enjoy the **facilities** of this park, it's our duty to join and clean up the park.
우리 모두는 이 공원의 시설을 즐기고 있으므로, 공원 청소에 동참하는 것은 우리의 의무이다.

➕ **facilitate** ⓥ 용이하게 하다

□ 615 **circumstance**
[sə́ːrkəmstæns]

ⓝ 상황, 환경　ⓔ condition

We apologize for the inconvenience, but hope you will understand the **circumstances**.
불편을 드려 죄송하지만, 상황을 이해해 주시기 바랍니다.

□ 616 **charity**
[tʃǽrəti]

ⓝ 1. 자선, 자선 단체 2. 구호물자
Most of the money raised goes to a **charity** donating books to poor children.
모금된 돈의 대부분은 가난한 아이들에게 책을 기부하는 자선 단체로 보내진다.
➕ **charitable** ⓐ 자비로운

□ 617 **volunteer**
[vàləntíər]

ⓝ 자원봉사자, 지원자 ⓥ 자발적으로 ~하다
Volunteers can have a great effect on their communities.
자원봉사자들은 지역 사회에 큰 영향을 미칠 수 있다.
➕ **voluntary** ⓐ 자발적인

□ 618 **prospect**
[práspekt]

ⓝ 전망, 가능성
Jobs in the catering sector tend to be temporary, with irregular hours and few career **prospects**. 기출
요식업 분야의 직업은 불규칙한 근무 시간과 직업 전망이 거의 없다는 임시적인 경향이 있다.
➕ **prospective** ⓐ 유망한

□ 619 **advantage**
[ədvǽntidʒ]

ⓝ 이익, 유리한 점 ⊟ disadvantage 불이익
Living in a big city has lots of **advantages** but also many disadvantages.
대도시에 살면 많은 이점도 있지만 또한 많은 단점도 있다.
➕ **advantageous** ⓐ 유리한, 이로운

□ 620 **stereotype**
[stériətàip]

ⓝ 고정 관념
Some people have **stereotypes** about blood type.
일부 사람들은 혈액형에 관한 고정 관념을 갖고 있다.
➕ **racial stereotypes** 인종적 고정 관념

□ 621 **secure**
[sikjúər]

ⓐ 안전한 ⊟ safe ⊟ insecure 불안정한
The new building has been designed to be **secure**, even in a natural disaster like an earthquake.
그 새로운 건물은 지진과 같은 천재지변에서도 안전히도록 설계되었다.
➕ **security** ⓝ 안전, 보안

□ 622 **complex**
[kámpleks]

ⓐ **복잡한** ⊟ complicated ⊞ simple 단순한 ⓝ **복합 건물**

The world is faced with **complex** problems, too big for one country to solve alone.

세계는, 너무 거대해서 한 국가가 단독으로 해결할 수 없는 복잡한 문제들에 직면해 있다.

➕ **leisure complex** 종합 레저 건물

□ 623 **inadequate**
[inǽdikwət]

ⓐ **부적당한, 불충분한** ⊟ adequate 적당한

In developing countries, people are suffering from poor housing, unemployment, and **inadequate** sanitary facilities. 기출

개발 도상국에서 사람들은 열악한 주택, 실업, 부적절한 위생 시설로 고통을 겪고 있다.

➕ **inadequacy** ⓝ 불충분, 결점

Voca tip　in-

in-은 형용사 앞에 붙어서 반의어를 만드는 접두사로 자음 b, m, p 앞에서는 im-으로 변형됩니다.
appropriate 적당한 – inappropriate 부적당한　　mortal 죽음의 – immortal 불멸의
balanced 균형 잡힌 – imbalanced 불균형의　　polite 공손한 – impolite 무례한

□ 624 **proper**
[prάpər]

ⓐ **적절한, 알맞은** ⊟ improper 부적절한

I think the number of lawyers who only want to make money without **proper** work ethics is increasing.

나는 적절한 직업 윤리 없이 오로지 돈 벌기만을 원하는 변호사의 수가 늘어나고 있다고 생각한다.

□ 625 **indicate**
[índikèit]

ⓥ **나타내다, 가리키다**

The growing consumer debt **indicates** that more and more people may be letting their spending habits get out of hand. 기출

증가하는 소비자 부채는 더욱더 많은 사람들이 자신들의 소비 습관을 통제할 수 없게 만들고 있을 수 있다는 것을 보여 준다.

➕ **indication** ⓝ 암시, 지적　**indicator** ⓝ 지시자; 지표

□ 626 **deserve**
[dizə́:rv]

ⓥ ~할 자격이 있다, ~할 만하다
You **deserve** our special thanks for your time, effort, and support to the charity project.
당신은 그 자선 프로젝트에 대한 당신의 시간, 노력, 후원에 대해 우리의 특별한 감사를 받을 만한 자격이 있다.

Culture tip　deserve

deserve는 긍정적인 상황에서는 '~한 대접을 받을 만한 자격이 있다'라는 뜻이지만, 부정적인 상황에서는 '자업자득이다, 벌을 받아도 마땅하다'라는 의미로 사용됩니다. 비슷한 표현으로는 'It serves you right.' 또는 'It pays you right.'가 있습니다.
ex) Minho failed his exam yesterday. I think he deserves it.
　(민호가 어제 시험에 떨어졌어. 나는 그가 자업자득이라고 생각해.)

□ 627 **acquire**
[əkwáiər]

ⓥ 얻다, 습득하다 ▤ get
The Government of Jamaica and developers **acquired** land for new housing projects without paying much.
지메이카 정부와 개발업자들은 많은 비용을 지불하지 않고 새로운 주택 프로젝트를 위한 토지를 얻었다.
➕ acquisition ⓝ 습득　acquired ⓐ 후천적인

Idioms

□ 628 **sign up for**

(강좌 등에) 등록하다, ~을 신청[가입]하다
Harry couldn't find a job, so he **signed up for** unemployment training.
Harry는 일자리를 구할 수가 없어서 실업자 훈련 과정에 등록했다.

□ 629 **contribute to**

1. ~의 한 원인이 되다　2. ~에 기여하다, 공헌하다
Most buildings need air conditioning, which uses a lot of energy and **contributes to** climate change. 교과서
대부분의 건물들이 에어컨 가동을 필요로 하는데, 그것은 많은 에너지를 사용하며 기후 변화의 원인이 된다.

□ 630 **put off**

~을 연기[보류]하다
The organization has **put off** responding to the question of compensation for the victims.
그 단체는 피해자 보상 문제에 대한 답변을 보류했다.

Exercise

[1~5] 다음 영영 풀이에 알맞은 단어를 보기에서 골라 쓰세요.

보기	charity	liberty	indicate	standard	allow

1 a level of quality or excellence _____

2 to point out or show to make clear _____

3 to let someone have something or do something _____

4 the condition of being able to do anything freely _____

5 an organization which raises money to help people _____

[6~9] 짝지어진 두 단어의 관계가 같도록 빈칸에 알맞은 단어를 쓰세요.

6 secure : insecure = proper : _____

7 tend : tendency = facilitate : _____

8 _____ : influence = expire : end

9 social : society = moral : _____

[10~12] 보기에서 알맞은 단어를 골라 문장을 완성하세요. (필요하면 단어 형태를 바꿀 것)

보기	factor	deserve	expire

10 You _____ our special thanks for your time, effort, and support to the charity project.

11 There are some people who work hard, despite low pay and without big reward, but still money is a motivating _____ for most diligent workers.

12 Though his visa _____, he continued to stay in the country illegally.

Crime & Law

- □ evident
- □ arrest
- □ suspect
- □ guilty
- □ trap
- □ robber
- □ criminal
- □ prevent
- □ intentional
- □ restrict

- □ regulate
- □ forbid
- □ sentence
- □ admit
- □ jury
- □ deceive
- □ sue
- □ commit
- □ violate
- □ offend

- □ investigate
- □ inquire
- □ insult
- □ identify
- □ confess
- □ convict
- □ appeal
- □ break down
- □ accuse A of B
- □ get away with

Intermediate

□ 631 **evident**
[évədənt]

ⓐ 분명한, 명백한 ⊜ obvious, plain

It is **evident** that there is an association between economic inequality and crime.

경제적 불평등과 범죄 사이에 관련이 있다는 것은 명백하다.

➕ **evidence** ⓝ 증거 **evidently** ⓐⓓ 명백히

□ 632 **arrest**
[ərést]

ⓥ 체포하다, 구속[검거]하다

On July 10 the following year, his cousin was **arrested** by the Japanese police for taking part in an independence movement. 교과서

그 다음 해 7월10일 그의 사촌은 독립운동에 가담했다는 이유로 일본 경찰에 의해 체포되었다.

➕ **arrestment** ⓝ 체포

□ 633 **suspect**
ⓝ [sʌ́spekt]
ⓥ [səspékt]

ⓝ 용의자 ⓥ 의심하다

The police said that there was currently not enough evidence to arrest their **suspect** with murder on December 19.

경찰은 12월 19일 발생한 살인 사건 용의자를 체포할 충분한 증거가 현재 없다고 밝혔다.

➕ **suspicion** ⓝ 의심, 혐의 **suspicious** ⓐ 의심스러운

□ 634 **guilty**
[gílti]

ⓐ 유죄의 ⊜ criminal ⊟ innocent 무고한

At the conclusion of the trial all the players were found **guilty**.

재판 결과 모든 선수들은 유죄로 판결되었다.

➕ **guilt** ⓝ 유죄

□ 635 **trap**
[træp]

ⓝ 덫, 속임수 ⓥ (덫으로) 잡다 ⊜ capture

The police decided to set a **trap** to catch the thief.

경찰은 도둑을 잡기 위해 함정을 놓기로 결정했다.

□ 636 **robber**
[rάbər]

ⓝ 강도

The 12-year-old girl was on her own when three masked **robbers** broke into her home, the police said.

12살 된 소녀는 세 명의 복면 강도가 집에 침입했을 당시 혼자였다고 경찰이 밝혔다.

➕ **rob** ⓥ 강탈하다 **robbery** ⓝ 강도질, 강탈

Voca tip 범죄 및 범죄자를 부르는 말

murder 살인 – murderer 살인자   arson 방화 – arsonist 방화범
violence 폭력 – violent offender 폭력범   kidnap 유괴 – kidnapper 유괴범

□ 637 **criminal**
[krímənəl]

ⓝ **범인, 범죄자** ⊟ offender ⓐ **범죄의; 형사상의**

The new law will ensure that habitual **criminals** receive tougher punishments than first-time offenders.

새로운 법은 반드시 상습 범죄자가 초범보다 더 강력한 처벌을 받도록 할 것이다.

□ 638 **prevent**
[privént]

ⓥ **막다, ～하지 못하게 하다** ⊟ stop

Police can **prevent** further crime by focusing on the areas and the times this map predicts. 교과서

경찰은 이 지도가 예측하는 지역과 시간대에 집중함으로써 추가 범죄를 막을 수 있다.

➕ **prevention** ⓝ 방지

□ 639 **intentional**
[inténʃənl]

ⓐ **의도적인, 계획된** ⊟ deliberate ⊟ accidental 우연한

That it was an **intentional** crime was obvious, but they had no clues.

그것이 의도적인 범죄라는 것은 명백했지만, 그들은 어떤 단서도 갖고 있지 않았다.

➕ **intention** ⓝ 의도, 목적 **intentionally** ⓪ 고의로

Advanced

□ 640 **restrict**
[ristríkt]

ⓥ **제한하다** ⊟ limit

Critics say that the new law **restricts** freedom of expression.

비평가들은 새로운 법이 표현의 자유를 제한한다고 말한다.

➕ **restriction** ⓝ 제한 **restrictive** ⓐ 제한하는

□ 641 **regulate**
[régjulèit]

ⓥ 규제하다, 통제하다 ⊟ control

There have been increasing attempts to **regulate** freedom of speech online as well as offline.

오프라인뿐만 아니라 온라인상에서 언론의 자유를 통제하려는 시도가 증가해 왔다.

➕ **regulation** ⓝ 규제

□ 642 **forbid**
[fərbíd]

ⓥ 금하다 ⊟ prohibit ⊟ permit 허가하다

Many countries have passed laws which **forbid** the fishing of endangered species. 기출

많은 나라들이 멸종 위기에 처한 종을 어획하는 것을 금지하는 법을 통과시켰다.

➕ **forbidden** ⓐ 금지된

□ 643 **sentence**
[séntəns]

ⓝ 판결, 선고; 처벌 ⓥ (형을) 선고하다, 판결하다

The judge gave the kidnapper a **sentence** of 30 years.

판사는 그 유괴범에게 30년을 선고했다.

Culture tip Parliament vs. Congress

법(law)을 해석해 피고(defendant)가 유죄(guilty)인지 무죄(innocent)인지를 밝히고, 유죄일 경우 형을 선고(sentence)하는 사법 기관이 법원(court)이라면, 그 법을 제정하고 개정하는 입법 기관은 국회입니다. 영국에서는 국회를 Parliament, 미국에서는 Congress라고 합니다.

□ 644 **admit**
[ədmít]

ⓥ 인정하다 ⊟ deny 부인하다

He **admitted** the charge and was sentenced to six months in prison.

그는 혐의를 인정했으며 6개월 징역을 선고받았다.

➕ **admission** ⓝ 인정

□ 645 **jury**
[dʒúəri]

ⓝ 1. 배심원단 2. 심사위원단

The decision about whether the woman is innocent or guilty depends on the **jury**.

그 여자가 무죄인지 유죄인지에 대한 결정은 배심원단에 달려 있다.

☐ 646 **deceive**
[disíːv]

ⓥ 속이다, 기만하다 ⊟ cheat
The real estate agent **deceived** him into handing over all his savings.
부동산 중개인은 그를 속여 그가 저축한 돈을 모두 넘겨주게 만들었다.
➕ **deception** ⓝ 속임, 기만, 거짓 **deceptive** ⓐ 속이는

☐ 647 **sue**
[suː]

ⓥ 고소하다, 소송을 제기하다
The teacher who had physically punished a student was **sued** by his parents.
학생을 체벌한 교사가 그 학생의 부모로부터 고소당했다.

☐ 648 **commit**
[kəmít]

ⓥ (죄·과실 등을) 범하다, 저지르다
Mr. Smith spent 5 years in prison for a burglary he did not **commit**.
Smith 씨는 저지르지도 않은 강도죄로 5년간 복역했다.
➕ **commit suicide** 자살하다

☐ 649 **violate**
[váiəlèit]

ⓥ 위반하다 ⊟ break
A student who **violates** school regulations can be suspended or expelled.
학교의 규정을 위반하는 학생은 정학 혹은 퇴학 처분을 받을 수 있다.
➕ **violation** ⓝ 위반

☐ 650 **offend**
[əfénd]

ⓥ 기분을 상하게 하다, 불쾌하게 하다
What legal actions can I take if someone keeps sending me unwanted e-mails to **offend** me?
누군가가 나의 기분을 상하게 하는 원치 않는 이메일을 계속 보낸다면 제가 어떤 법적 조치를 취할 수 있나요?
➕ **offensive** ⓐ 무례한

□ 651 **investigate**
[invéstəgèit]

ⓥ 조사하다, 수사하다
The police **investigated** the crime, and arrested a hooligan accused of stealing the World Cup Trophy. 기출
경찰이 범죄를 수사했고, 월드컵 트로피를 훔친 혐의로 고소된 훌리건을 체포했다.
➕ **investigation** ⓝ 조사 **investigator** ⓝ 수사관

□ 652 **inquire**
[inkwáiər]

ⓥ 1. 조사하다 ⊟ investigate 2. 묻다
It is requested to **inquire** closely into the circumstances surrounding the murder.
그 살인 사건을 둘러싼 정황에 대해 면밀히 조사하는 것이 요구된다.
➕ **inquiry** ⓝ 질문, 조사

□ 653 **insult**
[insʌ́lt]

ⓥ 모욕하다 ⓝ 모욕
The artist was accused of **insulting** the president.
그 화가는 대통령을 모욕한 혐의로 고소당했다.

□ 654 **identify**
[aidéntəfài]

ⓥ (신원 등을) 확인하다, 감정하다
The investigators are searching the scene for clues to **identify** a body found on the beach.
수사관들은 해변에서 발견된 시신의 신원을 확인해 줄 단서를 찾기 위해 현장을 수색하고 있다.
➕ **identification** ⓝ 신원 확인, 신분증

Voca tip　-ify

-ify는 대개 명사나 형용사 뒤에 붙어 '~하게 만들다'라는 뜻의 동사를 만드는 접미사입니다.
ample 넓은 – amplify 확대하다　　　　simple 단순한 – simplify 단순화하다
terror 공포 – terrify 무섭게 하다　　　　false 거짓의 – falsify 위조하다, 왜곡하다

□ 655 **confess**
[kənfés]

ⓥ 자백하다, 고백하다
After five months of continuous questioning, he **confessed** his crime.
5개월 동안의 계속적인 심문 끝에, 그는 자신의 범죄를 자백했다.
➕ **confession** ⓝ 자백

□ 656 **convict**
[kənvíkt]

ⓥ 유죄를 선고하다 ⊟ sentence

It was thought that she'd committed the crime but there wasn't enough evidence to **convict** her.

그녀가 범죄를 저지른 것으로 여겨졌지만, 그녀에게 유죄를 선고할 만한 충분한 증거가 없었다.

➕ **conviction** ⓝ 유죄 선고, 확신

□ 657 **appeal**
[əpíːl]

ⓥ 1. 항소[상고]하다 2. 간청하다 3. 호소하다

She said her legal team would **appeal** to the Supreme Court for a fair trial.

그녀는 그녀의 법무팀이 공정한 재판을 위해 대법원에 상고할 것이라고 말했다.

➕ **appealing** ⓐ 호소하는, 매력 있는

Idioms

□ 658 **break down**

1. (열거나 하기 위해) ~을 부수다 2. 고장 나다

This made Al Harrison **break down** the "Colored Ladies Room" sign. 교과서

이것은 Al Harrison으로 하여금 '유색 여성 화장실' 표지판을 부수게 만들었다.

□ 659 **accuse A of B**

A를 B의 혐의로 고소[비난]하다

They **accused** their landlord **of** breaking the contract.

그들은 집주인을 계약 위반 혐의로 고소했다.

□ 660 **get away with**

(나쁜 행동 등을 하고도) 처벌을 모면하다[그냥 넘어가다]

Fred will cheat if he thinks he can **get away with** it.

Fred는 처벌을 받지 않고 그냥 넘어갈 수 있다고 생각하면 부정행위를 할 것이다.

Exercise

[1~5] 다음 영영 풀이에 알맞은 단어를 보기에서 골라 쓰세요.

보기	deceive	suspect	trap	restrict	intentional

1 to keep within limits _____

2 done in a planned way or on purpose _____

3 a device or a hole to catch animals or birds _____

4 a person who is believed to be guilty of a crime _____

5 to make someone believe something that is not true _____

[6~9] 짝지어진 두 단어의 관계가 같도록 빈칸에 알맞은 단어를 쓰세요.

6 arrest : arrestment = restrict : _____

7 admit : deny = forbid : _____

8 guilty : innocent = _____ : accidental

9 deceive : _____ = trap : capture

[10~12] 보기에서 알맞은 단어를 골라 문장을 완성하세요. (필요하면 단어 형태를 바꿀 것)

보기	sentence	criminal	identify

10 The judge gave the kidnapper a _____ of 30 years.

11 The investigators are searching the scene for clues to _____ a body found on the beach.

12 The new law will ensure that habitual _____ receive tougher punishments than first-time offenders.

Social Problem

- □ gap
- □ population
- □ crash
- □ majority
- □ temptation
- □ confuse
- □ aspect
- □ violent
- □ obstacle
- □ isolate

- □ collide
- □ negative
- □ abnormal
- □ unite
- □ poverty
- □ abuse
- □ distress
- □ divorce
- □ arise
- □ degenerate

- □ incident
- □ defect
- □ manipulate
- □ mislead
- □ alcohol
- □ addict
- □ premature
- □ abandon
- □ do away with
- □ keep away (from)

Intermediate

□ 661 **gap**
[gæp]

ⓝ 1. 차이 ⊟ difference 2. 틈
The widening **gap** between the rich and the poor is the result of the deepening inequality of family income.
빈부 격차 확대는 가계 소득 불평등이 심화된 결과다.
⊕ generation gap 세대 차이

□ 662 **population**
[pàpjuléiʃən]

ⓝ 인구
According to the most recent survey, the **population** in the metropolis is decreasing.
가장 최근 조사에 따르면, 대도시의 인구가 감소하고 있다.
⊕ populate ⓥ 살다, 거주하다

□ 663 **crash**
[kræʃ]

ⓝ 충돌, (차·비행기의) 사고 ⓥ 충돌하다 ⊟ collide
She suffered a serious injury in a car **crash**.
그녀는 자동차 사고로 인한 심각한 부상으로 고통을 겪었다.

□ 664 **majority**
[mədʒɔ́(:)rəti]

ⓝ (집단 내의) 가장 많은 수[대다수] ⊟ minority 소수
Our survey shows that the **majority** of students think they are not smart with their money. 교과서
우리의 설문 조사는 대다수의 학생들이 돈과 관련하여 자신들이 현명하지 못하다고 생각한다는 것을 보여 준다.

□ 665 **temptation**
[temptéiʃən]

ⓝ 유혹
Parents and school assignments have obvious difficulty competing with such **temptations**. 기출
부모들과 학교의 과제는 그런 유혹에 맞서야 하는 분명한 어려움이 있다는 것이다.
⊕ tempt ⓥ 유혹하다

Voca tip -ation

-ation은 주로 -ate, -ize 등으로 끝나는 동사에 붙어 '결과의 상태'라는 뜻의 명사를 만드는 접미사입니다.
decorate 장식하다 – decoration 장식
civilize 개화시키다 – civilization 문명
intend 의도하다 – intention 의도
separate 분리하다 – separation 분리
concentrate 집중하다 – concentration 집중
create 창조하다 – creation 창조

Day
23

666 confuse
[kənfjúːz]

ⓥ 혼란시키다, 혼동하다
The press **confused** the readers with conflicting accounts of what happened.
언론은 일어난 일에 대한 상반된 설명들로 독자들을 혼란스럽게 했다.
➕ **confusion** ⓝ 혼란

---

667 aspect
[ǽspekt]

ⓝ 1. 면, 양상 2. 외모
Alcoholism affects all **aspects** of a person's life, causing physical and mental illnesses.
알코올 중독은 신체적, 정신적 질환을 일으키며 한 사람의 삶의 모든 측면에 영향을 미친다.
➕ **in all aspects** 모든 면에서

---

668 violent
[váiələnt]

ⓐ 폭력적인, 강렬한
Anyone under 18 is not allowed to watch that movie because it is too **violent**.
그 영화는 너무 폭력적이기 때문에 18세 미만은 관람이 허용되지 않는다.
➕ **violence** ⓝ 폭력

---

669 obstacle
[ábstəkl]

ⓝ 장애, 장애물, 난관 ⊟ barrier
Your inspirational stories can help readers overcome the **obstacles** in their daily lives. 기출
영감을 주는 당신의 이야기들은 독자들이 일상에서 겪는 장애를 극복하도록 도울 수 있다.
➕ **overcome an obstacle** 장애를 극복하다

Advanced

670 isolate
[áisəlèit]

ⓥ 고립시키다, 격리시키다 ⊟ segregate, separate
Older people often live lives **isolated** from the young. 기출
노인들은 종종 젊은이들과는 고립된 채 삶을 살아간다.
➕ **isolation** ⓝ 고립, 격리 **be isolated from** ~로부터 고립되다

□ 671 **collide**
[kəláid]

ⓥ 1. 충돌하다 ⊟ crash 2. (의견 등이) 일치하지 않다
It was a serious car crash; the car **collided** with the truck in thick fog.
그것은 심각한 차 사고였다. 차와 트럭이 짙은 안개 속에서 충돌했다.
✚ **collision** ⓝ 충돌

□ 672 **negative**
[négətiv]

ⓐ 1. 부정의 ⊟ positive 긍정의 2. 소극적인
You should consider all aspects of your decision, **negative** as well as positive.
당신이 내리는 결정의 모든 측면, 즉 긍정적인 면뿐 아니라 부정적인 면도 고려해야만 한다.
✚ **in the negative** 부정적으로

□ 673 **abnormal**
[æbnɔ́ːrməl]

ⓐ 비정상적인 ⊟ unusual ⊟ normal 정상적인
The purpose of this research paper is to discuss his **abnormal** behavior.
이 연구 보고서의 목적은 그의 비정상적인 행동에 대해 논의하려는 것이다.
✚ **abnormally** ⓐⓓ 비정상적으로

□ 674 **unite**
[juːnáit]

ⓥ 통합하다, 단결하다 ⊟ separate 분리하다
The three companies have **united** against their common enemy company.
그 세 회사는 공동의 적이 되는 회사에 맞서 연합했다.
✚ **unity** ⓝ 통합

□ 675 **poverty**
[pávərti]

ⓝ 가난, 빈곤 ⊟ wealth 부
The Italian poet, Petrarch saw the Middle Ages as a time of violence, **poverty**, and ignorance. 기출
이탈리아의 시인 페트라르카는 중세 시대를 폭력, 가난, 무지의 시대로 보았다.

Culture tip　　poverty의 완곡어법

'가난, 빈곤(poverty)'을 좀 더 완곡하게 어떻게 표현할까요? reduced circumstances(물질이 줄어든 살림 형편)와 같은 표현을 사용할 수 있습니다.

ex) After my father lost his job, we lived in reduced circumstances.
　　(나의 아버지가 실직한 후, 우리는 가난하게 살았다.)

□ 676 **abuse**
ⓝ [əbjúːs]
ⓥ [əbjúːz]

ⓝ 1. 남용, 오용　2. 학대
ⓥ 1. (지위·특권을) 남용하다　2. 학대하다

This guarantee does not cover watches subject to unauthorized repair, modification or **abuse**. 기출

이 보증은 제조사가 인정하지 않은 수리, 변형이나 오용된 시계에 대해서는 유효하지 않다.

➕ **child abuse** 어린이 학대

□ 677 **distress**
[distrés]

ⓝ 1. 고통, 고충　2. 빈곤　ⓥ 슬프게 하다, 고민하게 하다

Abandoned children suffer emotional **distress** and are not able to participate in learning activities.

버려진 아이들은 정서적 고통을 겪어 학습 활동에 참여할 수가 없다.

□ 678 **divorce**
[divɔ́ːrs]

ⓝ 이혼　ⓥ 이혼하다

What is the best solution to decrease the **divorce** rate of our society?

우리 사회의 이혼율을 줄이기 위한 최선의 해결책은 무엇인가?

□ 679 **arise**
[əráiz]

ⓥ 1. 일어나다, 나타나다　☰ rise up　2. ~에 기인하다

Even the happiest family will experience some disagreement because conflict will **arise**. 기출

가장 행복한 가족일지라도 갈등은 일어나기 때문에 얼마간의 불화를 경험할 것이다.

□ 680 **degenerate**
[didʒénərèit]

ⓥ 퇴보하다, 타락하다　ⓐ 퇴화한, 타락한

Young men of his generation were **degenerating**.

그와 같은 세대의 젊은이들이 타락하고 있었다.

☐ 681 **incident**
[ínsədənt]

ⓝ 사건, 사고　☰ event
A 20-year-old man suffered serious injuries after a hit-and-run **incident**.
한 20세 남자가 뺑소니 사고 후 심각한 부상을 입었다.
➕ **without incident** 무사히

☐ 682 **defect**
[dí:fekt]

ⓝ 1. 결점, 단점　2. 부족, 결핍　☰ lack
Before an airplane takes off, even a minor **defect** must be repaired.
비행기는 이륙 전에, 사소한 결함조차 수리되어야 한다.
➕ **defective** ⓐ 결함이 있는　**in defect** 결핍하여

☐ 683 **manipulate**
[mənípjulèit]

ⓥ 조종하다, 조작하다　☰ control
The politician knows how to **manipulate** public opinion.
그 정치가는 어떻게 여론을 조작하는지 알고 있다.

☐ 684 **mislead**
[mislí:d]

ⓥ 잘못 인도하다, 속이다 (-misled-misled)
The news report has **misled**, and the broadcasting company has to apologize.
그 뉴스 보도는 잘못되어서 방송국이 사과해야 한다.

☐ 685 **alcohol**
[ǽlkəhɔ̀:l]

ⓝ 술, 알코올
There were no leaks in the ship and the cargo of **alcohol** was untouched. 기출
배에는 샌 곳이 없었고 술 적하물에도 손을 댄 사람이 아무도 없었다.

□ 686 **addict**
ⓝ [ǽdikt]
ⓥ [ədíkt]

ⓝ 중독자 ⓥ (나쁜 버릇에) 빠지게 하다

The government is planning to open a shelter for young Internet **addicts**.

정부는 어린 인터넷 중독자들을 위한 보호소를 개설할 계획이다.

➕ **addiction** ⓝ 중독, 탐닉   **addictive** ⓐ 중독성의
be addicted to ~에 중독되다

Voca tip   addict

addict는 '중독자'라는 뜻 외에 스포츠나 오락 활동에 대한 팬을 나타내기도 합니다. 중독(addiction)이 될 수 있는 것들을 알아봅시다.

drug addict 약물 중독자   shopping addict 쇼핑 중독자
Internet addict 인터넷 중독자   football addict 축구광

□ 687 **premature**
[prìːmətʃúər]

ⓐ 시기상조의, 조급한

He thinks it's **premature** for us to talk about giving military support to that country.

그는 우리가 그 나라에 군사적 지원을 하는 것에 대해 이야기하는 것은 시기상조라고 생각한다.

➕ **premature birth** 조산

□ 688 **abandon**
[əbǽndən]

ⓥ 버리다, 포기하다 ☰ give up

A lot of pets are **abandoned** by their owners during the summer vacation.

많은 반려동물이 여름 휴가 동안 주인에 의해 버려진다.

Idioms

□ 689 **do away with**

~을 없애다, 끝내다

We should **do away with** a lot of the restrictions on imports.

우리는 수입에 대한 많은 제한을 없애야 한다.

□ 690 **keep away (from)**

(~을) 멀리하다, 피하다

If you want to **keep** insects **away from** your room, place a bowl of crushed tomatoes in a corner of the room.

만약 여러분이 방에서 벌레를 멀리하고 싶다면, 으깬 토마토 한 그릇을 여러분의 방 한 구석에 놓아 두세요.

Exercise

[1~5] 다음 영영 풀이에 알맞은 단어를 보기에서 골라 쓰세요.

보기	defect	collide	abuse	unite	obstacle

1 to disagree strongly with each other _____

2 something that makes it hard to reach a goal _____

3 to join with someone else in order to reach a goal _____

4 a fault in something or in the way it has been made _____

5 the use of something in a way that is wrong or
   harmful _____

[6~9] 짝지어진 두 단어의 관계가 같도록 빈칸에 알맞은 단어를 쓰세요.

6 incident : event = barrier : _____

7 normal : abnormal = positive : _____

8 rise up : arise = give up : _____

9 unite : _____ = poverty : wealth

[10~12] 보기에서 알맞은 단어를 골라 문장을 완성하세요. (필요하면 단어 형태를 바꿀 것)

보기	manipulate	mislead	majority

10 The news report has _____, and the broadcasting company
   has to apologize.

11 Our survey shows that the _____ of students think they are
   not smart with their money.

12 The politician knows how to _____ public opinion.

Day
24
Nation & Race

✓ Previous Check

- □ reserve
- □ occasion
- □ local
- □ civil
- □ inner
- □ tax
- □ harbor
- □ equal
- □ intend
- □ exhaust

- □ globalize
- □ independence
- □ territory
- □ reside
- □ domestic
- □ immigrate
- □ emigrate
- □ custom
- □ tribe
- □ racial

- □ trait
- □ ethnic
- □ attempt
- □ dominate
- □ resist
- □ invade
- □ cooperate
- □ hold on to
- □ long for
- □ consist of

☐ 691 **reserve**
[rizə́:rv]

ⓥ 1. (훗날을 위하여) 남계[떼어] 두다, 비축하다 2. 예약하다
ⓝ 1. 비축 2. 보호 구역
Human beings should **reserve** natural resources for their future generation.
인간은 미래 세대를 위해 천연자원을 비축해야 한다.
➕ **reservation** ⓝ 보류; 예약

☐ 692 **occasion**
[əkéiʒən]

ⓝ 1. 경우 2. 특별한 일 ⊟ event
There are a few expressions possible under other circumstances and upon other **occasions**. 기출
다른 상황과 다른 경우에 따라 가능한 몇 가지 표현들이 있다.

☐ 693 **local**
[lóukəl]

ⓐ 지역의 ⊟ regional ⓝ 지방민, 주민 ⊟ resident
Markets are places where you can meet people, learn history, and taste **local** food. 교과서
시장은 사람들을 만나고, 역사를 배우고, 또 지역의 음식을 맛볼 수 있는 장소이다.

☐ 694 **civil**
[sívəl]

ⓐ 1. 시민의 ⊟ civic 2. 국내의 ⊟ domestic
That particular **civil** right intends to protect the local people.
그 특정 시민권은 지역민을 보호하려는 의도가 있다.
➕ **Civil War** 미국 남북 전쟁

☐ 695 **inner**
[ínər]

ⓐ 내부의 ⊟ internal ⊡ outer 외부의
Positive thinkers are like athletes who, through practice, build **inner** energy that they use in competition. 기출
긍정적인 사고를 하는 사람들은 훈련을 통해 경쟁에서 사용하는 내부의 에너지를 기르는 운동선수와 같다.
➕ **inner strength** 내면의 힘

□ 696 **tax**
[tæks]

ⓝ 세금 ⊟ duty

All he needed to do was pay the **tax**. 기출

그가 해야 할 모든 것은 세금을 내는 것이었다.

➊ **tax free** 면세의, 비과세의

□ 697 **harbor**
[háːrbər]

ⓝ 항구, 항만 ⊟ port

There aren't any boats leaving West **Harbor** now. 기출

지금은 웨스트 항구를 떠나는 배가 한 척도 없다.

□ 698 **equal**
[íːkwəl]

ⓐ 같은, 평등한 ⊟ tho same ⓥ 같다

Our constitution states that all men are **equal**.

우리 헌법은 모든 사람은 평등하다고 명시하고 있다.

➊ **equality** ⓝ 평등 **equal right** 평등권

□ 699 **intend**
[inténd]

ⓥ ~할 작정이다, 의도하다 ⊟ mean

We have very good normal relations with the country, and we **intend** to maintain them.

우리는 그 나라와 아주 좋은 정상적인 관계를 맺고 있고, 앞으로도 그런 관계를 유지할 작정이다.

➊ **intention** ⓝ 의도

□ 700 **exhaust**
[igzɔ́ːst]

ⓥ 소진시키다 ⊟ use up

Our natural resources will soon be **exhausted** at this pace.

이 속도라면 우리의 천연자원은 곧 고갈될 것이다.

□ 701 **globalize**
[glóubəlàiz]

ⓥ 세계화하다

The Korean Wave has been helping to **globalize** Korea's national brand.
한류가 한국의 국가 브랜드를 세계화하는 데 도움을 주고 있다.

➕ **global** @ 전 세계의

Advanced

□ 702 **independence**
[ìndipéndəns]

ⓝ 독립, 자주 ⊟ dependence 의존

Laos achieved **independence** for a short time when Japan occupied the country in 1945.
라오스는 1945년에 일본이 그 나라를 점령했을 때 잠시 독립했었다.

➕ **independent** @ 독립된

□ 703 **territory**
[térətɔ̀:ri]

ⓝ 영역, 영토 ⊟ zone

Japan had several disputes about **territories** with some of its neighboring countries.
일본은 몇몇의 인접한 국가들과 영토에 관해 여러 번 분쟁을 벌였다.

□ 704 **reside**
[rizáid]

ⓥ 거주하다 ⊟ live

The city council decided to impose tax on those who **reside** in the region.
시 의회는 그 지역에 거주하는 사람들에게 세금을 부과하기로 결정했다.

➕ **resident** ⓝ 거주자

□ 705 **domestic**
[dəméstik]

@ 1. 국내의 ⊟ civil ⊟ international 국제적인 2. 가정의

In general, countries don't interfere with other countries' **domestic** affair.
일반적으로 국가들은 다른 국가의 내정에는 간섭하지 않는다.

➕ **domestic animal** 가축

□ 706 **immigrate**
[íməgrèit]

ⓥ **이주해 들어오다** ⊟ emigrate 타국으로 이주하다

More and more percentage of people **immigrate** for the purpose of education.

점점 더 많은 비율의 사람들이 교육을 목적으로 이주해 들어오고 있다.

➕ **immigration** ⓝ (다른 나라에 살러 오는) 이주[이민], 입국 심사

□ 707 **emigrate**
[éməgrèit]

ⓥ **타국으로 이주하다** ⊟ immigrate 이주해 들어오다

When they **emigrated**, they wanted to find the land where their ideals could be realized.

그들이 이주했을 때, 그들은 자신들의 이상이 실현될 수 있는 땅을 찾기를 원했다.

➕ **emigration** ⓝ (타국으로의) 이주[이민]

Voca tip　　**migrate** 파생어

migrate는 '움직이다'라는 뜻입니다. 여기서 파생된 단어와 표현들을 알아볼까요?
immigrate : im(안쪽으로) ㅣ migrate(움직이다) = 이주해 들어오다
emigrate : e(바깥쪽으로) + migrate(움직이다) = 타국으로 이주하다
migrant birds 철새

□ 708 **custom**
[kʌ́stəm]

ⓝ 1. **풍습** ⊟ tradition　2. (pl.) 관세, 세관

Korean **customs** of New Year's Day are different from those of China.

한국의 설날 풍습은 중국의 그것과 다르다.

➕ **customs office** 세관

□ 709 **tribe**
[traib]

ⓝ **부족**

The country consisted of different **tribes**, so they were always in trouble in reaching an agreement.

그 나라는 여러 부족들로 이루어져 있어서, 합의에 도달하는 데 항상 문제가 있었다.

➕ **tribal** ⓐ 종족의, 부족의; 동족적인

□ 710 **racial**
[réiʃəl]

ⓐ **인종의** ⊟ ethnic

I hope that there isn't any **racial** discrimination in the future.

미래에는 어떤 인종 차별도 없기를 바란다.

➕ **race** ⓝ 인종　**racial discrimination** 인종 차별

□ 711 **trait**
[treit]

ⓝ **특성, 특색** ⊟ characteristic
Each race has physical **traits** that can be distinguished from other races.
각각의 인종은 다른 인종들과 구별될 수 있는 신체적 특성을 지니고 있다.

□ 712 **ethnic**
[éθnik]

ⓐ 1. **민족의, 인종의** ⊟ racial 2. **이국적인**
She told me she doesn't like **ethnic** food.
그녀는 내게 민족의 특색이 담긴 음식을 좋아하지 않는다고 말했다.

Culture tip   melting pot vs. salad bowl

미국은 굉장히 많은 ethnic group으로 이루어진 나라입니다. 그래서 예전에는 다양한 인종들이 하나의 문화로 섞여 있다는 의미로 melting pot(용광로)이라는 표현을 썼지요. 하지만 최근에는 각 인종들이 각자의 특성을 가진 채로 섞여 있다고 해서 salad bowl(샐러드 볼)이라는 표현을 더 많이 씁니다.

□ 713 **attempt**
[ətémpt]

ⓝ **시도** ⊟ try ⓥ **시도하다**
In the nineteenth century, there were so many passenger pigeons in America that no **attempt** was made to protect them. 기출
19세기에는 미국에 너무나 많은 여행비둘기가 있어서 그것들을 보호하려는 어떤 시도도 행해지지 않았다.
➊ **make an attempt** 시도하다

□ 714 **dominate**
[dάmənèit]

ⓥ 1. **지배하다** 2. **~보다 우세하다**
In the past, a few European countries **dominated** many other countries.
과거에 몇몇 유럽 국가들은 많은 다른 나라를 지배했었다.
➊ **dominance** ⓝ 지배 **dominant** ⓐ 지배적인

□ 715 **resist**
[rizíst]

ⓥ **저항하다** ⊟ oppose
Native Americans **resisted** against the attempt to drive them out of their hometown.
미국 원주민들은 그들을 고향에서 몰아내려는 시도에 저항했다.
➊ **resistance** ⓝ 저항

☐ 716 **invade**
[invéid]

ⓥ 침입하다, 침해하다
The country does not have the resources to **invade** its neighbor.
그 나라는 이웃나라를 침입할 자원을 갖고 있지 않다.
➕ **invasion** ⓝ 침입, 침략

Day 24

☐ 717 **cooperate**
[kouápərèit]

ⓥ 협동하다, 협력하다
Both nations agreed to **cooperate** to prevent illegal fishing in the area.
양국은 그 지역의 불법 조업을 방지하기 위해 협력하기로 했다.
➕ **cooperate with A for B** B를 위해 A와 협동하다

Voca tip   co-

co-는 명사나 동사 앞에 쓰이는 접두사로 '함께'라는 뜻을 가지고 있습니다.
exist 존재하다 – coexist 공존하다   habit 살다 – cohabit 같이 살다
editor 편집자 – coeditor 공동 편집자   adjust 조정하다 – coadjust 시로 조정하다
co cd 남녀공학 학교   coordination 조정, 일치

Idioms

☐ 718 **hold on to**

~을 (바꾸지 않고) 고수하다[지키다], (팔거나 주지 않고) 계속 보유하다
Uzbek Koreans **hold on to** the traditions of their ancestors.
우즈베키스탄 한인들은 조상의 전통을 고수하고 있다.

☐ 719 **long for**

~을 갈망하다[그리워하다] ⓔ wish, yearn, crave
Americans had **longed for** independence from Britain.
미국인들은 영국으로부터의 독립을 갈망했었다.

☐ 720 **consist of**

~로 구성되다, 이루어져 있다
The committee **consists of** twenty members.
그 위원회는 20명의 위원으로 구성되어 있다.
cf. **consist in** ~에 있다 / **consist with** ~와 일치하다

Exercise

[1~5] 다음 영영 풀이에 알맞은 단어를 보기에서 골라 쓰세요.

보기	custom	reside	globalize	resist	independence

1 to live or stay   _____

2 to refuse to accept   _____

3 a traditional way of behaving   _____

4 freedom from political control by other countries   _____

5 to make something spread to or affect the entire world   _____

[6~9] 짝지어진 두 단어의 관계가 같도록 빈칸에 알맞은 단어를 쓰세요.

6 tax : duty = harbor : _____

7 trait : characteristic = _____ : attempt

8 _____ : international = independence : dependence

9 invade : invasion = dominate : _____

[10~12] 보기에서 알맞은 단어를 골라 문장을 완성하세요. (필요하면 단어 형태를 바꿀 것)

보기	tribe	reserve	custom

10 Korean _____ of New Year's Day are different from those of China.

11 The country consisted of different _____, so they were always in trouble in reaching an agreement.

12 Human beings should _____ natural resources for their future generation.

Day
25
International Issues

- □ suggest
- □ propose
- □ universal
- □ vary
- □ conflict
- □ aware
- □ approach
- □ urge
- □ associate
- □ interpret

- □ alternative
- □ assist
- □ affair
- □ widespread
- □ external
- □ alien
- □ famine
- □ refuge
- □ shortage
- □ endanger

- □ contaminate
- □ preserve
- □ explode
- □ integrate
- □ guard
- □ remark
- □ accord
- □ interfere in
- □ keep up with
- □ break off

Intermediate

□ 721 **suggest**
[səgdʒést]

ⓥ 1. 제안하다 2. 시사하다
To solve the problem of traditional farming, a scientist **suggested** growing crops inside a tall building. 기출
전통적인 농사법의 문제를 해결하기 위해서, 한 과학자는 고층 건물 내에서 작물을 재배할 것을 제안했다.
➕ **suggestion** ⓝ 제안

□ 722 **propose**
[prəpóuz]

ⓥ 1. 제안하다, 제출하다 2. 청혼하다
They **proposed** several new methods to save energy.
그들은 에너지를 절약할 몇 가지 새로운 방법을 제안했다.
➕ **proposal** ⓝ 제안; 청혼

□ 723 **universal**
[jùːnəvə́ːrsəl]

ⓐ 보편적인, 일반적인 ⊟ particular 특별한
A lack of natural resources is now becoming a **universal** issue in the world.
천연자원의 부족은 지금 세계의 보편적인 문제가 되어 가고 있다.
➕ **(the) universe** ⓝ 전 인류, 전 세계

□ 724 **vary**
[vέəri]

ⓥ 1. 다르다 2. 바꾸다, 수정하다 ⊟ alter, modify
Cancer rates **vary** significantly by gender and ethnicity.
암 발병률은 성별과 인종에 따라 크게 다르다.
➕ **various** ⓐ 다양한 **variety** ⓝ 다양성, 여러 가지

□ 725 **conflict**
ⓝ [kánflikt]
ⓥ [kənflíkt]

ⓝ 충돌, 갈등 ⊟ combat, battle ⓥ 저항하다, 충돌하다
Reckless international **conflicts** must be stopped for peace of the universe.
전 인류의 평화를 위해서 무모한 국제적 충돌은 중단되어야 한다.
➕ **come into conflict with** ~와 싸우다, 충돌하다

Day 25

□ 726 **aware**
[əwɛ́ər]

ⓐ 알아차리고 있는, 깨닫고 있는
They were well **aware** of the importance of the economic aid for underdeveloped countries.
그들은 저개발국을 위한 경제 원조의 중요성을 잘 알고 있었다.
➕ **awareness** ⓝ 인식 **be aware of** ~을 알다, 알아차리다

□ 727 **approach**
[əpróutʃ]

ⓥ 접근하다, 다가가다 ⓝ 접근
They tried to **approach** more effective ways to help children who die of hunger.
그들은 굶주림으로 죽는 아이들을 돕기 위해 더 효과적인 방법으로 접근하고자 노력했다.

□ 728 **urge**
[ə:rdʒ]

ⓥ 촉구하다, 재촉하다, 강제로 ~하게 하다
The UN has **urged** people to cut down on meat intake for the planet.
국제연합은 사람들에게 지구를 위해 육류 섭취를 줄일 것을 촉구했다.
➕ **urgent** ⓐ 긴급한, 다급한

Culture tip 국제기구나 단체에는 어떤 것들이 있을까?

국내 및 해외 뉴스에서 잘 언급되는 단체들은 주로 단어의 첫 철자를 이용한 약자로 소개됩니다. 이런 단어들의 의미를 풀어서 알아볼까요?

UN(United Nations) – 국제연합   EU(European Union) – 유럽연합
IAEA(International Atomic Energy Agency) – 국제원자력기구
NGO(Non-Governmental Organization) – 비정부기구
UNESCO(United Nations Educational, Scientific, and Cultural Organization)
– 유엔교육과학문화기구

Advanced

□ 729 **associate**
[əsóuʃièit]

ⓥ 제휴하다, 연합하다, 협동하다 ⓝ 동료 ⊜ companion
I think they **associated** with terrorists.
나는 그들이 테러리스트와 연합했다고 생각한다.
➕ **be associated with** ~와 관련되다

□ 730 **interpret**
[intə́:rprit]

ⓥ 해석하다, 통역하다 ⊟ translate
Different cultures **interpret** human rights in different ways.
다른 문화에서는 인권을 다른 방식으로 해석한다.
➕ **interpretation** ⓝ 해석, 통역 **interpreter** ⓝ 통역사

□ 731 **alternative**
[ɔːltə́:rnətiv]

ⓝ 대안, 양자택일 ⊟ substitute ⓐ 대안적인, 양자택일의
Many people consider nuclear power as an effective
alternative energy.
많은 사람들은 원자력이 효율적인 대체 에너지라고 여긴다.
➕ **alternative energy** 대체 에너지

□ 732 **assist**
[əsíst]

ⓥ 원조하다, 돕다 ⊟ cooperate, help, aid
The two developed countries tried to **assist** in effecting a
peaceful settlement of a conflict.
그 두 선진국들은 분쟁의 평화적인 해결책을 이끌어내는데 도움을 주려고 노력
했다.
➕ **assistance** ⓝ 원조 **assistant** ⓝ 조수, 보조

□ 733 **affair**
[əfέər]

ⓝ 1. 사건 2. 일거리, 사무, 직무
The pianist became interested in international **affairs** while
performing abroad.
그 피아니스트는 해외 공연을 하면서 국제적 사건들에 관심을 갖게 되었다.
➕ **foreign affairs** 외무, 외교 문제

□ 734 **widespread**
[wáidspréd]

ⓐ 광범위한, 널리 퍼진
The most **widespread** ethnic cuisines are probably
Chinese, Italian, and Mexican. 기출
가장 널리 퍼진 민족적 특색이 담긴 음식은 아마도 중국, 이탈리아, 멕시코 음식
일 것이다.

□ 735 **external**
[ikstə́ːrnəl]

ⓐ **외부의, 밖의, 대외적인** ⊟ internal 내부의, 대내적인
The two foreign affairs ministers had a talk to discuss an **external** trade.
두 외무부 장관은 대외 무역에 대해 논의하기 위해서 회담을 가졌다.
➕ **external trade** 대외 무역

Voca tip   external vs. exterior

external과 우리가 흔히 쓰는 exterior는 어떤 차이가 있을까요? the external appearance of the house는 '그 집의 외관'이라는 뜻으로 쓰이는 반면, the exterior walls는 '어떤 집(건물) 일부의 외벽'을 뜻하죠. 다시 말하면 exterior는 '전체의 일부 바깥쪽, 바깥면'을 뜻합니다.

□ 736 **alien**
[éiljən]

ⓐ **외국의, 외국인의**
It took about three months for the immigration office to issue an **alien** residence card.
이민국에서 외국인 체류 카드를 발급하는 데 약 3개월이 걸렸디.

□ 737 **famine**
[fǽmin]

ⓝ **기근, 배고픔** ⊟ starvation, hunger
An aid group reported that thousands of orphans lost their lives during the war due to **famine** and disease.
한 원조 단체는 수천 명의 고아들이 전쟁 중에 기근과 질병으로 목숨을 잃었다고 보고했다.

□ 738 **refuge**
[réfjuːdʒ]

ⓝ 1. **피난처, 도피처** 2. **피난, 도피**
People who were trying to escape from famine were seeking **refuge** in other countries.
기근으로부터 벗어나려는 사람들은 다른 나라에서 피난처를 찾고 있었다.
➕ **refugee** ⓝ 난민

□ 739 **shortage**
[ʃɔ́ːrtidʒ]

ⓝ **부족, 결핍** ⊟ deficiency
A water **shortage** and lack of natural resources were main issues in this international conference.
물 부족과 천연자원의 부족은 이번 국제회의의 주요 쟁점이었다.
➕ **short** ⓐ 부족한; 짧은

☐ 740 **endanger**
[indéindʒər]

ⓥ 위험에 빠뜨리다
A Wildlife Conservation Group is raising funds to protect **endangered** species.
야생동물 보호단체는 멸종 위기에 처한 동물들을 보호하기 위해 기금을 마련하고 있다.
➕ **danger** ⓝ 위험
endangered species 멸종 위기의 동식물

☐ 741 **contaminate**
[kəntǽmənèit]

ⓥ 오염시키다
The oil industry continues to **contaminate** soil, water, and air all over the world.
석유 산업은 전 세계의 토양, 물, 공기를 계속해서 오염시키고 있다.
➕ **contamination** ⓝ 오염

☐ 742 **preserve**
[prizə́:rv]

ⓥ 보존하다, 보호하다, 지키다
I think the Antarctic environment must be **preserved** for research. 기출
나는 남극의 환경이 연구를 위해서 보존되어야 한다고 생각한다.
➕ **preservation** ⓝ 보존

☐ 743 **explode**
[iksplóud]

ⓥ 폭발하다
Nuclear weapons **exploded** and destroyed the whole country taking thousands of people's lives.
핵무기가 폭발하여 수천 명의 목숨을 앗아 가며 국가 전체를 파괴했다.
➕ **explosion** ⓝ 폭발 **explosive** ⓐ 폭발성의

☐ 744 **integrate**
[íntəgrèit]

ⓥ 통합하다, 단결하다 ☰ unite
Many immigrants have found it difficult to **integrate** into the country's culture.
많은 이민자들은 그 나라의 문화에 통합되는 것이 어렵다는 것을 깨달았다.
➕ **integration** ⓝ 통합

□ 745 **guard**
[gɑːrd]

ⓥ **보호하다, 지키다** ⊟ protect ⓝ **경계, 경호원**
The Red Cross's primary concern is to preserve and **guard** human life.
적십자의 주요 관심사는 인간의 생명을 보존하고 보호하는 것이다.

□ 746 **remark**
[rimáːrk]

ⓝ **발언, 비평** ⊟ comment
ⓥ **1. (의견을) 언급하다 2. 알아채다**
She made inappropriate racist **remarks** about terrorism.
그녀는 테러에 대해 부적절한 인종 차별적 발언을 했다.
➕ **remarkable** ⓐ 주목할 만한 **make remarks** 비평하다, 말하다

□ 747 **accord**
[əkɔ́ːrd]

ⓝ **일치, 조화** ⊟ agreement ⓥ **일치하다, 화합하다**
Leaders of China and Japan met yesterday but failed to reach an **accord**.
중국과 일본의 정상이 어제 만났지만 의견의 일치를 보지 못했다.
➕ **with one accord** 이구동성으로, 만장일치로

Idioms

□ 748 **interfere in**

~에 간섭하다, 개입하다
The EU should not **interfere in** national labor market policies.
EU(유럽 연합)는 국가 노동 시장 정책에 간섭해서는 안 된다.
cf. **interfere with** ~을 방해하다, 지장을 주다

□ 749 **keep up with**

(사람·유행 등에) 뒤떨어지지 않게 따라가다
Can Africa **keep up with** global trends in clean energy?
아프리카가 청정에너지 분야에서 세계적인 추세에 뒤떨어지지 않고 따라갈 수 있을까?

□ 750 **break off**

1. ~와의 관계를 단절하다 2. (협상 등이) 결렬되다
The two countries have **broken off** diplomatic relations.
그 두 나라는 외교 관계를 단절했다.

Exercise

[1~5] 다음 영영 풀이에 알맞은 단어를 보기에서 골라 쓰세요.

보기	conflict	assist	famine	integrate	vary

1 to help someone to do a job _____

2 to become different, changed _____

3 a fight between countries or people _____

4 a situation in which people have no food _____

5 to combine different things for a better effect _____

[6~9] 짝지어진 두 단어의 관계가 같도록 빈칸에 알맞은 단어를 쓰세요.

6 suggest : suggestion = propose : _____

7 assist : _____ = preserve : preservation

8 universal : particular = _____ : internal

9 remark : comment = deficiency : _____

[10~12] 보기에서 알맞은 단어를 골라 문장을 완성하세요. (필요하면 단어 형태를 바꿀 것)

보기	associate	urge	contaminate

10 I think they _____ with terrorists.

11 The oil industry continues to _____ soil, water, and air all over the world.

12 The UN has _____ people to cut down on meat intake for the planet.

Day 26 History & Religion

Previous Check

- [ ] previous
- [ ] prior
- [ ] decade
- [ ] biography
- [ ] devote
- [ ] faith
- [ ] minority
- [ ] mummy
- [ ] remains
- [ ] rid

- [ ] origin
- [ ] civilization
- [ ] revolution
- [ ] royal
- [ ] heritage
- [ ] missionary
- [ ] sermon
- [ ] settle
- [ ] replace
- [ ] signify

- [ ] conserve
- [ ] evaluate
- [ ] descend
- [ ] disappear
- [ ] sequence
- [ ] gradual
- [ ] sacred
- [ ] break out
- [ ] derive from
- [ ] hand down

History & Religion

Intermediate

☐ 751 **previous**
[príːviəs]

ⓐ 이전의, 앞의 ⊟ earlier ⊟ later 뒤의, 나중의
Today's teens are more health-conscious than **previous** generations.
오늘날의 십 대들은 이전 세대들보다 건강에 더 민감하다.

☐ 752 **prior**
[práiər]

ⓐ 이전의, 우선하는 ⊟ previous
The division of the Korean peninsula must be understood with reference to the **prior** international war between the South and the North, the 1950~1953 Korean War. 기출
한반도의 분단은 이전의 남한과 북한 간의 국제적인 전쟁, 즉 1950~1953년 한국 전쟁과 관련해서 이해되어야 한다.
➕ **priority** ⓝ 우선하는 것

☐ 753 **decade**
[dékeid]

ⓝ 10년간
For the past **decade**, two countries have fought over their mutual border.
지난 10년 동안 두 나라는 서로의 국경을 놓고 싸워 왔다.

☐ 754 **biography**
[baiάgrəfi]

ⓝ 전기, 일대기
He read Steve Jobs's **biography** to do his homework.
그는 숙제를 하기 위해 스티브 잡스의 전기를 읽었다.
➕ **biographer** ⓝ 전기 작가

> **Voca tip** biography
>
> biography는 그리스어에서 온 어근으로 만들어진 단어입니다. bio-는 life, 즉 '생명 또는 인생'이라는 뜻이고, -graphy는 '그리다, 쓰다'를 뜻하는 graph에 학문을 의미하는 어미 -ia가 붙은 graphia가 영어로 바뀐 것이죠. bio- 와 -graphy가 들어간 단어들을 더 알아볼까요?
>
> biology (logy = study, 생물학)   antibiotic (anti = opposite, 항생 물질)
> geography (geo = earth, 지리학)   demography (demo = population, 인구학)

□ 755 **devote**
[divóut]

ⓥ 바치다, 헌신하다

She has **devoted** all her life to writing books in the fields of history and religion.

그녀는 역사와 종교 분야에 관한 책을 쓰는 일에 그녀의 일생을 바쳐 왔다.

➕ **devoted** ⓐ 헌신적인   **devotion** ⓝ 헌신, 전념
devote oneself to ~에 몰두하다

□ 756 **faith**
[feiθ]

ⓝ 신념, 믿음 ⊜ belief

Caregivers with a strong religious **faith** and many social contacts were better able to cope with the stresses of caregiving.

종교적 신념이 강하고 사회적 접촉이 많은 간병인들은 간병 스트레스에 더 잘 대처할 수 있었다.

➕ **faithful** ⓐ 충실한

□ 757 **minority**
[mainɔ́:rəti]

ⓝ 소수, 소수 민족 ⊟ majority 다수

A **minority** group has unique physical characteristics and shares a culture.

소수 민족 집단은 독특한 신체적 특징을 가지고 있고 하나의 문화를 공유한다.

➕ **minor** ⓐ 소수의

□ 758 **mummy**
[mʌ́mi]

ⓝ 미라

Because Egyptians believed in life after death, they preserved their dead as a **mummy**.

이집트인들은 사후 세계를 믿었기 때문에 죽은 자를 미라로 보존했다.

Culture tip   미라(mummy)

고대 이집트인들은 시신에는 혼이 깃들어 있다고 믿어 이를 보존하는 것이 고인의 내세에 중요하다고 여겼습니다. 따라서 사람이 죽으면 향유를 바르거나 다른 방법 등으로 오래 보관할 수 있도록 시신을 처리하여 미라로 만들었죠. 이렇게 하면 죽음으로 한번 떠났던 영혼이 다시 돌아와서 영생할 수 있다고 믿었기 때문입니다. 미라는 피라미드, 사자의 서와 함께 이집트의 내세적 종교관을 보여 줍니다.

□ 759 **remains**
[riméinz]

ⓝ 1. 유해, 유골 2. 나머지

The museum holds human **remains** and tools found from around the world.

그 박물관은 전 세계에서 발견된 인간 유해들과 도구들을 보유하고 있다.

□ 760 **rid**
[rid]

ⓥ 1. 제거하다 2. 자유롭게 하다
Further measures will be taken to **rid** our streets of crime.
우리의 거리에서 범죄를 없애기 위해 추가 조치들이 취해질 것이다.
➕ **get rid of** ~을 제거하다, 해소하다 **rid A of B** A에서 B를 없애다

□ 761 **origin**
[ɔ́:rədʒin]

ⓝ 1. 기원, 유래 2. 태생
I want to visit the museum some day and learn about our **origins**.
나는 언젠가 그 박물관을 방문해서 인류의 기원에 대해 배우고 싶다.
➕ **original** ⓐ 원래의 **originate** ⓥ 유래하다

Advanced

□ 762 **civilization**
[sìvəlizéiʃən]

ⓝ 문명, 문화 ⊟ culture
Medieval **civilization** produced great achievements in government, religion, and art. 기출
중세 문명은 정치, 종교, 예술에 있어서 위대한 업적을 이루었다.
➕ **civilize** ⓥ 문명화하다

□ 763 **revolution**
[rèvəlú:ʃən]

ⓝ 혁명, 변혁
All religions were repressed during the Cultural **Revolution** for over ten years.
10여 년간의 문화 혁명 동안에 모든 종교가 억압받았었다.
➕ **revolutionary** ⓐ 혁명의

□ 764 **royal**
[rɔ́iəl]

ⓐ 왕의, 왕실의
Royal power was weakened by frequent wars.
잦은 전쟁으로 인해 왕의 권력은 약화되었다.
➕ **royalty** ⓝ 왕위, 왕권

□ 765 **heritage**
[hératidʒ]

ⓝ 유산, 전통
Today, this UNESCO World **Heritage** Site is one of Italy's most popular tourist attractions. 기출
오늘날, 이 유네스코 세계 문화유산 유적지는 이탈리아의 가장 각광받는 관광 명소 중 하나이다.

□ 766 **missionary**
[míʃənèri]

ⓝ 선교사, 전도사
Jeff Kennedy spent 20 years as a **missionary** in Africa.
Jeff Kennedy는 아프리카에서 선교사로 20년을 보냈다.
➕ **mission** ⓝ 임무, 선교

□ 767 **sermon**
[sə́ːrmən]

ⓝ 설교, 교훈
The Buddhist priest offered a short **sermon** and prayed for blessing.
그 승려는 짧은 설교를 하고 복을 빌었다.

□ 768 **settle**
[sétl]

ⓥ 1. 정착하다 2. 해결하다
Over 25,000 years ago, people from Asia **settled** down first in America.
25,000여 년 전에, 아시아에서 온 사람들이 미국에 최초로 정착했다.
➕ **settlement** ⓝ 정착; 합의, 해결

□ 769 **replace**
[ripléis]

ⓥ 대신하다, 대체하다 🟰 substitute
Machinery **replaced** cottage industries during the Industrial Revolution.
산업 혁명 동안에 기계가 가내 수공업을 대신했다.
➕ **replacement** ⓝ 대체, 교환
replace A with B A를 B로 바꾸다

□ 770 **signify**
[sígnəfài]

ⓥ 의미하다, 나타내다 🟰 mean
The Egyptians used color at the top of their nails to **signify** social status.
이집트인들은 사회적 지위를 나타내기 위해 손톱 위에 색을 이용했다.
➕ **significant** ⓐ 중요한, 의미 있는 **significance** ⓝ 중요성, 의미

□ 771 **conserve**
[kənsə́ːrv]

ⓥ 보존하다 ⊟ preserve
Koreans have made an effort to **conserve** their own cultural traditions.
한국인들은 자신들만의 문화적 전통을 보존하기 위해 노력해 왔다.
➕ **conservative** ⓐ 보수적인 **conservation** ⓝ 보존, 보호

□ 772 **evaluate**
[ivǽljuèit]

ⓥ 평가하다 ⊟ assess
His place in history will have to be **evaluated** after a number of years have passed.
역사적으로 그의 위치는 몇 년이 지난 후에 평가되어야 할 것이다.
➕ **evaluation** ⓝ 평가

□ 773 **descend**
[disénd]

ⓥ 계통을 잇다, 내려가다 ⊟ ascend 올라가다
They believe that human beings **descended** from apes.
그들은 인류가 유인원의 자손이라는 것을 믿는다.
➕ **descendant** ⓝ 자손 **descend from** ~의 자손이다

□ 774 **disappear**
[dìsəpíər]

ⓥ 사라지다 ⊟ vanish ⊟ appear 나타나다
In order to keep their identity, minor races are trying to save their own language before it **disappears**. 기출
소수 민족들은 자신들의 정체성을 지키기 위해 그들 고유의 언어가 사라지기 전에 그것을 지키려고 노력하고 있다.
➕ **disappearance** ⓝ 소멸, 실종

Voca tip dis-

dis-는 명사, 동사, 형용사 앞에 붙여서 반의어를 만듭니다.
order 질서 – disorder 무질서
like 좋아하다 – dislike 싫어하다
honest 정직한 – dishonest 부정직한
honor 명예 – dishonor 불명예
agree 동의하다 – disagree 동의하지 않다
inclined 마음이 내키는 – disinclined 내키지 않는

Day
26

□ 775 **sequence**
[síːkwəns]

ⓝ 순서, 연속
Chronology is the science of arranging events in their **sequence** of occurrence.
연대학은 사건의 발생 순서에 따라 사건을 배열하는 과학이다.
➕ **sequential** ⓐ 순차적인 **out of sequence** 순서가 엉망인

□ 776 **gradual**
[grǽdʒuəl]

ⓐ 점차적인, 단계적인 ⊟ sudden 갑작스러운
There has been a **gradual** improvement of education over several decades.
수십 년에 걸쳐 교육의 점진적인 개선이 있어 왔다.
➕ **gradually** ⓐⓓ 점차로

□ 777 **sacred**
[séɪkrɪd]

ⓐ 신성한, 성스러운, 종교적인 ⊟ religious
Elephants have been considered **sacred** animals in India since ancient times.
코끼리는 고대부터 인도에서 신성한 동물로 여겨져 왔다.
➕ **sacredness** ⓝ 신성함

Idioms

□ 778 **break out**

(화재·전쟁 등이) 발생하다, 발발하다
The Second World War **broke out** in 1939.
1939년에 제2차 세계 대전이 발발했다.

□ 779 **derive from**

~에서 유래하다, 파생하다
Did you know that more than 50% of all words in English **derive from** Latin?
모든 영어 단어의 50% 이상이 라틴어에서 유래한다는 것을 알고 있었나요?

□ 780 **hand down**

~을 전하다, 후세에 물려주다 ⊟ pass down
They could **hand down** these traditions to their children.
그들은 이러한 전통을 자녀들에게 물려줄 수 있었다.

Exercise

[1~5] 다음 영영 풀이에 알맞은 단어를 보기에서 골라 쓰세요.

보기	conserve	biography	settle	sacred	mummy

1 very important religiously _____

2 a life story of a person written by another person _____

3 to move to a new place to live for a long time _____

4 a dead body ready to be buried in the way ancient
   Egyptians did _____

5 to protect something and prevent it from changing
   or being damaged _____

[6~9] 짝지어진 두 단어의 관계가 같도록 빈칸에 알맞은 단어를 쓰세요.

6 prior : previous = assess : _____

7 faith : faithful = revolution : _____

8 gradual : sudden = ascend : _____

9 disappear : _____ = conserve : preserve

[10~12] 보기에서 알맞은 단어를 골라 문장을 완성하세요. (필요하면 단어 형태를 바꿀 것)

보기	sermon	heritage	decade

10 For the past _____, two countries have fought over their
   mutual border.

11 Today, this UNESCO World _____ Site is one of Italy's most
   popular tourist attractions.

12 The Buddhist priest offered a short _____ and prayed for
   blessing.

Day 27

Biology & Chemistry

Intermediate

□ 781 **biology**
□   [baiáledʒi]

ⓝ 생물학

Genetics, a branch of **biology**, is the study of genes and the process of inheritance.
생물학의 한 분야인 유전학은 유전자와 유전의 과정에 대한 학문이다.

➕ **biologist** ⓝ 생물학자 **biological** ⓐ 생물학의

□ 782 **chemistry**
□   [kémistri]

ⓝ 화학

In America, medical school is usually referred to as 'Med school,' and **chemistry** is 'chem.' 기출
미국에서는 대체로 의과 대학을 'Med school'로, 화학을 'chem'으로 부른다.

➕ **chemist** ⓝ 화학자 **chemical** ⓐ 화학의 ⓝ 화학 제품, 화학 약품

□ 783 **element**
□   [éləmənt]

ⓝ 1. 요소, 성분 2. 원소

The essential **elements** of the fertilizer promote more abundant buds, blooms, and fruits.
비료에 포함된 필수 성분들이 더 많은 꽃눈, 꽃, 그리고 열매가 맺히도록 촉진한다.

➕ **elementary** ⓐ 기본이 되는; 원소의; 초등학교의
   chemical element 화학 원소

Voca tip   주기율표

주기율표에 등장하는 원소의 이름을 알아볼까요?

Element		
1: Hydrogen(H) 수소	8: Oxygen(O) 산소	17: Chlorine(Cl) 염소
6: Carbon(C) 탄소	11: Sodium(Na) 나트륨	26: Iron(Fe) 철

□ 784 **acid**
□   [ǽsid]

ⓝ 〈화학〉 산 ⓐ 산(성)의, 신맛의

Ackee is the national fruit of Jamaica, rich in essential fatty **acids**, protein, and vitamin A. 기출
아키는 자메이카를 대표하는 과일이며, 필수 지방산, 단백질, 비타민 A가 풍부하다.

➕ **acidic** ⓐ 〈화학〉 산(성)의

□ 785 **storage**
[stɔ́:ridʒ]

ⓝ 저장, 저장소
They have produced detailed plans for the safe **storage** of nuclear waste.
그들은 핵폐기물의 안전한 저장을 위한 상세한 계획을 만들어 냈다.
➕ **store** ⓥ 저장하다

□ 786 **steam**
[sti:m]

ⓝ 증기
Water starts boiling at 100 degrees Centigrade and turns to **steam**.
물은 섭씨 100도에서 끓기 시작하여 수증기로 변한다.
➕ **steamy** ⓐ 증기의

□ 787 **gene**
[dʒi:n]

ⓝ 유전자
Genes that are passed on to you from your parents carry information that determines many of your traits.
부모로부터 물려받은 유전자에는 당신의 특징 중 많은 부분을 결정하는 정보가 들어 있다.
➕ **genetics** ⓝ 유전학 **genetic** ⓐ 유전의, 유전학의

□ 788 **mammal**
[mǽməl]

ⓝ 포유동물
There have been numerous researches on genetic differences between humans and non-human **mammals**.
인간과 인간을 제외한 포유류 사이의 유전적 차이에 관한 수많은 연구가 이루어져 왔다.
➕ **the higher[lower] mammals** 고등[하등] 포유동물

□ 789 **melt**
[melt]

ⓥ 녹다, 녹이다 ⊟ dissolve ⊟ freeze 얼다 ⓝ 용해
If carbon dioxide is **melted** in water, the water gets more acidic.
이산화탄소가 물에 용해되면, 그 물은 더 산성이 된다.
➕ **melt away** 서서히 사라지다 **meltable** ⓐ 녹기 쉬운

Advanced

□ 790 **cell**
[sel]

ⓝ 1. 세포 2. 작은 방, 독방 ⊟ room

Scientists say that onions contain vitamin B, which helps make new, healthy **cells**. 교과서

과학자들은 양파가 비타민 B를 함유하는데, 이 비타민 B는 새롭고 건강한 세포를 만드는 것을 돕는다고 말한다.

⊕ **cellular** ⓐ 세포의   **red[white] blood cell** 적[백]혈구

□ 791 **microscope**
[máikrəskòup]

ⓝ 현미경

A virus invisible to the human eye can be seen clearly when examined under a **microscope**.

사람의 눈에 보이지 않는 바이러스는 현미경으로 관찰하면 선명하게 볼 수 있다.

⊕ **microscopic** ⓐ 현미경의, 현미경으로만 볼 수 있을 정도로 작은

□ 792 **reproduce**
[rì:prədjúːs]

ⓥ 1. 번식하다 2. 재생[재현]하다 3. 복제하다 ⊟ copy

Every cell is able to **reproduce** itself, and it is **reproduced** as a unit.

모든 세포는 번식을 할 수 있으며 그것은 하나의 구성 단위로 재생산된다.

⊕ **reproduction** ⓝ 재생, 복제, 번식

> **Voca tip**   re-
>
> re-는 주로 동사 앞에 붙어 'again(다시)'의 뜻을 추가하는 접두사입니다. 다른 예도 알아볼까요?
> write 쓰다 – rewrite 다시 쓰다, 고쳐 쓰다   affirm 단언하다 – reaffirm 다시 단언하다
> think 생각하다 – rethink 재고하다, 생각을 고치다   read 읽다 – reread 다시 읽다

□ 793 **evolution**
[èvəlúːʃən]

ⓝ 진화

In his book, *On the Origin of Species*, Charles Darwin introduced his theory of **evolution**.

찰스 다윈은 그의 책 '종의 기원'에서 진화론을 소개했다.

⊕ **evolve** ⓥ 전개되다, 진화하다

> **Culture tip**   The theory of evolution (진화론)
>
> 영국의 생물학자 찰스 다윈(Charles Darwin)의 '환경에 적응한 생물만이 살아남아 대를 이으며 진화한다'는 유명한 이론입니다. 자연 선택(natural selection)의 내용을 담고 있죠. 이를 주장한 과학자 찰스 다윈의 이름에서 유래하여 다윈주의(Darwinism)로 표현하기도 합니다.

□ 794 **extinct**
[ikstíŋkt]

ⓐ 1. 멸종된, 사라진 2. 활동을 멈춘 ⊟ living 살아 있는
Some species have become **extinct** because they couldn't adapt to a changing environment.
몇몇 종들은 변화하는 환경에 적응하지 못해서 멸종하게 되었다.
➕ **extinction** ⓝ 멸종, 소멸

□ 795 **clone**
[kloun]

ⓥ 복제하다 ⓝ 복제 생물
South Korean scientists have successfully **cloned** a dog for the first time in the world.
한국의 과학자들이 세계 최초로 개를 복제하는 데 성공했다.

□ 796 **identical**
[aidéntikəl]

ⓐ 동일한 ⊟ same
Clones are genetically **identical**, but could have very different personalities just like **identical** twins do.
복제 생물은 유전적으로 동일하지만, 일란성 쌍둥이가 그렇듯 성격은 매우 다를 수 있다.
➕ **identical twins** 일란성 쌍둥이

□ 797 **animate**
[ǽnəmət]

ⓐ 살아 있는, 생물인 ⊟ living ⊟ inanimate 죽은, 무생물의
Living things like animals or plants are classified as **animate** things.
동물이나 식물과 같이 생명이 있는 것은 생물로 분류된다.

□ 798 **carbon**
[ká:rbən]

ⓝ 탄소
Diamonds are made of **carbon** and are formed under conditions of very high temperatures.
다이아몬드는 탄소로 구성되며 매우 높은 온도에서 만들어진다.

□ 799 **mixture**
[míkstʃər]

ⓝ 혼합물, 혼합
Petroleum is composed of a complex **mixture** of hydrogen and carbon.
석유는 수소와 탄소의 복합적인 혼합물로 구성된다.
➕ **mix** ⓥ 섞다, 혼합하다

□ 800 **substance**
[sʌ́bstəns]

ⓝ 물질 ⊟ material
Some plants produce highly poisonous **substances** which are set free when they are attacked.
어떤 식물은 공격받으면 방출되는 맹독성 물질을 만들어 낸다.

□ 801 **liquid**
[líkwid]

ⓝ 액체 ⓐ 액체의
When most **liquids** freeze, they become more dense, which means the solid form of the substance will sink down. 기출
대부분의 액체가 얼 때면 밀도가 더 높아지며, 그것은 그 물질의 고체 형태가 바닥으로 가라앉게 될 것임을 뜻한다.

□ 802 **filter**
[fíltər]

ⓥ 거르다, 여과하다 ⓝ 여과 장치
Trees **filter** air pollutants that are harmful to breathe.
나무는 호흡에 해로운 대기 오염 물질을 걸러 준다.

□ 803 **absorb**
[əbsɔ́ːrb]

ⓥ1. 흡수하다 2. 열중시키다
Water **absorbs** energy when it is converted into steam.
물이 증기로 변할 때는 에너지를 흡수한다.
➕ **be absorbed in** ~에 몰두하다

□ 804 **toxic**
[táksik]

ⓐ 유독한 ⊟ poisonous
Highly **toxic** industrial chemicals were spilled into the river.
매우 유독한 산업용 화학 물질이 강으로 유출되었다.
➕ **toxin** ⓝ 독소, 독성 물질

□ 805 **ray**
[rei]

ⓝ 빛, 광선 ⊟ beam

The sun's **rays** accelerate ageing and increase the chances of getting skin cancer.

태양 광선은 노화를 가속화하고 피부암에 걸릴 확률을 높인다.

□ 806 **compound**
[kámpaund]

ⓝ 화합물; 혼합[복합/합성]물

Those who work with medical x-rays or radioactive **compounds** are at risk. 기출

의학용 엑스선, 혹은 방사능 화합물을 다루는 사람들은 위험에 노출되어 있다.

□ 807 **detach**
[ditǽtʃ]

ⓥ 떼어 놓다, 분리하다 ⊟ attach 붙이다

Many lizards can **detach** their tails.

많은 도마뱀늘이 꼬리늘 떼어 낼 수 있다.

➕ **detachment** ⓝ 분리, 이탈
detach oneself from ~에서 벗어나다, 이탈하다

Idioms

□ 808 **turn A into B**

A를 B로 바꾸다[변하게 하다]

Iceland, for example, actively **turns** its volcanoes' heat energy **into** electricity. 교과서

예를 들어, 아이슬란드는 적극적으로 화산의 열에너지를 전기로 바꾼다.

□ 809 **tell from**

~을 구별[구분]하다 ⊟ distinguish

How can you **tell** one species of scorpions **from** another?

너는 어떻게 한 종의 전갈과 다른 종의 전갈을 구별할 수 있니?

□ 810 **give off**

(냄새·열·빛 등을) 내다, 방출하다, 발산하다

When plants die, they **give off** gases such as carbon dioxide and methane.

식물은 죽으면 이산화탄소와 메탄과 같은 가스를 방출한다.

Exercise

[1~5] 다음 영영 풀이에 알맞은 단어를 보기에서 골라 쓰세요.

보기	storage	absorb	clone	compound	microscope

1 to soak up or take in _____

2 a place for keeping something _____

3 to produce a copy of an original form _____

4 a substance composed of two or more elements _____

5 a device which makes very small objects look bigger _____

[6~9] 짝지어진 두 단어의 관계가 같도록 빈칸에 알맞은 단어를 쓰세요.

6 poisonous : _____ = identical : same

7 reproduce : copy = _____ : material

8 extinct : living = animate : _____

9 _____ : freeze = attach : detach

[10~12] 보기에서 알맞은 단어를 골라 문장을 완성하세요. (필요하면 단어 형태를 바꿀 것)

보기	extinct	mammal	ray

10 There have been numerous researches on genetic differences between humans and non-human _____.

11 The sun's _____ accelerate ageing and increase the chances of getting skin cancer.

12 Some species have become _____ because they couldn't adapt to a changing environment.

Day 28 Nature & Climate

✓ Previous Check

- ☐ temperature
- ☐ forecast
- ☐ climate
- ☐ rubber
- ☐ severe
- ☐ resource
- ☐ spark
- ☐ Arctic
- ☐ depth
- ☐ shield

- ☐ wildlife
- ☐ disaster
- ☐ occur
- ☐ Atlantic
- ☐ canyon
- ☐ swamp
- ☐ moisture
- ☐ reflect
- ☐ Celsius
- ☐ thermometer

- ☐ destructive
- ☐ wreck
- ☐ peak
- ☐ erupt
- ☐ eject
- ☐ purify
- ☐ surround
- ☐ wash away
- ☐ wipe out
- ☐ use up

Nature & Climate

Intermediate

811 temperature
[témpərətʃər]

ⓝ 온도, 기온

The **temperature** of the world's oceans has risen by more than 2 degrees in the past hundred years.
세계 바다의 온도는 지난 100년 동안 2도 이상 상승했다.

812 forecast
[fɔ́ːrkæst]

ⓝ 예보 ⓥ 예상하다, 예보하다 ⊟ predict

According to the weather **forecast**, there will be a strong wind tomorrow.
일기 예보에 따르면 내일 강한 바람이 불 것이다.

➕ **weather forecast** 일기 예보

Voca tip fore-

fore-는 '미리, 앞'의 뜻을 가진 접두사입니다. 다른 예도 알아볼까요?
father 아버지 – forefather 조상, 선조   head 머리 – forehead 이마
tell 말하다 – foretell 예고하다   sight 판단, 견해 – foresight 선견지명

813 climate
[kláimit]

ⓝ 기후

The **climate** of summer in Korea is hot and humid.
한국의 여름 기후는 덥고 습하다.

814 rubber
[rʌ́bər]

ⓝ 고무 ⓐ 고무의

As natural **rubber** comes from trees, it is a natural, sustainable and renewable resource.
천연고무는 나무에서 나오므로 자연적이고 지속 가능하며 재생 가능한 자원이다.

815 severe
[sivíər]

ⓐ 1. 극심한, 심각한 2. 가혹한 3. 위험한

The box is a strong case that protects them from **severe** temperatures of the planet. 기출
그 상자는 그 행성의 심한 기온으로부터 그것들을 보호하는 강력한 용기이다.

➕ **severely** ⓐⓓ 심하게 **severe weather conditions** 악천후

□ 816 **resource**
[rí:sɔ̀ːrs]

ⓝ 자원, 재원

The fewer products we buy, the more **resources** we save.
우리가 더 적은 제품들을 살수록, 더 많은 자원들을 절약하게 된다. 교과서

➕ natural resources 천연자원

□ 817 **spark**
[spɑːrk]

ⓥ 도화선이 되다, 불꽃을 튀기다 ⓝ 불꽃

A discarded cigarette **sparked** a fire at an apartment, according to fire officials.
소방 당국에 따르면, 버려진 담배 한 개비가 한 아파트에서 화재의 도화선이 되었다.

□ 818 **Arctic**
[ɑ́ːrktik]

ⓝ (the -) 북극 지방 ⓐ 북극의 ⊡ Antarctic 남극의

Scientists are trying to figure out why the **Arctic** is warming and melting faster than computer models predict.
기출
과학자들은 왜 북극이 컴퓨터 모델이 예측하는 것보다 더 빨리 따뜻해지고 녹고 있는지 알아내려 하고 있다.

□ 819 **depth**
[depθ]

ⓝ 1. (the -s) 심해 2. 깊이, 난해함

Another giant wave struck us and disappeared towards the **depths**. 기출
또 하나의 거대한 파도가 우리를 덮치고는 심해로 사라졌다.

➕ deep ⓐ 깊은 deepen ⓥ 깊게 하다

□ 820 **shield**
[ʃiːld]

ⓥ 보호하다 ⊟ protect ⓝ 방패, 보호

You should **shield** your eyes with sunglasses from ultraviolet rays.
너는 선글라스를 써서 자외선으로부터 눈을 보호해야 한다.

□ 821 **wildlife**
[wáildlàif]

ⓝ 야생 생물

Forest rangers restore and recreate the habitats of **wildlife** all over the country.

산림 감시원들은 전국의 야생 생물 서식지를 회복시키고 되살리는 일을 한다.

Advanced

□ 822 **disaster**
[dizǽstər]

ⓝ 재난, 재해, 재앙

The attempt to avoid a small problem can result in a **disaster** we cannot forecast. 기출

작은 문제를 피하려는 시도가 예상할 수 없는 재앙을 초래하기도 한다.

➕ **natural disaster** 자연 재해

Voca tip natural disaster

natural disaster(자연 재해)에는 어떤 것들이 있을까요?

earthquake 지진	drought 가뭄	flood 홍수
forest fire 산불	volcanic eruption 화산 폭발	hurricane 허리케인
tornado 토네이도	typhoon 태풍	

□ 823 **occur**
[əkə́:r]

ⓥ 1. 발생하다, 일어나다 ⊟ happen 2. 떠오르다(to)

Everyone survived even after the serious tornado had **occurred**.

위험한 토네이도가 발생한 후에도 모두가 무사했다.

➕ **occurrence** ⓝ 발생

□ 824 **Atlantic**
[ətlǽntik]

ⓝ (the -) 대서양 ⓐ 대서양의

Because the ocean level is rising, islands in the **Atlantic** may sink under the water.

해수면이 상승하고 있기 때문에 대서양의 섬들이 물에 잠길지도 모른다.

□ 825 **canyon**
[kǽnjən]

ⓝ 협곡 ⊟ valley

The scientists described the mountains made of magnificent deep **canyons** and towering white waterfalls. 기출

과학자들은 그 산들이 웅장한 깊은 협곡과 높이 솟은 흰 폭포로 이루어졌다고 묘사했다.

□ 826 **swamp**
[swɑmp]

ⓝ 늪 틸 marsh ⓥ 늪에 빠져들다, 물에 잠기게 하다
The biggest snake in the world is the green anaconda,
which lives in the Amazon's **swamps** and streams.
세계에서 가장 큰 뱀은 아마존의 늪과 하천에 사는 녹색 아나콘다이다.
➕ **swampy** ⓐ 늪에 있는 **swamp down** 꿀꺽 삼키다

□ 827 **moisture**
[mɔ́istʃər]

ⓝ **수분, 습기**
Salt and sugar absorb **moisture** from the air and can form
hard lumps.
소금과 설탕은 공기 중의 수분을 흡수하여 단단한 덩어리를 형성할 수 있다.
➕ **moist** ⓐ 습한, 촉촉한

□ 828 **reflect**
[rɪflékt]

ⓥ 1. **반사하다** 틸 mirror 2. **반영하다** 3. **심사숙고하다**
This occurs because the water in the pool bends the path
of light **reflected** from the coin. 기출
이것은 수영장 물이 동전으로부터 반사된 빛의 경로를 굴절시키기 때문에 일어
난다.
➕ **reflection** ⓝ 반사, 반영 **reflect on** ~을 곰곰이 생각하다

□ 829 **Celsius**
[sélsiəs]

ⓝ **섭씨** 틸 centigrade
After the rain, the temperature will drop to 10 degrees
Celsius.
비가 온 후에, 기온이 섭씨 10도까지 떨어질 것이다.

Culture tip **Celsius vs. Fahrenheit**

Celsius(섭씨)는 1742년에 스웨덴의 Celsius가 얼음이 녹는 온도와 물의 끓는 온도를 기준으로 정한 것
으로, 우리나라를 포함한 많은 나라에서 사용하는 단위입니다. 그리고 Fahrenheit(화씨)는 1720년경에
독일의 Fahrenheit가 소금물이 어는 온도와 끓는 온도를 기준으로 정한 것으로, 미국과 영국 등에서 쓰는
단위입니다. 섭씨를 화씨로 바꾸는 공식은 °F=(°C×1.8)+32이죠.

□ 830 **thermometer**
[θərmámitər]

ⓝ **온도계**
A **thermometer** is a device that measures changes in
temperature.
온도계는 온도의 변화를 측정하는 기구이다.

□ 831
□ **destructive**
[distrʌ́ktiv]

ⓐ 파괴적인, 해로운 ⊟ constructive 건설적인
Japan was hit by a **destructive** earthquake and tsunami on March 11, 2011.
일본은 2011년 3월 11일에 파괴적인 지진과 쓰나미에 강타당했다.

□ 832
□ **wreck**
[rek]

ⓝ 난파, 잔해 ⓥ 난파하다, 파괴하다 ⊟ destroy
Saving a ship from **wreck** was delayed by severe wind and snow.
난파된 배를 구조하는 것은 심한 눈보라로 지체되었다.

□ 833
□ **peak**
[piːk]

ⓝ 1. 정상, 봉우리 2. 절정 ⓐ 최고의
As the morning fog lifted, the sharp **peaks** of the Hohe Tauern mountain range emerged. 기출
아침 안개가 걷히면서, 호에타우에른 산맥의 날카로운 봉우리들이 모습을 드러냈다.

□ 834
□ **erupt**
[irʌ́pt]

ⓥ 1. 폭발하다, 분출하다 ⊟ eject 2. (감정을) 분출하다
These volcanoes can also **erupt** in the ocean.
이 화산들은 바다 안에서 분출할 수도 있다.
➕ **eruption** (화산의) 폭발, 분출

□ 835
□ **eject**
[idʒékt]

ⓥ 1. 내뿜다, 배출하다 ⊟ erupt 2. 쫓아내다, 추방하다
The eruption of the volcano **ejected** millions of tons of ash into the atmosphere.
그 화산이 폭발하면서 수백만 톤의 화산재가 대기 중으로 분출되었다.
➕ **ejection** ⓝ 배출

☐ 836 **purify**
[pjúərəfài]

ⓥ 정화하다, 정제하다
Plants can help to **purify** air polluted by fine dust or yellow dust.
식물은 미세먼지나 황사에 의해 오염된 공기를 정화하는 데 도움을 줄 수 있다.
➕ **pure** ⓐ 순수한   **purification** ⓝ 정화

☐ 837 **surround**
[səráund]

ⓥ 둘러싸다, 포위하다
The swamp is **surrounded** with dense woods.
그 늪은 울창한 나무들로 둘러싸여 있다.
➕ **be surrounded with[by]** ~로 둘러싸이다

Idioms

☐ 838 **wash away**

~을 쓸어 가다[유실되게 하다]
Heavy rains in Bangladesh have **washed** hundreds of houses **away**.
방글라데시에 내린 폭우는 수백 채의 집을 쓸어 갔다.

☐ 839 **wipe out**

~을 완전히 파괴하다[없애 버리다]
The landslide was so extensive that it **wiped out** the whole village.
산사태가 너무 심해서 마을 전체를 완전히 파괴해 버렸다.

☐ 840 **use up**

1. 다 써 버리다 ⊟ deplete
2. 소비하다, 소모하다 ⊟ consume
Humans are **using up** their allowance for water, clean air and other resources on Earth each year.
인간은 매년 지구상의 물, 깨끗한 공기 및 기타 자원에 대한 허용량을 다 써 버리고 있다.

Exercise

[1~5] 다음 영영 풀이에 알맞은 단어를 보기에서 골라 쓰세요.

보기	canyon	spark	surround	severe	peak

1 the pointy top of a mountain _____

2 extremely bad or serious _____

3 a deep valley with steep sides of rock _____

4 to be all around something or somebody _____

5 a tiny red-hot glowing fiery particle that jumps out from some burning material _____

[6~9] 짝지어진 두 단어의 관계가 같도록 빈칸에 알맞은 단어를 쓰세요.

6 destroy : wreck = predict : _____

7 Arctic : Antarctic = constructive : _____

8 _____ : eject = occur : happen

9 valley : _____ = swamp : marsh

[10~12] 보기에서 알맞은 단어를 골라 문장을 완성하세요. (필요하면 단어 형태를 바꿀 것)

보기	reflect	moisture	purify

10 Salt and sugar absorb _____ from the air and can form hard lumps.

11 This occurs because the water in the pool bends the path of light _____ from the coin.

12 Plants can help to _____ air polluted by fine dust or yellow dust.

Day 29 Science & Technology

✓ Previous Check

- ☐ astronaut
- ☐ solar
- ☐ remote
- ☐ benefit
- ☐ efficiency
- ☐ enable
- ☐ discover
- ☐ observe
- ☐ digital
- ☐ shuttle

- ☐ astronomer
- ☐ orbit
- ☐ galaxy
- ☐ rotate
- ☐ satellite
- ☐ launch
- ☐ lunar
- ☐ electronic
- ☐ eclipse
- ☐ gravity

- ☐ automatic
- ☐ device
- ☐ manual
- ☐ accurate
- ☐ analyze
- ☐ adjust
- ☐ accelerate
- ☐ bring about
- ☐ sort out
- ☐ substitute for

Intermediate

□ 841 **astronaut**
[ǽstrənɔ̀ːt]

ⓝ **우주 비행사**

It is cooked and frozen before the **astronaut** carries it. 기출
그것은 우주 비행사가 가져가기 전에 요리되어 냉동된다.

□ 842 **solar**
[sóulər]

ⓐ **태양의** ⊟ lunar 달의

Developing renewable energy sources like wind, water, and **solar** power is necessary. 기출
풍력, 수력, 태양광 발전 같은 재생 가능한 에너지 자원을 개발하는 것이 필요하다.

➕ **solar system** 태양계

> **Voca tip** **solar system**
>
> | Mercury 수성 | Venus 금성 | Earth 지구 | Mars 화성 |
> | Jupiter 목성 | Saturn 토성 | Uranus 천왕성 | Neptune 해왕성 |
>
> *Pluto 명왕성: 명왕성은 2006년부터 태양계의 행성에서 제외되었습니다.

□ 843 **remote**
[rimóut]

ⓐ 1. **먼** 2. **외진**

The astronauts haven't even been to the planets in our solar system, not to mention **remote** stars.
그 우주 비행사들은 먼 별은 말할 것도 없고, 우리 태양계 내의 행성에도 가 보지 못했다.

□ 844 **benefit**
[bénəfit]

ⓝ **이익** ⊟ advantage

The development of science and technology has brought us many **benefits**.
과학과 기술의 발전은 우리에게 많은 이익을 가져다주었다.

□ 845 **efficiency**
[ifíʃənsi]

ⓝ **효율, 능률** ⊟ effectiveness

It is made to accommodate China-size crowds increasingly attracted by the comfort and **efficiency** of high-speed rail travel. 기출
그것은 고속 철도 여행이 주는 편안함과 효율성으로 계속해서 유인되고 있는 중국만 한 규모의 군중들도 수용할 수 있도록 만들어졌다.

➕ **efficient** ⓐ 능률적인

□ 846 **enable**
□   [inéibl]

ⓥ 할 수 있게 하다, 가능하게 하다
Computerization will **enable** us to cut production costs by half.
컴퓨터화가 우리로 하여금 생산 비용을 절반으로 줄일 수 있게 할 것이다.

□ 847 **discover**
□   [diskʌ́vər]

ⓥ 발견하다 ⊟ find out
Scottish researchers have **discovered** a way to turn carrots into a very strong and light material. 교과서
스코틀랜드의 연구원들은 당근을 매우 강하고 가벼운 재료로 바꾸는 방법을 발견했다.
➕ **discovery** ⓝ 발견

□ 848 **observe**
□   [əbzə́:rv]

ⓥ 1. 관찰하다 ⊟ watch 2. (규칙 등을) 따르다, 준수하다
Orangutans have been **observed** saying goodnight with the gift of a juicy raspberry. 기출
오랑우탄이 즙이 많은 라즈베리를 선물로 주며 밤 인사를 하는 것이 관찰되어 왔다.
➕ **observe the principle** 원칙을 지키다

□ 849 **digital**
□   [dídʒitl]

ⓐ 디지털의
We enjoy watching movies with DVDs in which pictures and sounds are converted to **digital** data. 기출
우리는 영상과 소리가 디지털 데이터로 변환된 DVD로 영화를 보는 것을 즐긴다.
➕ **digital age** 디지털 시대

□ 850 **shuttle**
□   [ʃʌtl]

ⓝ 우주 왕복선 ⓥ 왕복하다
The system devised for the space **shuttle** is much more sophisticated than the previous one.
그 우주 왕복선을 위해 고안된 시스템은 이전 것보다 훨씬 더 정교하다.

Advanced

□ 851 **astronomer**
[əstránəmər]

ⓝ 천문학자

Astronomers have found a good number of planets that may be inhabitable.
천문학자들은 생명체가 살기에 적합할지도 모르는 수많은 행성들을 발견했다.

➕ **astronomy** ⓝ 천문학

□ 852 **orbit**
[ɔ́:rbit]

ⓝ 궤도

While he was measuring the **orbit** of Pluto, he discovered something strange.
그는 명왕성의 궤도를 측정하던 중 뭔가 이상한 것을 발견했다.

➕ **orbital** ⓐ 궤도의

□ 853 **galaxy**
[gǽləksi]

ⓝ 은하, 은하계

Our solar system is just a small part of the **Galaxy**.
우리 태양계는 은하계의 작은 부분일 뿐이다.

□ 854 **rotate**
[róuteit]

ⓥ 1. 회전하다[시키다] ⊜ revolve 2. 교대하다

The Earth **rotates** once a day and moves around the sun once a year.
지구는 하루에 한 번 자전하며, 일 년에 한 번 태양 주위를 돈다.

➕ **rotation** ⓝ 회전

□ 855 **satellite**
[sǽtəlàit]

ⓝ 위성, 인공위성

The Moon is a **satellite** of Earth.
달은 지구의 위성이다.

□ 856 **launch**
[lɔːntʃ]

ⓥ 1. 발사하다, 쏘아 올리다 2. 출시하다
We could never **launch** something that big into space. 기출
우리는 그렇게 커다란 무엇인가를 절대 우주로 쏘아 올릴 수가 없었다.

□ 857 **lunar**
[lúːnər]

ⓐ 달의 ⊟ solar 태양의
The **lunar** satellite, launched last week, successfully entered the orbit.
지난주에 발사된 달 탐사 위성은 성공적으로 궤도에 진입했다.
⊕ **lunar new year's day** 음력설 **lunar calendar** 음력

> **Culture tip**   **lunar new year's day**
>
> 우리의 '구정, 설'을 영어로는 lunar new year 또는 Chinese new year라고 합니다. 미국에서는 new year's day(신정)와 Chinese new year(구정) 모두 큰 기념일은 아니지만, 대규모 차이나타운이 있는 샌프란시스코나 로스앤젤레스에서는 명절 분위기를 느낄 수 있지요.

□ 858 **electronic**
[ilektránik]

ⓐ 전자의
With the development of **electronic** media, our lives are becoming more updated.
전자 매체의 발전으로 우리의 삶은 더 최신화되고 있다.

□ 859 **eclipse**
[iklíps]

ⓝ (해·달의) 식(蝕) ⓥ 무색하게[빛을 잃게] 하다
The world paused on Wednesday as the first total **eclipse** in years went across the earth. 기출
몇 년 만의 첫 개기식이 지구를 지나가면서 전 세계가 수요일에 잠시 숨을 멈추었다.
⊕ **total eclipse** 개기식 **lunar eclipse** 월식
solar eclipse 일식

□ 860 **gravity**
[grǽvəti]

ⓝ 중력 ⊟ gravitation
Gravity is the invisible force that pulls things toward the ground. 기출
중력이란 사물을 땅 쪽으로 끌어당기는 보이지 않는 힘이다.

□ 861 **automatic**
[ɔ̀ːtəmǽtik]

ⓐ 자동의 ⊟ automated ⊟ manual 손의, 수동의
To raise them, farms with **automatic** temperature control system are needed. 기출
그것들을 기르기 위해서, 자동 온도 조절 시스템을 가진 농장들이 필요하다.
⊕ **automatic teller machine (ATM)** 현금 자동 지급기

Voca tip　auto-

auto-는 '자신의, 스스로의, 자동의'라는 뜻을 가진 접두사입니다. 몇 가지 예를 알아볼까요?
-graph 쓴 것 – autograph 자필 서명　　　mobile 이동성을 가진 – automobile 자동차
-nomy 법 – autonomy 자치(권)　　　　　analysis 분석 – autoanalysis 자동 분석
biography 전기 → autobiography 자서전　　alarm 경보 – autoalarm 자동 경보

□ 862 **device**
[diváis]

ⓝ 도구, 장치 ⊟ gadget
In a spaceship, astronauts use many electronic **devices** which enable them to carry out their project.
우주선 안에서, 우주 비행사들은 그들의 계획을 수행할 수 있게 해 주는 많은 전자 도구들을 사용한다.

□ 863 **manual**
[mǽnjuəl]

ⓐ 손의, 수동의 ⊟ automatic 자동의 ⓝ 안내서
You can choose between a **manual** and an electric toothbrush depending on your lifestyle. 기출
너는 너의 생활 양식에 따라 수동 칫솔과 전동 칫솔 중에서 선택할 수 있다.
⊕ **manual labor** 손일, 육체노동

□ 864 **accurate**
[ǽkjərət]

ⓐ 정확한 ⊟ precise
That's how we know about his observations, including his **accurate** distance measurements. 기출
그것이 정확한 거리 측정을 포함한 그의 관측에 대해 우리가 알 수 있는 방법이다.

□ 865 **analyze**
[ǽnəlàiz]

ⓥ 분석하다, 분해하다
An international team **analyzed** DNA from fossilized bones and teeth from 31 prehistoric horses. 기출
한 국제 연구진이 선사시대 말 31마리의 화석화된 뼈와 이빨로부터 나온 DNA를 분석했다.

□ 866 **adjust**
[ədʒʌ́st]

ⓥ 1. 조절하다, 조정하다 🄳 adapt 2. 적응하다
Tony is **adjusting** the light level in this building.
Tony는 이 건물의 조도를 조절하고 있다.
➕ **adjustment** ⓝ 조절

□ 867 **accelerate**
[əksélərèit]

ⓥ 가속하다 🄳 speed up
The car can **accelerate** to 140 miles per hour with advances
in engine technology.
엔진 기술의 발달로, 그 자동차는 시속 140마일까지 가속할 수 있다.
➕ **accelerator** ⓝ 가속 장치

Idioms

□ 868 **bring about**

~을 불러일으키다[초래하다] 🄳 cause
Information Technology has **brought about** a global
revolution in all fields.
정보 기술은 모든 분야에서 전 세계적인 혁명을 불러일으켰다.

□ 869 **sort out**

~을 분류[선별]하다
Scientists have long been trying to understand how the
brain **sorts out** information.
과학자들은 뇌가 어떻게 정보를 분류하는지 이해하려고 오랫동안 노력해 오고
있다.

□ 870 **substitute for**

~을 대신하다, 대리하다
We find that IT can not only **substitute for** human labor
but also complement it.
우리는 IT(정보 기술)가 인간의 노동력을 대신할 뿐만 아니라 이를 보완할 수도
있다는 것을 안다.

Exercise

[1~5] 다음 영영 풀이에 알맞은 단어를 보기에서 골라 쓰세요.

보기	rotate	orbit	gravity	galaxy	astronomer

1 a large group of stars and planets   _____

2 a force pulling things to the ground   _____

3 a scientist who studies things in space   _____

4 a path of an object around a planet, moon, or star   _____

5 to turn something in a circle or to move in this direction   _____

[6~9] 짝지어진 두 단어의 관계가 같도록 빈칸에 알맞은 단어를 쓰세요.

6 observe : watch = accurate : _____

7 automatic : manual = solar : _____

8 _____ : advantage = efficiency : effectiveness

9 discover : find out = _____ : speed up

[10~12] 보기에서 알맞은 단어를 골라 문장을 완성하세요. (필요하면 단어 형태를 바꿀 것)

보기	rotate	digital	shuttle

10 We enjoy watching movies with DVDs in which pictures and sounds are converted to _____ data.

11 The Earth _____ once a day and moves around the sun once a year.

12 The system devised for the space _____ is much more sophisticated than the previous one.

✓ Previous Check

- □ online
- □ database
- □ capture
- □ tool
- □ junk
- □ delete
- □ communicate
- □ browse
- □ link
- □ oral

- □ edit
- □ warn
- □ dot
- □ visual
- □ profile
- □ access
- □ circulate
- □ activate
- □ surf
- □ request

- □ interrupt
- □ pause
- □ response
- □ debate
- □ illogical
- □ hesitate
- □ suppose
- □ combine
- □ keep in touch with
- □ cut in

Intermediate

□ 871
□ **online**
[ɑnláin]

ⓐ **온라인의, 인터넷의** ⊟ offline 오프라인의 ⓐⓓ **온라인으로**
Online learning is popular among independent learners who prefer to study at their own pace. 기출
온라인 학습은 자신만의 속도로 공부하기를 좋아하는 독자적인 학습자들 사이에서 인기가 있다.

□ 872
□ **database**
[déitəbeis]

ⓝ **데이터베이스(관련 데이터를 축적하여 이용할 수 있게 한 것)**
The team built a **database** by collecting and analyzing a huge amount of data on players. 교과서
그 팀은 선수들의 방대한 양의 데이터를 모으고 분석함으로써 데이터베이스를 구축했다.

□ 873
□ **capture**
[kǽptʃər]

ⓥ **(이미지 등을) 포착하다, 붙잡다** ⊟ catch
The program can save a **captured** image as a file.
그 프로그램은 포착된 이미지를 파일로 저장할 수 있다.
⊕ **capture the attention** 주의를 끌다

□ 874
□ **tool**
[tu:l]

ⓝ **1. (컴퓨터) 도구, 툴 2. 도구, 연장**
I used the new search **tool** to find more information about the printer.
나는 프린터에 관한 더 많은 정보를 찾기 위해 새로운 검색 툴을 사용했다.

□ 875
□ **junk**
[dʒʌŋk]

ⓝ **폐물, 고물**
When spam or **junk** mails fill your in-box, you may miss important messages.
스팸 또는 정크 메일이 받은 메일함을 가득 채우면, 중요한 메시지를 놓칠지도 모른다.
⊕ **junk mail** 정크 메일(일방적으로 전달되는 광고성 전자 우편)
　junk food 정크 푸드(영양가는 낮고 열량은 높은 인스턴트 식품)

☐ 876 **delete**
[dilíːt]

ⓥ 삭제하다 ☐ remove
Some emails can be automatically **deleted** if they are marked as spam mails.
어떤 이메일들은 스팸 메일로 간주되어 자동으로 삭제될 수 있다.

☐ 877 **communicate**
[kəmjúːnəkèit]

ⓥ 의사소통하다, 통신하다
We're now developing the system that allows users to **communicate** freely without showing their personal information. 교과서
우리는 지금 사용자들이 자신들의 개인 정보를 보여 주지 않고 자유롭게 의사소통하게 해 주는 시스템을 개발하고 있다.

☐ 878 **browse**
[brauz]

ⓥ 검색하다, 열람하다
I can **browse** for information, shop, and play games with my smartphone.
나는 내 스마트폰으로 정보를 검색하고 쇼핑과 게임을 할 수 있다.

Culture tip   cellphone text message abbreviations

우리가 휴대 전화 문자 메시지를 짧고 간단하게 보내기 위해 줄임말을 사용하듯이 영어에도 'Are you'를 RU라고 쓰는 것과 같은 많은 줄임말이 있습니다. 대표적인 예를 몇 가지 살펴볼까요?

CUL	See you later!	ASAP	as soon as possible	CUZ	because
L8R	later	LOL	laughing out loud	OIC	Oh, I see.
PLS	please	TTYL	talk to you later	WTG	Way to go!
UOK	Are you OK?	TIA	thanks in advance	TNX	thanks

☐ 879 **link**
[liŋk]

ⓝ 링크, 연결 ⓥ 연결하다
If you click on this **link**, a free download of the required software is provided.
이 링크를 클릭하면 필요한 소프트웨어의 무료 다운로드가 제공된다.

☐ 880 **oral**
[ɔ́ːrəl]

ⓐ 구두의, 구술의 ☐ spoken ☒ written 문자로 쓰인
I gave an **oral** presentation on my current online research.
나는 현재 진행 중인 온라인 조사에 대해 구두 발표를 했다.

□ 881 **edit**
[édit]

ⓥ 1. 편집하다 2. 교정하다 ㊦ revise

Many people use computers to **edit** digital photos and make music CDs.

많은 사람들이 디지털 사진을 편집하고 음악 CD를 만드는 데 컴퓨터를 사용한다.

➕ **edition** ⓝ 판 **editor** ⓝ 편집자

□ 882 **warn**
[wɔ:rn]

ⓥ 경고하다, 주의를 주다

The police **warn** you about illegal content on the Internet and tell you to have it removed.

경찰은 인터넷상에서의 불법 콘텐츠에 대해 여러분에게 경고하고 그것을 삭제하라고 말한다.

Advanced

□ 883 **dot**
[dɑt]

ⓝ (인터넷의) 닷, 점(웹사이트와 이메일 주소 사이에 찍는 점)

The **dot** org domain name comes from the word "organization."

.org 도메인 이름은 단어 'organization(조직)'에서 유래한다.

□ 884 **visual**
[víʒuəl]

ⓐ 시각의, 눈에 보이는

The robot for Mars exploration collects **visual** data using a pair of cameras at the front. 기출

화성 탐사 로봇은 정면에 있는 두 대의 카메라를 사용해 시각 자료들을 모은다.

➕ **vision** ⓝ 시야, 통찰력

□ 885 **profile**
[próufail]

ⓝ 프로필, 인물 소개

According to his **profile** on his official website, he started swimming at the age of five.

그의 공식 웹사이트에 나온 그의 인물 소개에 따르면, 그는 5살에 수영을 시작했다.

➕ **profiler** ⓝ 범죄 심리 분석관

☐ 886 **access**
[ǽkses]

ⓝ 접근, 접근 방법   ⓥ 1. 접근하다 2. 입수하다, 이용하다
Students have **access** to the Internet in all buildings by using their own laptops.
학생들은 모든 건물에서 자신의 노트북을 이용해 인터넷에 접속이 가능하다.
➕ **accessible** ⓐ 접근하기 쉬운
   have access to ~에게 접근할 수 있다

☐ 887 **circulate**
[sə́ːrkjulèit]

ⓥ 보급시키다, 유포하다 ⊟ spread
A pirated edition of the computer game has been **circulated** on the Internet.
그 컴퓨터 게임의 해적판(무단 복제본)이 인터넷상에 유포되어 왔다.
➕ **circulation** ⓝ 유통, 순환   **circular** ⓐ 순환하는

☐ 888 **activate**
[ǽktəvèit]

ⓥ 활성화하다
When you create a new website, follow these 5 steps in order to **activate** it.
새 웹사이트를 만들 때, 웹사이트를 활성화시키기 위해 이 5가지 단계를 따르세요.
➕ **act** ⓥ 행동하다   **active** ⓐ 활동적인

☐ 889 **surf**
[səːrf]

ⓥ 1. (인터넷상의) 정보를 찾아다니다 2. 파도타기를 하다
More than a third of young people said that they would like to **surf** the Internet if they had fifteen minutes of free time.
기출
젊은이들의 3분의 1 이상은 만약 자신들에게 15분 동안의 자유 시간이 있다면 인터넷 서핑을 하고 싶다고 말했다.

☐ 890 **request**
[rikwést]

ⓝ 요청, 요구   ⓥ 요청하다
Touch screens let the users interact with a computer by the touch of a finger to have their **requests** processed. 기출
터치 스크린은 사용자가 그들의 요청이 수행되도록 손가락의 접촉으로 컴퓨터와 상호 작용 할 수 있게 해 준다.

□ 891 **interrupt**
[ìntərʌ́pt]

ⓥ 방해하다, 중단하다 ⊟ disturb

Due to the railroad accident, communication was **interrupted** temporarily.

열차 사고 때문에 통신이 일시적으로 중단되었다.

➕ **interruption** ⓝ 방해

□ 892 **pause**
[pɔːz]

ⓝ (이야기·행동 등의 일시적) 중단 ⓥ 잠시 멈추다

When **pauses** occur in the flow of the conversation, don't feel that you must instantly fill the void.

대화의 흐름이 잠시 끊겼을 때, 당신이 즉시 그 공백을 채워야 한다고 느끼지 마라.

□ 893 **response**
[rispáns]

ⓝ 응답, 반응 ⊟ answer

When it comes to rejection, a quick **response** is almost always appreciated. 기출

거절에 관해서 말하자면, 빠른 응답이 거의 항상 고맙게 여겨진다.

➕ **respond** ⓥ 대답하다 **responsive** ⓐ 응답하는, 반응하는

□ 894 **debate**
[dibéit]

ⓝ 토론, 토의 ⓥ 토론하다 ⊟ discuss

This matter has been the subject of intense public **debate** in recent weeks.

이 문제는 최근 몇 주 동안 격렬한 공개 토론의 주제가 되어 왔다.

□ 895 **illogical**
[iládʒikəl]

ⓐ 비논리적인, 불합리한 ⊟ logical 논리적인

Your argument is **illogical** and completely irrelevant to our debate.

당신의 주장은 비논리적이며, 우리의 토론과 완전히 무관하다.

> **Voca tip** in-
>
> 형용사 앞에 붙어서 반의어를 만드는 접두사 in-은 접두사 다음에 오는 첫 모음에 따라서 il-, ir-, im-으로 변형되기도 합니다.
>
> active 활동적인 – inactive 소극적인 moral 도덕적인 – immoral 비도덕적인
> legal 합법적인 – illegal 불법의 literate 읽고 쓸 줄 아는 – illiterate 문맹의
> relevant 관련된 – irrelevant 무관한 regular 규칙적인 – irregular 불규칙적인

□ 896　**hesitate**
[hézətèit]

ⓥ 주저하다, 망설이다

If you are interested, don't **hesitate** to join our club by email or phone.

만약 당신이 관심이 있다면, 우리 동호회에 이메일이나 전화로 가입하는 것을 망설이지 마세요.

➕ **hesitation** ⓝ 망설임

□ 897　**suppose**
[səpóuz]

ⓥ 1. 가정하다, 상상하다　2. ~라고 생각하다

Suppose computers become the central point of an individual's life.

컴퓨터가 개인의 삶의 중심점이 된다고 상상해 보라.

➕ **supposition** ⓝ 상상, 추측　**be supposed to** ~하기로 되어 있다

□ 898　**combine**
[kəmbáin]

ⓥ 결합시키다　⊟ separate 분리하다

'Informercial' was created by **combining** the words 'information' and 'commercial.' 기출

'Informercial(정보 광고)'은 '정보'와 '상업 광고'라는 단어가 결합되어 만들어 졌다.

➕ **combination** ⓝ 결합

Idioms

□ 899　**keep in touch with**

1. ~와 접촉[연락]을 유지하다
2. (특정 분야에서 일어나는 일을) 계속 접하다[알다]

Thanks to social media, we can easily **keep in touch with** people who are far away.

소셜 미디어 덕분에 우리는 멀리 떨어져 있는 사람들과 쉽게 연락을 유지하며 지낼 수 있다.

□ 900　**cut in**

남의 대화에 끼어들다, 남의 말을 자르다　⊟ interrupt

Please do not **cut in** on our conversation.

우리 대화에 끼어들지 마세요.

➕ **cut off** (말을) 끊다, 가로막다

Exercise

[1~5] 다음 영영 풀이에 알맞은 단어를 보기에서 골라 쓰세요.

보기	edit	response	request	surf	link

1 to ask for something politely _____

2 an answer given to a question _____

3 to spend time visiting websites _____

4 to prepare written material for publication _____

5 a word or picture on the Internet that allows you to _____
   quickly go to another area or page by clicking on it

[6~9] 짝지어진 두 단어의 관계가 같도록 빈칸에 알맞은 단어를 쓰세요.

6 oral : spoken = remove : _____

7 logical : illogical = separate : _____

8 _____ : catch = circulate : spread

9 access : _____ = response : responsive

[10~12] 보기에서 알맞은 단어를 골라 문장을 완성하세요. (필요하면 단어 형태를 바꿀 것)

보기	database	circulate	browse

10 I can _____ for information, shop, and play games with my
    smartphone.

11 A pirated edition of the computer game has been _____ on
    the Internet.

12 The team built a _____ by collecting and analyzing a huge
    amount of data on players.

누적
테스트

학습한 단어의
우리말 뜻을 쓰세요.

1일째에는 누적 테스트가 없습니다.

1	parental	11	generation
2	breed	12	supporter
3	obedient	13	gender
4	treat	14	impression
5	bring up	15	typical
6	greed	16	capable
7	take after	17	attractive
8	stand out	18	relationship
9	brilliant	19	funeral
10	elegant	20	behave

1	bold	11	celebrate
2	confident	12	anniversary
3	impatient	13	fate
4	ambitious	14	relieve
5	ridicule	15	amaze
6	warm-hearted	16	sentiment
7	burst into	17	envy
8	sibling	18	jealous
9	resemble	19	shape
10	background	20	appearance

1	aggressive	11	niece
2	fierce	12	engage
3	kindness	13	nourish
4	oval	14	chop
5	peel	15	grind
6	nourish	16	roast
7	chop	17	rotten
8	grind	18	disgust
9	active	19	astound
10	passive	20	go off

1	odd	11	daycare
2	forehead	12	pregnant
3	ignorant	13	nurture
4	nerve	14	fiber
5	temper	15	contain
6	resent	16	instant
7	desperate	17	peel
8	paste	18	plain
9	blend	19	premium
10	collar	20	formal

1	advise	11	humble
2	lifetime	12	arrogant
3	mood	13	be tired of
4	sorrow	14	put up with
5	emotion	15	thread
6	kettle	16	length
7	tray	17	casual
8	seasoning	18	fashion
9	mess	19	loose
10	usual	20	dispose

1	interact	11	stripe
2	contact	12	comfort
3	personality	13	fade
4	anxious	14	cottage
5	ashamed	15	priceless
6	cuisine	16	tap
7	raw	17	improve
8	grill	18	content
9	drawer	19	figure
10	stair	20	scholar

누적 테스트 **8**일째 이름 점수

1	elder	11	routine
2	diligent	12	rely
3	awful	13	dust
4	miserable	14	insight
5	edible	15	academic
6	nutrition	16	essence
7	vegetarian	17	intelligence
8	uniform	18	memorize
9	costume	19	institute
10	alarm	20	laboratory

1	wrinkle	11	break up with
2	frighten	12	spread
3	panic	13	cleanse
4	flavor	14	wipe
5	scent	15	solve
6	fancy	16	inspire
7	outfit	17	refer
8	sew	18	award
9	senior	19	multiply
10	psychologist	20	calculate

1	scream	11	manufacture
2	dairy	12	manage
3	fold	13	operate
4	discard	14	expert
5	appliance	15	semester
6	review	16	absent
7	linguistics	17	index
8	due	18	deny
9	term	19	stationery
10	examine	20	take over

1	accompany	11	depression
2	leftover	12	alter
3	spacious	13	trousers
4	chore	14	concept
5	educate	15	principle
6	instruct	16	attach
7	lecture	17	photocopy
8	supervise	18	scene
9	accomplish	19	survey
10	come up with	20	mass

1	mature	11	staple
2	swallow	12	confirm
3	mop	13	detail
4	expose	14	channel
5	theory	15	criticize
6	eager	16	compliment
7	entrance	17	flexible
8	counselor	18	monotonous
9	reward	19	obscure
10	show off	20	drawback

1	annoy	11	pile
2	beverage	12	colleague
3	rubbish	13	factual
4	define	14	fame
5	peer	15	delicate
6	personnel	16	flat
7	barber	17	broad
8	report	18	quality
9	detergent	19	value
10	dress up	20	reduce

1	spouse	11	weep
2	suit	12	press
3	vest	13	article
4	polish	14	compact
5	demonstrate	15	brief
6	dormitory	16	trend
7	wage	17	quantity
8	appoint	18	glide
9	agency	19	beat
10	feed on	20	compete

1	sympathy	11	basis
2	squeeze	12	classify
3	fabric	13	journal
4	conclude	14	variety
5	principal	15	goods
6	aisle	16	label
7	shift	17	champion
8	retire	18	aboard
9	turn down	19	depart
10	hang up	20	sightseeing

1	ripen	11	sharp
2	cotton	12	precious
3	flush	13	reasonable
4	statistics	14	steady
5	attendance	15	ability
6	architect	16	leisure
7	document	17	tip
8	booth	18	destination
9	focus	19	conduct
10	argue over	20	tune

1	fur	11	tag
2	nap	12	wrap
3	physics	13	encourage
4	geology	14	extreme
5	motivate	15	downtown
6	drop out (of)	16	director
7	secretary	17	theme
8	document	18	strain
9	poll	19	bruise
10	square	20	come down with

1	laundry	11	match
2	outlet	12	transport
3	diameter	13	passenger
4	experienced	14	chorus
5	misplace	15	interval
6	broadcast	16	medical
7	paradox	17	mental
8	describe	18	construct
9	leave out	19	pollution
10	add up	20	agriculture

1	trim	11	marvel
2	literal	12	tournament
3	attitude	13	underground
4	vend	14	noble
5	requirement	15	condition
6	assign	16	chemical
7	post	17	material
8	pose	18	export
9	artificial	19	outcome
10	wear out	20	potential

1	crack	11	ride
2	literate	12	rehearse
3	superior	13	compose
4	procedure	14	digest
5	panel	15	disorder
6	gigantic	16	innovative
7	bargain	17	enterprise
8	purchase	18	budget
9	call off	19	session
10	take place	20	deed

1	fluent	11	abroad
2	submit	12	appreciate
3	career	13	worsen
4	firm	14	crisis
5	series	15	provide
6	enormous	16	expense
7	total	17	immediate
8	serve	18	insist
9	leak	19	inadequate
10	run out of	20	proper

1	profession	11	participate
2	application	12	applaud
3	division	13	spectacle
4	notify	14	distinct
5	reveal	15	sight
6	audience	16	enrich
7	moderate	17	decline
8	exclude	18	expire
9	go over	19	sentence
10	look up	20	admit

1	proficient	11	baggage
2	prompt	12	pulse
3	tradition	13	infection
4	exclaim	14	generate
5	asset	15	constant
6	finance	16	reputation
7	liberty	17	conservative
8	criminal	18	defect
9	prevent	19	manipulate
10	put off	20	mislead

1	regulate	11	available
2	forbid	12	exhibit
3	negative	13	literature
4	abnormal	14	sanitary
5	inner	15	symptom
6	tax	16	undertake
7	harbor	17	assemble
8	acquire	18	capital
9	sign up for	19	declare
10	contribute to	20	democracy

1	indicate	11	violate
2	deserve	12	offend
3	disabled	13	investigate
4	inject	14	endanger
5	invest	15	contaminate
6	expand	16	preserve
7	hostile	17	territory
8	authority	18	reside
9	lay off	19	addict
10	in need	20	premature

1	release	11	ultimate
2	announce	12	faint
3	pastime	13	navigate
4	outdoor	14	recover
5	dispute	15	emergency
6	civilization	16	commerce
7	revolution	17	negotiate
8	temptation	18	imitate
9	circumstance	19	insert
10	dwell on	20	necessity

1	pasture	11	reproduce
2	unify	12	evolution
3	run for	13	extinct
4	advantage	14	confuse
5	stereotype	15	aspect
6	identify	16	propose
7	insult	17	universal
8	intend	18	decade
9	exhaust	19	biography
10	globalize	20	devote

1	absorb	11	strategy
2	toxic	12	arrest
3	explode	13	confess
4	integrate	14	convict
5	racial	15	unite
6	trait	16	occasion
7	gradual	17	widespread
8	sacred	18	external
9	surround	19	moisture
10	wash away	20	reflect

1	clone	11	volunteer
2	identical	12	prospect
3	poverty	13	postpone
4	abuse	14	convince
5	highway	15	heritage
6	convey	16	missionary
7	merchandise	17	gravity
8	wreck	18	automatic
9	peak	19	efficiency
10	bring about	20	purify

1	animate	11	prescribe
2	temporary	12	tablet
3	indifferent	13	faith
4	approve	14	minority
5	abandon	15	substance
6	do away with	16	enable
7	access	17	discover
8	circulate	18	adjust
9	activate	19	accelerate
10	speak for	20	cut in

Answers

Day 01 Exercise

1 breed   2 accompany   3 relationship   4 spouse   5 celebrate
6 treatment   7 fatal   8 disobedient   9 celebration   10 generations
11 nurture   12 siblings

1 아기를 낳다

2 동행인로서 함께하거나 가다

3 두 사람 또는 단체 간의 관계

4 배우자; 남편 또는 아내

5 생일이나 기념일을 기념하기 위해서 파티를 열다

6 명사 : 동사

7 명사 : 형용사

8 반의어

9 동사 : 명사

10 1900년대에는 같은 집안의 3대가 함께 사는 것이 흔한 일이었다.

11 부모가 갖고 있는 가장 중요한 임무는 자신의 아이들을 양육하는 것이다.

12 그들은 형제자매지만, 매우 다른 외모와 성격을 가지고 있다.

Day 02 Exercise

1 capable   2 diligent   3 greed   4 oval   5 ignorant
6 appearance   7 incapable   8 arrogance   9 impatient   10 typical
11 kindness   12 Gender

1 능력 또는 역량이 있는

2 꾸준하고 열정적으로 노력하는

3 필요한 것보다 더 많은 것을 갖고자 하는 욕망

4 달걀 모양처럼 보이는

5 알아야 하는 것을 알지 못하는

6 동사 : 명사

7 반의어

8 형용사 : 명사

9 반의어

10 카메라를 목에 걸고 있는 그녀는 전형적인 관광객처럼 보인다.

11 그 도둑들은 그의 친절에 감동했고 그의 지혜에서 배우게 되었다.

12 직장 내 여성에 대한 성차별은 법으로 엄격히 금지되어 있다.

Exercise
Day 03

1 weep	2 panic	3 resent	4 astound	5 annoy
6 emotional	7 frighten	8 amazing	9 anxious	10 ridicule
11 warm-hearted	12 nerve			

1 울다

2 갑자기 두려움을 느끼다

3 무엇인가 또는 누군가에게 화가 나다

4 누군가를 놀라게 하다

5 누군가를 불편하게 하거나 진정하지 못하게 하다

6 명사 : 형용사

7 동사 : 명사

8 동사 : 형용사

9 명사 : 형용사

10 그는 자신의 연설에서 다른 나라들을 조롱하는 것으로 전 세계적으로 알려져 있다.

11 그녀는 마음이 따뜻한 사람이라서, 언제나 다른 사람들을 기꺼이 돕는다.

12 나는 그녀에게 춤을 청하려고 했으나 마지막 순간에 용기가 없어졌다.

Exercise
Day 04

1 vegetarian	2 dairy	3 chop	4 leftover	5 nourish
6 inedible	7 savor	8 beverage	9 blend	10 contain
11 nutrition	12 rotten			

1 고기나 생선을 먹지 않는 사람

2 우유로 만들어진 식품

3 조각으로 자르다

4 식사 후에 남아 있는 음식

5 사람 또는 어떤 것에 생존과 성장에 필요한 음식을 주다

6 반의어

7 동의어

8 동의어

9 동의어

10 통곡물은 적정한 양의 식이 섬유를 함유하고 있다.

11 과일과 채소는 충분한 영양을 공급할 뿐만 아니라, 그것들은 소화시키기도 더 쉽다.

12 그 사과는 겉은 빨갛고 윤이 났지만 속은 썩었다.

Day 05 Exercise

1 comfort	2 outfit	3 sew	4 uniform	5 fold
6 fashion	7 costume	8 discomfort	9 loose	10 altered[alters]
11 faded	12 detergent			

1 걱정하기를 멈추었을 때 느끼는 것

2 함께 갖춰 입는 한 벌의 옷

3 바늘과 실로 옷 조각을 연결하다

4 그룹의 모든 구성원들이 입는 특별한 옷

5 한쪽이 다른 쪽을 덮도록 무언가를 구부리다

6 형용사 : 명사

7 동의어

8 반의어

9 반의어

10 나의 엄마는 재봉틀을 이용해서 나의 모피 정장을 평상복으로 고치셨다[신다].

11 창문으로 반사된 태양빛이 그 가게의 티셔츠의 색을 더 빨리 바래게 했다.

12 이것은 따뜻한 물에서 일류 경쟁사의 세제보다 핏자국까지도 더 잘 제거한다.

Day 06 Exercise

1 wipe	2 flush	3 mess	4 cottage	5 chore
6 rubbish[garbage]		7 mess	8 dirt	9 spacious
10 trimming	11 spread	12 discarding		

1 뭔가를 문질러서 깨끗하게 하다

2 변기를 깨끗하게 하기 위해 물이 흐르게 하다

3 더럽거나 깔끔하지 않은 상태

4 대개 마을이나 시골에 있는 작은 집

5 해야 하지만 즐겁지 않거나 지루한 일

6 동의어

7 반의어

8 동의어

9 동의어

10 Timothy는 장미 주위의 잔디를 다듬고 있다.

11 그녀는 담요의 먼지를 털고는 그것을 매트리스 위에 펼쳤다.

12 신문과 플라스틱을 버리는 대신, 그들은 그것들을 모아서 재활용한다.

Day 07 Exercise

1 content	2 essence	3 insight	4 diameter	5 theory
6 illiterate	7 conclusion	8 define	9 expose	10 statistics
11 literal	12 literate			

1 안에 있는 것

2 사물의 근본적인 진짜 본질

3 복잡한 문제나 상황에 대한 진정한 이해

4 원의 중심을 지나며 원을 가로질러 그을 수 있는 선의 길이

5 아직 증명되지 않은 것을 설명하기 위한 일련의 생각이나 원리

6 반의어

7 형용사 : 명사

8 명사 : 동사

9 반의어

10 통계에서 인종 간[국제] 결혼이 증가 추세에 있는 것으로 나타났다.

11 그는 내가 한 말의 숨은 뜻을 이해하지 못했기 때문에 글자 그대로의 의미에 대한 답변만 했다.

12 그는 읽고 쓸 줄 몰랐기 때문에 그녀에게 양식 기입하는 것을 도와 달라고 부탁했다.

Day 08 Exercise

1 peer	2 educate	3 institute	4 laboratory	5 semester
6 dorm	7 divide	8 exit	9 grant	10 absent
11 motivates	12 instruct			

1 당신과 나이가 같은 사람

2 학생들에게 다른 주제를 가르치다

3 연구 또는 교육을 위해 세워진 기관

4 과학자들이 실험을 하는 곳

5 종종 한 학년도를 둘로 나눈 기간 중 하나

6 동의어(줄임말)

7 동사 : 명사

8 반의어

9 동의어

10 미국에서는 학생들이 정당한 이유로 결석한다면 그것은 문제가 되지 않는다.

11 의대에 가고 싶은 열망은 그가 매일 열심히 공부하도록 동기를 부여한다.

12 부모와 교사는 아이들에게 친절에 대해 교육해야 한다.

Day 09 Exercise

1 manufacture	2 prompt	3 superior	4 wage	5 architect
6 accomplishment	7 apply	8 wage	9 senior	10 personnel
11 rewards	12 career			

1   공장에서 대량으로 물건을 만들다

2   지연되지 않은, 늦지 않은

3   당신의 직급보다 높은 직급에 있는 사람

4   노동자에게 지불되는 돈

5   건물을 설계하는 사람[전문가]

6   동사 : 명사

7   동사 : 명사

8   동의어

9   반의어

10 내가 일했던 컴퓨터 회사는 전 직원의 10퍼센트를 해고했다.

11 노동에 대한 전통적인 보상은 물질적인 것이다. 즉, 급여 인상, 보너스 및 관대한 복리후생 제도가 포함된 승진이다.

12 그의 변호사 경력은 그가 그 도시에서 전도유망한 판사가 되는 데 도움이 됐다.

Day 10 Exercise

1 stationery	2 appoint	3 misplace	4 procedure	5 document
6 stack	7 categorize	8 inform	9 customer	10 denied
11 colleague	12 confirmed			

1   사무용품과 필기구

2   특정 일을 위해 누군가를 선택하다

3   무언가를 잘못된 장소에 두다

4   어떤 목적을 위한 행동 과정

5   어떤 것에 대해 정보를 제공하는 서면으로 된 문서

6   동의어

7   동의어

8   동의어

9   동의어

10 Smith 씨는 정중하게 그 일자리 제안을 거절했다.

11 Bill은 동료가 자신보다 먼저 승진하자 몹시 부러웠다.

12 나는 전화로 그 일자리를 수락했지만, 아직 서면으로는 승인하지 않았다.

Day 11 Exercise

1 fame	2 pose	3 report	4 series	5 release
6 journalist	7 factual	8 criticize	9 audience	10 survey
11 feature	12 post, posts			

1 많은 사람에 의해 알려진 상태

2 앉고 서거나 눕는 특정한 방식

3 뉴스 또는 일어난 사건에 대해 사람들에게 말하다

4 같은 제목을 가진 특정한 종류의 프로그램 세트

5 사람들이 사거나 볼 수 있게 어떤 것을 만들다

6 글의 종류 : 그 글을 쓰는 사람

7 명사 : 형용사

8 반의어

9 동의어

10 한 미국 신문이 실시한 이 조사는 각 지역의 한 부모 가구의 비율을 보여 준다.

11 그녀는 '디스커버' 잡지에서 지구 온난화에 관한 특집 기사를 쓰도록 배정을 받았다.

12 그들은 또한 메시지와 함께 사진들을 게재하므로, 여러분은 게시글들을 더 쉽게 이해할 수 있다.

Day 12 Exercise

1 moderate	2 variety	3 ultimate	4 faint	5 drawback
6 shallow	7 obscure	8 marvelous	9 inflexible	10 gigantic
11 Artificial	12 delicate			

1 평균의, 지나치지 않은

2 다르거나 다양한 것들

3 최후의, 가장 최상에 가까운

4 보고, 듣고, 맛보는 등을 하기가 쉽지 않은

5 불이익, 문제를 야기하는 것

6 반의어

7 동의어

8 명사 : 형용사

9 반의어

10 작은 불꽃이 대단히 거대한 불길로 즉시 번질 수 있으므로 우리는 특히 불조심을 해야 한다.

11 인공적인 불빛인 전구가 24시간 내내 사용 가능하게 되었고, 그래서 낮이나 밤 어느 때든 할 수 있는 일들이 다양하다.

12 아기의 연약한 피부는 햇빛에 의해 쉽게 손상될 수 있다.

Day 13 Exercise

1 insert	2 goods	3 satisfy	4 luxury	5 necessity
6 tag	7 wholesale	8 demand	9 unsteady	10 reduce
11 refund	12 bargains			

1 어떤 것을 다른 것 안에 넣다

2 판매를 목적으로 만들어진 것

3 기쁘게 하다

4 필수적이지는 않은 값비싼 것

5 꼭 필요한 것 혹은 살기 위해 반드시 있어야 할 것

6 동의어

7 반의어

8 동의어

9 반의어

10 나는 그들이 가격을 조금 낮춰 주기를 바라고 있었다.

11 전액을 환불받기 위해서는, 14일 이내에 구입하신 제품을 반품하세요.

12 자정 이후에 대형 할인점에서 쇼핑을 한다면 아주 싼 물건들을 많이 볼 수 있다.

Day 14 Exercise

1 leisure	2 outstanding	3 ability	4 mound	5 penalty
6 amateur	7 encourage	8 compete	9 opponent[competitor]	
10 applauded	11 opponent	12 defeat		

1 자유 시간 (쉬기 <del>위한</del> 위해)

2 우수한, 아주 훌륭한

3 어떤 일을 하는 데 필요한 힘

4 야구에서 투수가 공을 던지는 곳

5 스포츠 선수가 규칙을 어김으로써 받는 불이익

6 반의어

7 반의어

8 동사 : 형용사

9 동의어

10 주자가 슬라이딩해서 2루로 진출하자, 관중들은 박수를 쳤다.

11 필사적인 노력에도 불구하고, 시합은 나의 상대편의 승리로 끝났다.

12 시즌 마지막 경기에서, 그들은 레알 마드리드에 7 대 0으로 패하며 굴욕적인 패배를 당했다.

Day 15 Exercise

1 spectacle	2 cruise	3 highway	4 crew	5 aboard
6 transport	7 uptown	8 luggage	9 navigate	
10 accommodate	11 delayed	12 located		

1 인상적인 광경 또는 사건

2 큰 배에서의 휴가

3 특히 도시 사이를 연결하는 주요 도로

4 배나 비행기에서 일하는 모든 사람들

5 배, 비행기, 또는 기차에 타거나 승선한

6 동의어

7 반의어

8 동의어

9 동사 : 명사

10 이번 여행을 위해 우리는 가족 전부를 태울 수 있는 SUV를 빌릴 예정이다.

11 내가 탈 비행기는 강풍으로 인해 지연되었다.

12 이 사원은 남칸이 메콩강으로 흘러 들어가는 루앙프라방 반도의 가장자리 근처에 위치하고 있다.

Exercise

1 interval 2 chorus 3 appreciate 4 masterpiece 5 tragedy
6 theme 7 composition 8 ignoble 9 appreciation 10 director
11 traditions 12 distinct

1 사건들 사이의 시간의 간격

2 큰 집단의 사람들이 부르기 위해 쓴 음악

3 사물이나 사람의 좋은 특질을 알아보다

4 그림, 영화, 책과 같이 그 예술가의 작품 중 우수한 본보기가 되는 예술 작품

5 매우 슬픈 사건으로 끝나는 진지한 연극, 영화 등

6 동의어

7 동사 : 명사

8 반의어

9 동사 : 명사

10 런던에서 헨델의 성공은 계속되었고 결국 그는 왕립 음악원의 음악 감독이 되었다.

11 그러나 예술가의 개성보다는 전통을 따르는 것이 우선시되던 시기가 있었다.

12 모차르트의 음악 스타일은 베토벤의 음악 스타일과 상당히 다르다.

 Exercise

1 heal 2 symptom 3 sight 4 disabled 5 bruise
6 injury 7 recovery 8 allergic 9 physical 10 strain
11 tablets 12 pulse

1 다시 건강해지다

2 몸이 아픈 것을 보여 주는 징후

3 볼 수 있는 능력, 무언가를 보는 행위

4 신체적 혹은 정신적인 결함이 있는

5 몸에 보라색 자국으로 나타나는 상처

6 명사 : 동사

7 동사 : 명사

8 명사 : 헌혈자

9 반의어

10 수영은 관절과 뼈에 부담을 주지 않기 때문에 소위 긴장을 완화하는 운동이다.

11 의사는 나에게 증세가 지속되면 하루에 알약을 두 알씩 먹으라고 말했다.

12 의사는 신중히 내 혈압과 맥박수를 측정했다.

Day 18 Exercise

1 construct	2 constant	3 optimistic	4 crane	5 pasture
6 pessimistic	7 produce	8 agriculture	9 assembly	10 enrich
11 scale	12 proportion			

1 건물, 길, 기계를 만들다

2 계속 일어나는

3 희망적인 미래를 기대하는

4 무거운 것들을 들어서 옮기는 기계

5 농장의 동물들이 먹는 풀이 자라는 땅

6 반의어

7 동의어

8 동의어

9 동사 : 명사

10 해외 무역은 이 왕국을 부유하게 하는 유일한 수단이다.

11 그 회사는 올해 가구를 대규모로 수출하기 시작했다.

12 1940년에 65세 이상의 인구 비율은 일본에서 5%, 미국에서 9%였다.

Day 19 Exercise

1 possess	2 risk	3 currency	4 estimate	5 collapse
6 boost	7 financial	8 possessions	9 evaluate	10 outcome
11 expenses	12 currency			

1   재산으로 무언가를 가지다

2   상해나 손실을 겪을 가능성

3   국가의 구체적인 통화 체계

4   어떤 것에 대해 판단하다

5   흔히 분리된 후 갑자기 무너지다

6   반의어

7   동의어

8   동의어

9   동의어

10 그 회사는 무임승차자들 때문에 효과적인 결과물을 만들어 내지 못하게 되었다.

11 이러한 총 주택 비용은 총수입의 28%를 넘어서는 안 된다.

12 관광 산업은 그 나라에 많은 외화를 들여온다.

Day 20 Exercise

1 dispute	2 oppose	3 command	4 hostile	5 elect
6 conservative	7 assumption	8 opposite	9 declare	10 candidate
11 unified	12 authority			

1   무언가에 대한 논쟁

2   반대하다, ~와 대립[충돌]하다

3   누군가에게 무엇을 하도록 지시하다

4   적과 관련된, 우호적이지 않은

5   공직을 맡을 누군가를 (투표로) 뽑다

6   반의어

7   동사 : 명사

8   동사 : 형용사

9   동의어

10 그녀는 대통령 후보자로 지명되었다.

11 많은 사람이 남한과 북한이 될 수 있는 한 빨리 통일되어야 한다고 믿는다.

12 누가 당신에게 이런 일을 할 권한을 주었습니까?

Exercise

1 standard	2 indicate	3 allow	4 liberty	5 charity
6 improper	7 facility	8 affect	9 morality	10 deserve
11 factor	12 expired			

1 품질 또는 우수함의 기준

2 명확하게 하기 위해 가리키거나 보여 주다

3 누군가에게 무언가를 갖거나 하게 하다

4 무언가를 자유롭게 할 수 있는 상태

5 사람들을 돕기 위해 돈을 모금하는 단체

6 반의어

7 동사 : 명사

8 동의어

9 형용사 : 명사

10 당신은 그 자선 프로젝트에 대한 당신의 시간, 노력, 후원에 대해 우리의 특별한 감사를 받을 만한 자격이 있다.

11 낮은 보수와 큰 보상이 없이도 열심히 일하는 사람들이 있기는 하지만, 여전히 돈이 대부분의 근면한 직원들에게 동기를 부여하는 요소이다.

12 비자가 만료되었음에도 불구하고, 그는 그 나라에 불법으로 계속 머물렀다.

Day 22 Exercise

1 restrict	2 intentional	3 trap	4 suspect	5 deceive
6 restriction	7 permit	8 intentional	9 cheat	10 sentence
11 identify	12 criminals			

1 제한을 두다

2 계획된 방법 도는 고의로 행해지다

3 동물이나 새를 잡기 위한 장치 혹은 구멍

4 어떤 범죄에 대해 유죄라고 믿어지는 사람

5 누군가로 하여금 사실이 아닌 것을 믿게 하다

6 동사 : 명사

7 반의어

8 반의어

9 동의어

10 판사는 그 유괴범에게 30년을 선고했다.

11 수사관들은 해변에서 발견된 시신의 신원을 확인해 줄 단서를 찾기 위해 현장을 수색하고 있다.

12 새로운 법은 반드시 상습 범죄자가 초범보다 더 강력한 처벌을 받도록 할 것이다.

Day 23 Exercise

1 collide	2 obstacle	3 unite	4 defect	5 abuse
6 obstacle	7 negative	8 abandon	9 separate	10 misled
11 majority	12 manipulate			

1 강하게 서로에게 동의하지 않다

2 목표에 이르는 것을 어렵게 하는 것

3 목표에 이르기 위해 누구가와 합치다

4 어떤 것이나 그것이 만들어진 방식에서의 결함

5 잘못되거나 해로운 방식으로 무엇인가를 사용함

6 동의어

7 반의어

8 동의어

9 반의어

10 그 뉴스 보도는 잘못되어서 방송국이 사과해야 한다.

11 우리의 설문 조사는 대다수의 학생들이 돈과 관련하여 자신들이 현명하지 못하다고 생각한다는 것을 보여 준다.

12 그 정치가는 어떻게 여론을 조작하는지 알고 있다.

Day 24 Exercise

1 reside	2 resist	3 custom	4 independence	5 globalize
6 port	7 try	8 domestic[civil]	9 dominance	10 customs
11 tribes	12 reserve			

1 닳거나 내부르나

2 받아들이기를 거부하다

3 전통적인 행동 방식

4 다른 국가들에 의한 정치적인 통제로부터의 자유

5 무언가를 전 세계로 퍼져 나가게 하거나 영향을 미치게 하다

6 동의어

7 동의어

8 반의어

9 동사 : 명사

10 한국의 설날 풍습은 중국의 그것과 다르다.

11 그 나라는 여러 부족들로 이루어져 있어서, 합의에 도달하는 데 항상 문제가 있었다.

12 인간은 미래 세대를 위해 천연자원을 비축해야 한다.

Day 25 Exercise

1 assist	2 vary	3 conflict	4 famine	5 integrate
6 proposal	7 assistance	8 external	9 shortage	10 associated
11 contaminate	12 urged			

1 누군가가 어떤 일을 하는 것을 돕다

2 다르게 되다, 바뀌다

3 국가들 혹은 사람들 간의 다툼

4 사람들이 먹을 음식이 없는 상황

5 더 좋은 결과를 위해 다른 것들을 합치다

6 동사 : 명사

7 동사 : 명사

8 반의어

9 동의어

10 나는 그들이 테러리스트와 연합했다고 생각한다.

11 석유 산업은 전 세계의 토양, 물, 공기를 계속해서 오염시키고 있다.

12 국제연합은 사람들에게 지구를 위해 육류 섭취를 줄일 것을 촉구했다.

Day 26 Exercise

1 sacred	2 biography	3 settle	4 mummy	5 conserve
6 evaluate	7 revolutionary	8 descend	9 vanish	10 decade
11 Heritage	12 sermon			

1 종교적으로 매우 중요한

2 다른 사람에 의해 쓰인 한 사람의 인생 이야기

3 오랫동안 살 새로운 장소로 옮기다

4 고대 이집트인들이 했던 방식으로 매장할 준비가 된 사체

5 무언가를 보호하고 그것이 변하거나 손상되는 것을 방지하다

6 동의어

7 명사 : 형용사

8 반의어

9 동의어

10 지난 10년 동안 두 나라는 서로의 국경을 놓고 싸워 왔다.

11 오늘날, 이 유네스코 세계 문화유산 유적지는 이탈리아의 가장 각광받는 관광 명소 중 하나이다.

12 그 승려는 짧은 설교를 하고 복을 빌었다.

Day 27 Exercise

1 absorb	2 storage	3 clone	4 compound	5 microscope
6 toxic	7 substance	8 inanimate	9 melt	10 mammals
11 rays	12 extinct			

1 빨아들이거나 흡입하다

2 뭔가를 저장하기 위한 장소

3 원형에 대한 복제를 만들어 내다

4 둘 혹은 그 이상의 원소로 이루어진 물질

5 매우 작은 물체를 더 크게 보이도록 해 주는 기구

6 동의어

7 동의어

8 반의어

9 반의어

10 인간과 인간을 제외한 포유류 사이의 유전적 차이에 관한 수많은 연구가 이루어져 왔다.

11 태양 광선은 노화를 가속화하고 피부암에 걸릴 확률을 높인다.

12 몇몇 종들은 변화하는 환경에 적응하지 못해서 멸종하게 되었다

Day 28 Exercise

1 peak	2 severe	3 canyon	4 surround	5 spark
6 forecast	7 destructive	8 erupt	9 canyon	10 moisture
11 reflected	12 purify			

1 산의 뾰족한 꼭대기

2 극도로 나쁘거나 심각한

3 가파른 바위의 비탈을 가진 깊은 계곡

4 무엇인가 또는 누군가의 주위를 둘러싸다

5 타오르는 물질에서 튀는 작고 붉으며 뜨거운 선명한 불의 입자

6 동의어

7 반의어

8 동의어

9 동의어

10 소금과 설탕은 공기 중의 수분을 흡수하여 단단한 덩어리를 형성할 수 있다.

11 이것은 수영장 물이 동전으로부터 반사된 빛의 경로를 굴절시키기 때문에 일어난다.

12 식물은 미세먼지나 황사에 의해 오염된 공기를 정화하는 데 도움을 줄 수 있다.

Day 29 Exercise

1 galaxy	2 gravity	3 astronomer	4 orbit	5 rotate
6 precise	7 lunar	8 benefit	9 accelerate	10 digital
11 rotates	12 shuttle			

1 별과 행성의 큰 무리

2 물체를 땅으로 당기는 힘

3 우주의 것들을 연구하는 학자

4 물체가 행성, 달, 별 등의 둘레를 도는 길

5 무언가를 원으로 돌리거나 이 방향으로 움직이다

6 동의어

7 반의어

8 동의어

9 동의어

10 우리는 영상과 소리가 디지털 데이터로 변환된 **DVD**로 영화를 보는 것을 즐긴다.

11 지구는 하루에 한 번 자전하며, 일 년에 한 번 태양 주위를 돈다.

12 그 우주 왕복선을 위해 고안된 시스템은 이전 것보다 훨씬 더 정교하다.

Day 30 Exercise

1 request	2 response	3 surf	4 edit	5 link
6 delete	7 combine	8 capture	9 accessible	10 browse
11 circulated	12 database			

1 무언가를 공손하게 요청하다

2 질문에 주어진 대답

3 웹사이트를 방문하며 시간을 보내다

4 출간을 위해서 문자 자료를 만들다

5 클릭해서 빠르게 다른 영역이나 페이지로 갈 수 있게 해 주는 인터넷상의 단어 또는 사진

6 동의어

7 반의어

8 동의어

9 동사 : 형용사

10 나는 내 스마트폰으로 정보를 검색하고 쇼핑과 게임을 할 수 있다.

11 그 컴퓨터 게임의 해적판(무단 복제본)이 인터넷상에 유포되어 왔다.

12 그 팀은 선수들에 대한 방대한 양의 데이터를 모으고 분석함으로써 데이터베이스를 구축했다.

1일째에는 누적 테스트가 없습니다.

1	parental	부모의, 부모다운		11	generation	세대, 1대
2	breed	새끼를 낳다		12	supporter	지지자, 후원자
3	obedient	순종하는		13	gender	성별
4	treat	다루다, 대우하다		14	impression	인상, 감동
5	bring up	~을 기르다		15	typical	전형적인
6	greed	욕심, 탐욕		16	capable	유능한
7	take after	~을 닮다		17	attractive	매력적인
8	stand out	눈에 띄다, 빼어나다		18	relationship	관계, 관련
9	brilliant	훌륭한, 눈부신		19	funeral	장례식
10	elegant	우아한, 품위 있는		20	behave	행동하다, 처신하다

1	bold	대담한, 용감한		11	celebrate	기념하다, 축하하다
2	confident	자신만만한, 확신하는		12	anniversary	기념일
3	impatient	성급한, 참을성 없는		13	fate	운명, 숙명, 죽음
4	ambitious	야망이 있는		14	relieve	완화하다
5	ridicule	비웃다, 조롱하다		15	amaze	놀라게 하다
6	warm-hearted	마음이 따뜻한, 친절한		16	sentiment	감정, 정서
7	burst into	갑자기 ~을 터뜨리다		17	envy	부러워하다
8	sibling	형제자매		18	jealous	부러워하는, 질투하는
9	resemble	~와 닮다		19	shape	모양, 꼴, 모습
10	background	배경		20	appearance	출현, 나타남

1	aggressive	공격적인		11	niece	조카딸
2	fierce	사나운, 흉포한		12	engage	약혼시키다, 약속하다
3	kindness	친절, 다정함		13	nourish	영양분을 공급하다
4	oval	타원형의, 달걀형의		14	chop	자르다, 썰다
5	peel	껍질을 벗기다		15	grind	잘게 갈다
6	nourish	영양분을 공급하다		16	roast	굽다, 볶다
7	chop	자르다, 썰다		17	rotten	썩은, 부패한
8	grind	잘게 갈다		18	disgust	역겹게 하다
9	active	적극적인, 활동적인		19	astound	놀라게 하다
10	passive	소극적인, 수동적인		20	go off	상하다, 부패하다

1	odd	이상한, 홀수의	11	daycare	탁아소의, 보육의
2	forehead	이마	12	pregnant	임신한
3	ignorant	무지한, 무식한	13	nurture	양육하다, 키우다
4	nerve	신경, 용기	14	fiber	섬유, 섬유질
5	temper	성질, 기질, 화	15	contain	담고 있다, 포함하다
6	resent	화를 내다	16	instant	즉석요리의, 즉각적인
7	desperate	필사적인, 절망적인	17	peel	껍질을 벗기다
8	paste	반죽, 풀	18	plain	수수한, 무늬가 없는
9	blend	섞다,	19	premium	고가의, 고급의
10	collar	깃, 칼라	20	formal	공식적인, 격식을 차린

1	advise	충고하다, 조언하다	11	humble	겸손한, 초라한
2	lifetime	일생, 생애	12	arrogant	오만한, 거만한
3	mood	기분, 분위기	13	be tired of	~에 싫증이 나다
4	sorrow	슬픔, 비애	14	put up with	~을 참다
5	emotion	감정	15	thread	실, 실을 꿰다
6	kettle	주전자	16	length	길이, 기간
7	tray	쟁반	17	casual	격식을 차리지 않은
8	seasoning	조미료, 양념	18	fashion	유행, 인기
9	mess	어질러진 것, 쓰레기 더미	19	loose	헐거운, 느슨한
10	usual	평소의, 일상의	20	dispose	처리하다, 처분하다

1	interact	상호작용 하다	11	stripe	줄무늬
2	contact	연락, 접촉	12	comfort	편안함, 위로, 위안
3	personality	성격, 인성	13	fade	(색이) 바래다
4	anxious	불안해하는, 걱정하는	14	cottage	작은 집, 오두막집
5	ashamed	부끄러워하는	15	priceless	값을 매길 수 없는
6	cuisine	요리	16	tap	꼭지, 주둥이
7	raw	날것의	17	improve	향상시키다, 나아지다
8	grill	석쇠, 석쇠에 굽다	18	content	내용, 목차
9	drawer	서, 장롱	19	figure	그림, 수치
10	stair	계단	20	scholar	학자, 장학생

1	elder	나이가 위인, 선배의	11	routine	판에 박힌 일, 일과
2	diligent	근면 성실한, 부지런한	12	rely	믿다, 의지하다
3	awful	지독한, 아주 심한	13	dust	먼지를 털다, 먼지
4	miserable	비참한, 불행한	14	insight	통찰력, 간파
5	edible	먹을 수 있는	15	academic	학업의, 학구적인
6	nutrition	영양, 영양물 섭취	16	essence	본질, 기초
7	vegetarian	채식주의자	17	intelligence	지능, 이해력, 영리함
8	uniform	유니폼, 제복	18	memorize	기억하다, 암기하다
9	costume	의상, 복장	19	institute	협회, 연구소, 대학
10	alarm	경보기, 자명종	20	laboratory	실험실, 연구실

1	wrinkle	주름		11	break up with	~와 헤어지다
2	frighten	겁먹게 하다		12	spread	펴다, 펼치다, 퍼지다
3	panic	당황하다, 공포에 질리다		13	cleanse	세척하다, 씻다
4	flavor	맛과 향, 풍미를 더하다		14	wipe	닦다, 훔치다
5	scent	향기		15	solve	풀다, 해결하다
6	fancy	화려한, 장식적인		16	inspire	격려하다, 영감을 주다
7	outfit	옷, 의상 한 벌		17	refer	언급하다, 참고하다
8	sew	바느질하다		18	award	상, 상을 주다
9	senior	선임의, 선배의		19	multiply	곱하다, 증식하다
10	psychologist	심리학자		20	calculate	계산하다

1	scream	비명, 소리 지르다		11	manufacture	제조하다, 지어내다
2	dairy	우유의, 유제품의		12	manage	경영하다, 운영하다
3	fold	접다		13	operate	관리하다, 운영하다
4	discard	버리다, 처분하다		14	expert	전문가, 숙련가
5	appliance	기구, 장치		15	semester	학기
6	review	복습하다		16	absent	결석한, 불참한
7	linguistics	언어학		17	index	지수, 지표
8	due	기일이 다 된		18	deny	거절하다, 부인하다
9	term	학기, 기간, 용어		19	stationery	문방구, 문구류
10	examine	시험하다, 검사하다		20	take over	인계받다, 일을 넘겨받다

1	accompany	동행하다, 함께 가다	11	depression	우울
2	leftover	남은, 남은 음식	12	alter	변경하다
3	spacious	넓은, 광대한	13	trousers	바지
4	chore	자질구레한 일, 허드렛일	14	concept	개념, 발상
5	educate	교육하다	15	principle	원리, 원칙
6	instruct	교육하다, 가르치다	16	attach	붙이다, 첨부하다
7	lecture	강의	17	photocopy	사진 복사물
8	supervise	감독하다, 관리하다	18	scene	장면, 무대
9	accomplish	달성하다, 이루다	19	survey	조사, 검사, 측량
10	come up with	~을 생각해 내다	20	mass	대중, 집단

1	mature	성숙한	11	staple	스테이플러 철사 침
2	swallow	삼키다	12	confirm	승인하다, 확인하다
3	mop	닦다	13	detail	세부 사항
4	expose	노출시키다, 드러내다	14	channel	채널, 수로, 해협
5	theory	이론, 학설	15	criticize	비판하다, 혹평하다
6	eager	열성적인	16	compliment	칭찬, 칭찬하다
7	entrance	입학, 입장	17	flexible	유연성 있는
8	counselor	지도 교사, 카운슬러	18	monotonous	단조로운, 변화 없는
9	reward	보상, 보수	19	obscure	애매한, 분명하지 않은
10	show off	~을 과시하다	20	drawback	결점, 문제점

1	annoy	짜증 나게 하다	11	pile	더미, 쌓아 올리다
2	beverage	음료	12	colleague	동료
3	rubbish	쓰레기, 폐물	13	factual	사실의, 사실에 입각한
4	define	정의하다, 명확히 하다	14	fame	명성, 평판
5	peer	또래	15	delicate	연약한, 허약한
6	personnel	전 직원, 인원	16	flat	편평한
7	barber	이발사	17	broad	폭 넓은, 광범위한
8	report	보도하다, 전하다	18	quality	질, 특성
9	detergent	세탁 세제, 세정제	19	value	가치 있게 여기다
10	dress up	옷을 갖춰 입다	20	reduce	줄이다, 낮추다

1	spouse	배우자, 남편, 아내	11	weep	울다
2	suit	정장, 어울리다, 잘 맞다	12	press	신문, 잡지, 언론
3	vest	조끼	13	article	기사, 논설, 관사
4	polish	닦다, 광을 내다	14	compact	소형의, 간편한
5	demonstrate	보여 주다, 증명하다	15	brief	간단한, 짧은
6	dormitory	기숙사	16	trend	유행, 경향, 흐름
7	wage	임금, 급료	17	quantity	양
8	appoint	임명하다, 지명하다	18	glide	미끄러지다, 활주하다
9	agency	대리점, 대행 회사	19	beat	이기다, 심장이 뛰다
10	feed on	~을 먹고 살다	20	compete	경쟁하다, 겨루다

1	sympathy	동정, 공감	11	basis	기준 (단위), 기초
2	squeeze	짜다, 압착하다	12	classify	분류하다
3	fabric	천, 직물	13	journal	잡지, 정기 간행물
4	conclude	끝내다, 결론 내리다	14	variety	다양성, 변화
5	principal	(학교 등의) 장, 주된	15	goods	상품
6	aisle	통로, 복도	16	label	꼬리표, 상표
7	shift	교체, 교대	17	champion	챔피언, 우승자
8	retire	퇴직하다, 은퇴하다	18	aboard	(배·기차·비행기 등에) 탄
9	turn down	거절하다, 거부하다	19	depart	출발하다
10	hang up	~을 걸다, 전화를 끊다	20	sightseeing	관광, 유람

1	ripen	익다, 익히다	11	sharp	날카로운
2	cotton	솜, 면화	12	precious	소중한, 값비싼
3	flush	씻어 내리다	13	reasonable	합리적인, 적절한
4	statistics	통계학, 통계 자료	14	steady	안정된, 꾸준한
5	attendance	출석, 참석	15	ability	능력, 할 수 있음
6	architect	건축가, 설계자	16	leisure	여가, 레저, 자유 시간
7	document	문서, 서류	17	tip	사례금, 팁주다
8	booth	부스(칸막이한 작은 공간)	18	destination	목적지
9	focus	초점을 맞추다	19	conduct	지휘하다, 행동하다
10	argue over	~을 두고 논쟁하다	20	tune	조율하다

1	fur	모피		11	tag	꼬리표
2	nap	낮잠, 선잠		12	wrap	감싸다, 포장하다
3	physics	물리학		13	encourage	용기를 북돋다, 격려하다
4	geology	지질학		14	extreme	극단적인
5	motivate	동기를 부여하다		15	downtown	도심의, 도심지에
6	drop out (of)	~에서 중퇴하다, 빠지다		16	director	감독, 연출자, 지도자
7	secretary	비서		17	theme	주제, 테마
8	document	문서, 서류		18	strain	긴장, 큰 부담
9	poll	투표, 여론 조사		19	bruise	멍, 타박상, 좌상
10	square	정사각형, 제곱		20	come down with	~의 병에 걸리다

1	laundry	세탁물, 세탁소		11	match	경기
2	outlet	코드 구멍, 콘센트, 할인점		12	transport	운송, 운송 수단
3	diameter	지름		13	passenger	승객
4	experienced	경험이 있는, 숙달한		14	chorus	합창, 합창곡, 합창단
5	misplace	잘못 두다, 둔 곳을 잊다		15	interval	(연극·연주 등의) 막간
6	broadcast	방송하다, 방영하다		16	medical	의학의, 의술의
7	paradox	역설		17	mental	정신의, 심적인
8	describe	묘사하다		18	construct	건설하다, 조립하다
9	leave out	~을 빠뜨리다, 생략하다		19	pollution	오염, 공해
10	add up	합산하다		20	agriculture	농업

1	trim	다듬다, 손질하다	11	marvel	놀라운 일, 놀라다
2	literal	글자 그대로의, 정확한	12	tournament	토너먼트, 승자 진출전
3	attitude	태도, 마음가짐	13	underground	지하철, 지하의
4	vend	행상하다, 팔다	14	noble	고귀한, 고상한
5	requirement	필요조건, 자격	15	condition	건강 상태, 컨디션
6	assign	할당하다, 임명하다	16	chemical	화학 물질, 화학의
7	post	게시하다, 게시글	17	material	물질, 재료
8	pose	자세를 취하다, 자세	18	export	수출하다
9	artificial	인공적인	19	outcome	결과, 성과
10	wear out	많이 써서 낡게 하다	20	potential	잠재적인

1	crack	깨지다, 갈라진 금	11	ride	타다
2	literate	읽고 쓸 줄 아는	12	rehearse	예행연습을 하다
3	superior	상사, 윗사람, 우수한	13	compose	작곡하다, 구성하다
4	procedure	절차, 순서	14	digest	소화하다
5	panel	패널, 토론자단	15	disorder	(가벼운) 병, 장애
6	gigantic	거인 같은, 거대한	16	innovative	획기적인, 혁신적인
7	bargain	싼 물건	17	enterprise	기업, 회사
8	purchase	사다, 구입, 구입품	18	budget	예산, 예산안
9	call off	~을 취소하다, 철회하다	19	session	(국회의) 회기, (대학) 학기
10	take place	개최되다, 열리다	20	deed	업적, 행위

1	fluent	유창한	11	abroad	해외로
2	submit	제출하다	12	appreciate	감상하다, 감사하다
3	career	경력, 이력, 직업	13	worsen	악화되다
4	firm	회사, 굳은, 확고한	14	crisis	위기
5	series	연속물, 연속 프로	15	provide	공급하다
6	enormous	엄청난, 거대한	16	expense	지출, 비용, 경비
7	total	합계, 전체	17	immediate	즉각적인
8	serve	공을 서브하다	18	insist	고집하다, 주장하다
9	leak	새어나옴, 누출	19	inadequate	부적당한, 불충분한
10	run out of	~을 다 써 버리다	20	proper	적절한, 알맞은

1	profession	직업, 전문직	11	participate	참여하다, 참가하다
2	application	신청서, 원서, 응모	12	applaud	박수 치다
3	division	부서, 분열	13	spectacle	광경, 구경거리
4	notify	통지하다	14	distinct	다른, 별개의, 뚜렷한
5	reveal	드러내다, 폭로하다	15	sight	시각, 시력
6	audience	청중, 관중, 관객	16	enrich	풍부하게 하다
7	moderate	중간 정도의, 적당한	17	decline	하락, 하락하다
8	exclude	배제하다	18	expire	만기가 되다
9	go over	~을 점검하다	19	sentence	판결, 선고
10	look up	찾아보다, 조사하다	20	admit	인정하다

1	proficient	익숙한, 능숙한	11	baggage	수하물
2	prompt	신속한	12	pulse	맥박, 고동
3	tradition	전통, 관례	13	infection	감염, 전염(병)
4	exclaim	외치다	14	generate	발생시키다
5	asset	자산, 재산	15	constant	일정한, 지속적인
6	finance	재정, 재무	16	reputation	평판, 명성, 덕망
7	liberty	자유, 해방, 석방	17	conservative	보수적인
8	criminal	범인, 범죄자	18	defect	결점, 단점
9	prevent	막다, ~하지 못하게 하다	19	manipulate	조종하다, 조작하다
10	put off	~을 연기하다	20	mislead	잘못 인도하다, 속이다

1	regulate	규제하다, 통제하다	11	available	이용 가능한
2	forbid	금하다	12	exhibit	전시하다, 전시
3	negative	부정의, 소극적인	13	literature	문학
4	abnormal	비정상적인	14	sanitary	위생의, 위생적인
5	inner	내부의	15	symptom	징후, 증상
6	tax	세금	16	undertake	떠맡다, 착수하다
7	harbor	항구, 항만	17	assemble	조립하다, 모으다
8	acquire	얻다, 습득하다	18	capital	자본, 수도, 대문자
9	sign up for	등록하다, ~을 신청하다	19	declare	선언하다, 공표하다
10	contribute to	~의 한 원인이 되다	20	democracy	민주주의, 민주제

1	indicate	나타내다, 가리키다	11	violate	위반하다
2	deserve	~할 자격이 있다	12	offend	기분을 상하게 하다
3	disabled	장애를 입은, 장애의	13	investigate	조사하다, 수사하다
4	inject	주사하다, 투여하다	14	endanger	위험에 빠뜨리다
5	invest	투자하다	15	contaminate	오염시키다
6	expand	확장하다, 팽창하다	16	preserve	보존하다, 보호하다, 지키다
7	hostile	적대적인	17	territory	영역, 영토
8	authority	권위, 권한	18	reside	거주하다
9	lay off	~을 해고하다	19	addict	중독자
10	in need	어려움에 처한, 궁핍한	20	premature	시기상조의, 조급한

1	release	발매하다, 개봉하다	11	ultimate	궁극적인, 최후의
2	announce	알리다, 공표하다, 공고하다	12	faint	희미한, 어렴풋한
3	pastime	취미, 오락	13	navigate	항해하다
4	outdoor	야외의, 집 밖의	14	recover	회복하다, 되찾다
5	dispute	논쟁	15	emergency	비상사태, 위급
6	civilization	문명, 문화	16	commerce	상업, 통상, 교섭
7	revolution	혁명, 변혁	17	negotiate	협상하다
8	temptation	유혹	18	imitate	모방하다
9	circumstance	상황, 환경	19	insert	집어넣다
10	dwell on	~을 깊이 생각하다	20	necessity	필요(성), 필수품

1	pasture	목초지		11	reproduce	번식하다, 재생하다
2	unify	통일하다, 단일화하다		12	evolution	진화
3	run for	~에 입후보하다		13	extinct	멸종된, 사라진
4	advantage	이익, 유리한 점		14	confuse	혼란시키다, 혼동하다
5	stereotype	고정 관념		15	aspect	면, 양상, 외모
6	identify	확인하다, 감정하다		16	propose	제안하다, 청혼하다
7	insult	모욕하다, 모욕		17	universal	보편적인, 일반적인
8	intend	~할 작정이다		18	decade	10년간
9	exhaust	소진시키다		19	biography	전기, 일대기
10	globalize	세계화하다		20	devote	바치다, 헌신하다

1	absorb	흡수하다		11	strategy	전략, 계획
2	toxic	유독한		12	arrest	체포하다, 구속하다
3	explode	폭발하다		13	confess	자백하다, 고백하다
4	integrate	통합하다, 단결하다		14	convict	유죄를 선고하다
5	racial	인종의		15	unite	통합하다, 단결하다
6	trait	특성, 특색		16	occasion	경우, 특별한 일
7	gradual	점차적인, 단계적인		17	widespread	광범위한, 널리 퍼진
8	sacred	신성한, 성스러운		18	external	외부의, 밖의, 대외적인
9	surround	둘러싸다, 포위하다		19	moisture	수분, 습기
10	wash away	~을 쓸어 가다		20	reflect	반사하다, 반영하다

1	clone	복제하다, 복제 생물	11	volunteer	자원봉사자, 지원자
2	identical	동일한	12	prospect	전망, 가능성
3	poverty	가난, 빈곤	13	postpone	연기하다, 뒤로 미루다
4	abuse	남용, 오용, 학대	14	convince	납득시키다, 확신시키다
5	highway	고속 도로, 간선 도로	15	heritage	유산, 전통
6	convey	나르다, 전달하다	16	missionary	선교사, 전도사
7	merchandise	상품	17	gravity	중력
8	wreck	난파, 잔해	18	automatic	자동의
9	peak	정상, 봉우리, 절정	19	efficiency	효율, 능률
10	bring about	~을 불러일으키다	20	purify	정화하다, 정제하다

1	animate	살아 있는, 생물인	11	prescribe	처방하다
2	temporary	일시적인, 임시의	12	tablet	알약, 정제
3	indifferent	무관심한	13	faith	신념, 믿음
4	approve	찬성하다, 승인하다	14	minority	소수, 소수 민족
5	abandon	버리다, 포기하다	15	substance	물질
6	do away with	~을 없애다, 끝내다	16	enable	할 수 있게 하다
7	access	접근, 접근 방법	17	discover	발견하다
8	circulate	보급시키다, 유포하다	18	adjust	조절하다, 조정하다
9	activate	활성화하다	19	accelerate	가속하다
10	speak for	~을 대변하다	20	cut in	남의 대화에 끼어들다

Index

MEMO

MEMO

MEMO

MEMO

이름	소속	이름	소속	이름	소속	이름	소속
뉴경민	송현학원	이지혜	공부빙	정지영	이지학원	써잘비	인써울영이회췬
뉴빈채	백영고	이지재	리케이온 어학위	링차성	에듀플렉스	권지현	우리모두의 영수학원
유록술	전문과외	이지효	스탠스영어교습소	정희찬	파란영어학원	김계영	성신학원
유연이	큐엠	이진선	전문과외	제정미	제이영어	김국희	새라영어학원
유예지	삼성영어 한내학원	이진성	용인필탑학원	조병회	이철영어학원	김루	상승영수전문학원
유옥경	덕소 만점영어	이진주	아이원해법영어	조승규	제이앤와이 어학원	김민경	창선고등학교
유지아	CINDY'S ENGLISH	이창석	넛지영어학원	조용원	이티엘영어교습소	김민기	민쌤영어
유지현	ERC 유쌤영어 교습소	이충기	영어나무	조원웅	클라비스 영어전문학원	김선우	진성학원
유효선	앨리스영어학원	이태균	권선로제타스톤영어학원	조윤나	오세용어학원	김신영	김가영어학원
윤경미	윙스영어	이하워	전문과외	조은쌤	조은쌤영어전문학원	김신현	세종학원
윤석호	야탑고등학교	이한솔	위너스영어	조재만	가람한생기숙학원	김용진	다락방 남양지점 학원
윤숙현	광덕고등학교	이해진	파란영어학원	조정휘	유하이에듀 학원	김주은	동상교일학원
윤연정	Tr.Annie's Library	이현우	부천 신사고 영어학원	조준모	에스라이팅	김준	가우스 sme 전문학원
윤정원	플랜어학원	이효진	확인영어수학	조춘화	뮤엠영어발곡학원	김지윤	에듀퍼스트
윤정희	수어람학원	임광영	러셀기숙학원	조현지	전문과외	김지은	HNC영어전문학원
윤지후	오산 락수학 앤 윤영어	임수경	전문과외	조혜원	The 131	김진영	연세학원
윤창희	이룸교육	임수정	로고스아카데미	주지은	JIEUN ENGLISH CLASS	김현우	창녕 대성고등학교
윤형태	HAAS(하스)영어학원	임승호	다니엘학교	진남무	영어종결센터신봉학원	김형둘	통영여자고등학교
윤혜선	아이비스 영어학원	임연주	하이디드림팀	차안나	아이비스 영어학원	김화선	마산중앙고등학교
윤혜영	이루다영어수학학원	임은지	전문과외	채회수	전문과외	남유림	이루다영어교습소
이가림	전문과외	임은희	Eunice English	채회연	전문과외	노경지	전문과외
이강훈	이수학원	임지현	현쌤영어	최광현	포인트학원	노수진	인피니티영수전문학원
이경희	고려대아카데미	임창민	김포 우리학원	최명지	이천 청솔기숙	박민정	더클래스수학영어학원
이권우	수원 레볼리쉬 어학원	임창완	백영고등학교	최민석	탑클래스기숙학원	박선염	전문과외
이기문	엔터스카이학원	임효정	폭스영어입시전문학원	최상이	엄마영어아빠수학학원	박성용	박성용입시전문학원
이기쁨	전문과외	장미래	안성종로엠	최성원	패스파인더	박신영	GH영수전문학원
이나윤	철산에스라이팅영어학원	장민석	일킴훈련소입시학원	최세열	JS수학영어학원	박영하	네오시스템영어학원
이다솜	김수영보습학원	장소정	전문과외	최영임	국립중앙청소년디딤센터	박재형	인투잉글리쉬어학원
이대형	열린학원	장슬기	폭스영어학원	최유나	전문과외	박정아	전문과외
이명선	꿈의 발걸음 학원	장아련	목동J영어학원	최은진	고래영어학원	박제선	주식회사김은정교육그룹
이민재	제리킹영어학원	장유리	더바른영어학원	최은희	공부에 강한 아이들	박준곤	박준곤 개인과외
이보라	디오영어	장준성	링구아어학원	최인선	캐써린쌤의슈가영어교습소	배승빈	에스영어전문학원
이보라	김쌤보습 이쌤영어 학원	장현정	헤리티지영수학원	최창식	조나단영어보습학원	배종원	마산무학여고
이상록	PRM	장혜진	용인필탑학원	최회연	채움영어학원	배찬희	라하잉글리시신진주역점
이상윤	진짜공부입시학원	장호진	홍수학영어입시학원	최회정	SJ클쌤영어	신형섭	크림슨어학원
이상윤	한샘학원	장호선	영어의품격	편광범	야탑고등학교	심동현	The오름 영수학원
이서윤	계몽학원	전성준	이든학원	표효진	아너스영어전문학원	안혜경	T.O.P 에듀학원
이선미	정현영어학원	전성훈	훈선생영어학원	하사랑	덕계한샘학원	양경화	봄영어
이세미	유타스학원	전수빈	전문과외	하수용	시흥 대성학원	양기영	다니엘학원
이수정	이그잼포유	전우정	안양어학원	한순현	동탄 SKY 비상학원	원임미	링구아어학원
이수정	믿음영어전문과외	전주원	필업단과전문학원	한예진	필탑학원	유인희	보듬영어과외교실
이슬희	입시코드학원	전지애	고양국제고등학교	함수향	진심팩토리인재양성소	이경하	비타민 영수학원
이승은	공터영어동탄호수센터	전지혜	위슬런학원	현윤아	중등그린타운해법영어교습소	이문석	리더스 아카데미학원
이예녹	위너비투비학원	전호준	채움영어	홍승완	전문과외	이수길	명성영수학원
이연경	비욘드 영어학원	정규브	대치다다학원	홍은화	라라영어수학 학원	이연홀	리즈(Rhee's) 영어연구소
이연경	제니학원	정다옴	카인드학원	홍정우	정현영어학원	이윤설	창원경일여고
이영민	상승공감학원	정다은	전문과외	홍호영	닉고등입시학원	이인아	인잉글리쉬학원
이용우	한소망비전학원	정미란	티앤씨학원	홍희섭	조이 영어공부방	임진회	어썸영어학원
이은영	가람학원	정병채	탁클래스영어수학학원	홍희진	청평 한샘 학원	장경출	야꿈영수학원
이은영	서윤회입시영어학원	정선영	전문과외	황다연	The study 꿈자람	장은정	케이트어학원
이은주	지에듀	정선영	코어플러스영어학원	황명돌	옥정 엠베스트	장재훈	메르센학원
이은주	귀인중학교	정성	JK영어수학전문학원	황서윤	공부방	정상락	비상잉글리시아이 영어교습소
이은혜	리체움영어학원	정성태	에이든영어학원	황온진	더에듀영어수학학원	정수연	Got Them
이인철	루틴입시학원	정연우	최강학원	황일선	M&E	정수지	지탑영어
이재협	사차원학원	정연옥	인크영어학원			정희성	원스텝영어학원
이주연	Rachel's English	정연선	시퀀트학원	경남		최송관	창선고등학교
이준	맨투맨학원	정영훈	BS반석학원	강진원	T.O.P 에듀학원	최지영	시퀀스영어학원
이지우	이지우영어학원	정유진	전문과외	고성관	T.O.P 에듀학원	최현정	토킹스타영어학원
이지원	에듀플러스 학원	정윤하	전문과외	권승구	더케이영어학원	최환준	Jun English
이지은	DYB 최선고등관	정지연	공부의정석 학원	권승미	전문과외	최효정	인에이블영수학원

하동권 네오시스템영어학원
하수미 진동삼성영수학원
한지용 성미국영어학원
허민정 허달영어

경북

Kailey Pak KAILEY ENGLISH
강민표 현일고등학교
강선우 EiE 고려대국제어학원
강유진 지니쌤영어
강은석 은석학원
강혜성 EiE 고려대국제어학원
고일영 영어의비법학원
김광현 전문과외
김귀숙 퀸영어교습소
김규남 경상북도 영양교육지원청
김도량 다이너마이트잉글리쉬
김도영 김도영영어
김민호 잇올초이스
김상호 전문과외
김윤채 포카학원
김으뜸 EiE어학원 옥계캠퍼스
김정선 바투하이영어
김주호 공터 영어학원
김지현 토피아 영어 교습소
김지훈 전문과외
김형표 쌤영어학원
문상현 에이원영어
믄흥미 메디컬영어학원
박경llll 포항대성초이스학원
박계llll 영광중학교
박규정 베네치아 영어 교습소
박령llll 한뜻입시학원
박보성 문화고등학교
박예진 선주고등학교
박지수 포스코교육재단
배세왕 BK영수전문학원
성룡 미르학원
손누리 이든샘영수학원
손희llll 성균관아카데미 과학영어학원
유영선 아이비티주니어
유진욱 공부의힘 영수학원
윤재호 이상렬단과학원
이강정 이룸단과학원
이라나 제일영어놀이터
이민정 레이민원어민어학원
이보라 전문과외
이상열 이상렬llll단과학원
이소연 전문과외
이지연 전문과외
이지은 Izzy English
장미 잉글리시아이 원리학원
전영아 둔일학원
정소연 YBM퍼펙트잉글리쉬
정한갑 구미여자고등학교
정현수 엠베스트se위닝학원
정호정 인지니어스
조효근 수학만영어도학원
최경주 전문과외
최미선 3030영어망청포어러닝센터

허우열 탑세븐입시

광주

강나검 스위치영어수학
곽해림 AMG 영어학원
김도엽 스카이영어학원
김도영 KOUM ENGLISH
김동익 전문과외
김명재 범지연영어학원
김병남 일등급수학위즈덤영어학원
김상연 우리어학원
김서현 전문과외
김수인 모조잉글리쉬(MOJO English)
김유경 프라임 아카데미
김유진 위트니영어유타학원
김인화 김인화영어학원
김재곤 김재곤 중고등영어학원
김한결 상무외대어학원
김효은 청담아카데미학원
김효정 광주 메이드영어학원
문장엽 엠제이영어수학전문학원
박동훈 유캔영어
박정준 동아여고
박주형 본선동 한수위 국어 영어
박혜지 YBM잉글루 최강학원
배연주 본영수학원
봉병주 철수와영수
손아미 공감스터디학원
신지수 온에어영어학원
양신애 오름국어영어학원
오승리 이지스터디
오평안 지산한길어학원
우진일 블루페스 영어학원
유현주 U's유즈영어교습소
윤은주 아이비영어교실
이민정 롱맨어학원
이소민 더클래스영어전문학원
이진희 이마스터
이현창 진월유앤아이어학원
전솔 서강고등학교
정세윤 아름드리학원
정지선 이지스터디
최연숙 엠베스트SE공부학원
최현욱 최현욱 영어학원
최혜란 토킹클럽영어학원
한기석 이(E)영어교습소
한방엽 신통학원
현동욱 박철영어학원
황선미 함께가는영어

대구

구교찬 새롬영어
구범모 굿샘영어학원
구수진 전문과외
구현정 헬렌영어학원
권보현 씨즈더데이어학원
권익재 제이슨영어교습소
권하련 아너스이엠에스학원
김근아 블루힐영어학원
김기목 목샘영어교습소

김나래 더베스트영어학원
김미나 전문과외
김민재 열공열강 영어수학학원
김병훈 LU영어
김상완 YEP영어학원
김수미 스펙마스터
김연정 유니티영어
김유환 대구 유신학원
김윤정 독쭘영어
김은혜 고등학원 중등관
김정혜 제니퍼영어 교습소
김종석 에이블영수학원
김준석 크누KNU입시학원
김지영 김지영영어
김진호 강성영어
김철우 메라키 영어 교습소
김하나 전문과외
김현정 도우영수학원
김호연 KK 수학 영어
김희정 이선생영어학원
나기란 문깡일성점
노태경 윙스잉글리쉬
문창숙 지앤비스페셜입시학원
민승규 민승규영어학원
박고은 스테듀입시학원
박라율 열공열강영어수학학원
박민지 소나무학원
박소현 공터영어
박연희 좀다른영어
박예지 전문과외
박지환 전문과외
박희숙 열공열강영어수학학원
방성모 방성모영어학원
백소양 태양영어학원
백재민 에소테리카 영어학원
서상진 대진고등학교
서정인 서울입시학원
신경순 전문과외
신정식 넛지영어교습소
신혜경 외대학원
심경아 Shim's English
안다영 일라샘어학원
엄재경 하이엔드영어학원
오선연 전문과외
원현지 원생영어교습소
위은령 대구 브릿지영어
유소영 YH영어교습소
윤원채 윈잉글리쉬영어교습소
윤이강 카르페디엠 영어수학학원
이근성 헬렌영어학원
이동현 쌤마스터입시학원
이샛별 데카어학원
이소민 프라임영어학원
이수연 하이어영어
이수희 이온영어
이승민 전문과외
이승재 파머스어학원(침산캠퍼스)
이승현 대구 학문당입시학원
이승희 독쭘영어
이애진 한솔영어수학이쌤파워학원

이정인 계성고등학교
이진영 전문과외
이혁when 이헌욱 영어학원
임herr주 사범대단과학원
장정원 옥스포드영어학원
장현진 고려대EIE어학원현풍캠퍼스
전윤애 전문과외
정대웅 유신학원
정용희 에스피영어학원
조성애 조성애세움영어수학학원
조혜연 연쌤영수학원
주현지 E.T Betty
채유란 전문과외
최효진 너를 위한 영어
하해준 일라영어학원
한정아 능인고등학교
홍지수 홍글리시영어
황윤슬 사적인영어

대전

Tony Park Tony Park English
강태toll 끊어읽기영어
고우리 브릭스 영어학원
곽연우 유성고등학교
권현llll 디디샘영어
길민주 전문과외
김경이 영어서당학원
김근범 딴쌤영어
김기형 관저진학학원
김수연 둔산 엘포리어학원
김영철 전문과외
김재완 중촌브레인학원
김하나 위드유학원
나규성 비전21입시학원
남영종 엠베스트SE 대전 전민점
민지원 민쌤영어교습소
박난정 제일학원
박성희 청담프라임학원
박신지 청명대입학원
박주형 전문과외
박진선 전문과외
박진주 아이린인스티튜트 대전
박현진 전문과외
박효진 박효진 영어 교습소
백지수 플랫폼학원
서윤주 전문과외
송근근 일취월장학원
심효령 삼부가람
안수정 궁극의 사고
양지현 청출어람
오봉주 새미래영수학원
오지현 영어의 꿈 & 영재의 꿈
우희진 전문과외
유정인 제니영어
윤영숙 스칼렛영어
이고은 고은영어
이길형 빌드업영어
이대희 청명대입학원
이성구 청명대입학원
이수미 둔산0505

이원성 파스칼베스티안학원	윤혜은 링구아어학원 동래본부	김선경 미그앵이	박효원 링크영어교습소
이유나 전문과외	이상석 상석영어	김선연 압구정 플레디님 아카데미	박희상 대치쿰이하윈
이재근 이재근영어수학학원	이선녕 매리쌤잉글리쉬	김세헌 필오름학원	방요한 대치에스학원
이진경 이름학원	이순실 CDK국제어학당	김수진 리더스영어보습학원	배수경 강일연세학원
이홍민 모티브에듀학원	이유림 유림영어교습소	김승환 Arnold English Class	배수현 남다른 이해 학원
장혜진 피어오름영어	이윤호 메트로 영어	김아름 ABC학습방향연구소	백주미 레인메이커학원
정동녘 에스오에스학원	이은정 영어를on하다	김여진 전문과외	변지예 북두칠성학원
정동현 대성외국어	이재우 무한꿈터 동래캠퍼스	김연희 전문과외	서승희 대치동 함영원학원
정라라 영어문화원 정라라 영어교습소	이정윤 아벨영어	김영미 WIN영어	서은조 용강중학교
정윤희 Alex's English	이지혁 Serena영어	김영삼 중계YS영어	선지혜 최선메이트 본사
정혜수 쌜리영어	이혜정 로엠어학원	김윤선 쌜영어	성수빈 전문과외
조현 시나브로학원	이희정 로뎀영어 E&F English	김은영 루시아잉글리시	성수하 전문과외
진정원 코너스톤엘 상대학원	장민지 탑클래스영어학원	김은진 ACE영어 교습소	송정근 기정학원
채송은 위캔영어학원	전정은 전문과외	김종윤 가온에듀	송정은 이은재어학원
최성호 에이스영어 교습소	정승덕 JSD English	김종현 김종현영어	송현우 양서중학교
최현우 엠베스트SE엘리트학원	정영훈 J&C 영어전문학원	김주혜 라온학원	송혜인 전문과외
한형식 서대전여자고등학교	조은상 드림엔영어	김지영 강서고등학교	신경흠 제프영어
	조정훈 고려화 고등영어전문	김진돈 중계세일학원	신동주 공감학원
부산	채지영 리드앤영어도서관학원	김채원 정이조 영어학원	신정애 와와학습코칭학원
고경미 남구감만한맥학원	최우성 초이English&Pass	김하나 전문과외	신호현 아로새김
김달용 Able(에이블)영어교습소	최아내 일광IGSE 어학원	김현지 목동 하이스트 본원	신혜희 신쌤영어
김대영 나무와숲영어교습소	탁아진 에이블영어	김형준 미래탐구 오목관	심건희 전문과외
김도담 도담한영어교실	하현진 브릿츠영어	김혜림 대치 청담어학원	심나현 성북메가스터디
김도윤 코아영어교습소	한구상 전문과외	김혜영 스터디원	심민철 수능영어플러스+
김동혁 코어국영수전문학원	한영희 미래탐구 해운대	나선아 전문과외	심민혜 신일YT수학학원
김동휘 장정호 영어전문학원	홍지안 에이블어학원	노은경 이은재어학원	심은지 연세YTo어학원
김미혜 더멘토영어		노재순 씨투엠학원	안나연 전문과외
김병택 탑으로가는영어	**서울**	노종주 전문과외	안미영 스카이플러스학원
김성미 다올영어	Diana 위례광장 해법영어	도선혜 중계동 영어 공부방	안성연 안스잉글리시학원
김소연 전문과외	가혜림 목동종로학원	류다동 기동찬 영어학원	안수민 전문과외
김재경 탑클래스영어학원	강민정 네오 과학학원	맹혜선 휘경여자고등학교	안웅희 이엔엘 영수전문학
김정화 센텀영어교습소	강성호 대원고등학교	명가은 명가은 영어학원	안일훈 안일훈영어교습소
김지애 전문과외	강예린 TG 영어전문학원	문명기 문명기영어학원	안현우 지니영어학원
김진규 의문을열다	강인환 스터디코치영어전문학원	문민아 탄탄대로 입시컨설팅	양세희 양세희수능영어학원
김현지 이헌 영수 학원 초량분원	강정훈 더(the)상승학원	문영선 키맨학원	양하나 목동 씨엔씨
나유진 채움영어교습소	강현숙 토피아어학원 중계 본원	문지현 목동CNC	어홍주 이-베스트 영어학원
남경화 전문과외	공진 리더스	문진완 대원고	엄태열 대치 차오름학원
남재호 제니스학원	구민모 키움학원	박광운 전문과외	엄석민 은평지1230
류미향 류미향입시영어	구지윤 전문과외	박귀남 Stina English	오은경 전문과외
박분기 시너지학원	권보현 대치 다원교육	박기철 한진언 입시전략연구소	용혜영 SWEET ENGLISH 영어전문 공부방
박미진 MJ영어학원	권순상 사과나무학원	박남규 알짜영어교습소	우승희 우승희영어학원
박수진 제이엔씨 영어전문학원	권영진 경동고등학교	박미애 명문지혜학원	위정훈 앤트스터디 명품 대입관 학원
박아름 빽스잉글리쉬	권원주 권쌤영어	박민주 석선생 영어학원 중관	유수연 인헌중학교
박아림 틔움영어교습소	권재현 icu학원	박병석 주영학원	유현승 심슨어학원
박정희 학림학원	권혜령 전문과외	박선경 씨투엠학원	윤나예 미래영재
박지우 영어를 ON하다	길수현 전문과외	박소영 JOY	윤명원 이지수능교육원
박지은 박지은영어전문과외방	김경수 목동탑킴입시연구소	박소하 전문과외	윤상혁 전문과외
배거용 배거용영어전문학원	김나결 레이쌤영어교습소	박소현 전문과외	윤성 대치동 새움학원
배찬규 에이플러스영어	김다은 진인영어학원	박승규 SK 영어연구소	윤은미 CnT영어학원
서대광 서진단과학원	김라영 목동퀸즈영어학원	박예나 강북예일학원	윤정아 윤정아영어
성장우 전문과외	김명알 대치명인학원	박윤주 에이미 아카데미 보습학원	이강미 시은영어학원
손복건 대신종로학원	김미경 정이조 영어학원	박은경 전문과외	이계훈 이지영어학원
손소희 안창모 특목수능영어	김미선 낸시영어교습소	박정효 성북메가스터디학원	이광희 가온에듀 2관
손지안 정관 아슬란학원	김미은 오늘도맑음 영어교습소	박준용 은평 G1230	이국재 이은재영어학원
안영실 개금국제어학원	김미정 아발론랭콘신내캠퍼스	박지연 영어공부연구소	이남규 신정송현학원
안정희 GnB영어전문학원양성캠퍼스	김민지 클라라영어교습소	박지영 전문과외	이동근 이지스아카데미학원
오세창 범현반석단과학원	김보영 대치 다원교육	박진경 JAYz ENGLISH	이명순 Top Class English
오정안 장산역 우영어학원	김상희 스카이플러스	박진아 사과나무학원	이미영 티엠하버드영어학원
유수진 전문과외	김새은 온클래스영어교습소	박찬경 펜타곤어학원	이석원 숭실중학교
윤지영 잉글리쉬 무무 영어 교습소	김석주 올림포스학원		이석호 교원더퍼스트캠퍼스 학원

이성택	엠아이씨영어학원
이소민	임팩트영어
이소윤	늘품영어수전문학원
이승미	금천정상어학원
이시현	YBM학원
이아진	에이제이 인스티튜트
이영건	감탄교육
이영조	전문과외
이운정	전문과외
이유빈	채움학원
이은정	전문과외
이재연	대원여자고등학교
이정경	더스터디 영수학원
이정혜	서초고려학원
이종현	대원고등학교
이지연	석률학원
이지연	중계케이트영어학원
이지향	전문과외
이철웅	비상하는 또또학원
이태희	진학학원 고등관
이헌승	스탠다드학원
이현민	대원고등학교
이혜숙	사당대성보습학원
이혜정	이루리학원
이희진	씨앤씨학원
임서은	H&J 형설학원
임지효	전문과외
장근아	씨티에이정도학원
장민정	전문과외
장서영	전문과외
장서희	전문과외
장재원	전문과외
장혜민	에스클래스 영어전문학원
전다은	동화세상에듀코 와와센터
전보람	상명대학교사범대학부속여자고등학교
전성연	대성학원고척캠퍼스
전여진	진중고등영어
정가람	촘촘영어
정경록	미즈원어학원
정경아	정쌤영어교습소
정민혜	정민혜밀착영어학원
정성준	팁탑영어
정소연	이투스 전홍철 연구실
정원경	대원고등학교
정유진	탑잉글리쉬매쓰학원
정은미	류현규영어학원
정은아	헨리영어학원
정재욱	씨알학원
정해림	전문과외
정해림	전문과외
조대웅	전문과외
조미영	튼튼영어마스터클럽구로학원
조민석	더위엄수학원
조민재	정성학원
조봉헌	조셉영어국어학원
조봉희	자이온엘연구소
조아라	강북청솔학원
조연아	전문과외
조용현	바른스터디학원
조윤신	조이스 영어 교습소

조정현	동원중학교
조현미	조현미 영어 클래스
주정연	DYB최선어학원 마포캠퍼스
지현진	목동JSB영어학원
진수범	이상숙어학원
진영민	브로든영어학원
진주현	EMC
차주훈	트라인 영어 수학 학원
채민지	전문과외
채상우	클레망어
채에스더	문래중학교
최민주	전문과외
최유리	아이디어스 아카데미
최윤정	잉글리쉬앤 매쓰매니저 학원
최정문	한성학원
최진	금천정상어학원
최현선	수재학원
최형미	전문과외
최혜선	DYB최선어학원 마포캠퍼스
최희재	이주화어학원
하슬기	세종학원
한문진	이룸영어
한안미	한스잉글리시영어교습소
한인혜	레나잉글리쉬
함규민	클레어영어
허동녕	학림학원
허유정	Y.J최강영어
홍대균	선덕고등학교 특강강사
홍영민	성북상상학원
홍제기	정상어학원
황규진	잉글리쉬잇업
황상희	어나더레벨 영어전문학원
황혜정	석선생영어학원
황혜진	이루다 영어

세종

강봉식	맥스터디학원
곽영우	연세국제영어
권은경	전문과외
김지원	도램14영어
박예진	유빅학원
방종영	세움학원
백승희	백승희 영어
손대령	강한영어학원
송지원	베이 영어 & 입시컨설팅
안성주	더타임학원
안초롱	21세기학원
윤병근	만점영어학원
이다솜	세종장영실고등학교
이민지	공부방 마스터잉글리쉬
이정녕	세종중학교
장소영	상위권학원
조영재	카이젠교육
지영주	제나쌤의 영어교실

울산

강상배	1%단과전문학원
김경수	핀포인트영어학원
김내경	박정민영어
김성희	1%단과전문학원

김윤정	전문과외
김한중	스마트영어전문학원
김해섭	에임하이학원
양혜정	양혜정영어
이서경	이서경 영어
이수현	제이엘영어교습소
정은녕	한국ESL어학원
조충일	YBM 울산언양제1학원
최나비	더오름 high-end 학원
한건수	한스영어
한아현	블루밍영어교습소
허부배	비즈단과학원

인천

강미현	로렌영어
곽소희	인명여고
구하라	동인천 종로 엠
김남주	전문과외
김미경	김선생 영어/수학교실
김서애	제이+영어
김선나	태풍영어학원
김성률	좋은나무학원
김영재	강화펜타스학원
김영태	에듀터학원
김영호	조주석 수학&영어 클리닉학원
김윤경	엠베스트SE학원
김재혁	토피아 어학원
김정형	연평고등학교
김정훈	TNL 영어 교습소
김종민	문일여자고등학교
김지언	인천 송도탑영어학원
김지우	청담 에이프릴 어학원
김진용	학산학원
김택수	부개제일학원
나일지	두드림 HIGH학원
문지현	전문과외
박나혜	TOP과외
박세웅	서인천고등학교
박소희	북인천SLP
박재형	돌결영어교습소
박주연	Ashley's English Corner
박진영	인천외국어고등학교
신나리	이루다교육학원
신영진	엉클쌤과외
신은주	명문학원
신현경	청라 미라클 어학원
안진용	Tiptop학원
안현정	진심이교육하는학원
양현진	지니어스영어
양희진	지니어스영어
오성택	소수정예 중고등영어
오희정	전문과외
원준	전문과외
윤희영	세실영어
이가희	S&U영어
이금선	전문과외
이미선	고품격EM EDU
이슬	청라어썸영어학원
이윤주	Triple One

이은정	인천논현고등학교
이용제	숭덕여자고등학교
임per주	원소운과외
장승혁	지엘학원
전혜원	제일고등학교
정도영	대신학원
정수진	11월의 비상
정유리	인천아라고
정은혜	즐거운 정샘 영어학원
정지웅	정지웅 영어교실
정춘기	올어바웃잉글리쉬
조윤정	원당중학교
최민지	빅뱅영어
최윤정	BK영어전문학원
최지유	J(제이)영수전문학원
최지혜	유베스타 어학원
최창영	학산학원
한보륜	더뉴에버
한승완	청라하이츠영수학원
허대성	방과후교시
홍덕창	송현학원 계양분원
홍승표	보스턴영어학원
홍정희	지성의 숲
황성현	인천외국어고등학교

전남

강용문	JK영어입시전문
강유미	목포남악정상어학원
고경희	에이블잉글리쉬
김미선	여수영어교습
김수희	Irin영어
김아름	지앤비 어학원
김은정	BestnBest 영어전문
김지현	이써밋수학학원
김채연	전문과외
라희선	재스민영어 전문과외
류승runn준	타임영어학원
박동규	정상학원
박온유	함평월광기독학교
박팔주	하이탑학원
손성호	아름다운 11월 학원
심명희	SP에듀학원
양명승	엠에스 어학원
오은주	순천금당고
이상호	스카이입시학원
이영주	재키리 영어학원
조소울	수잉글리쉬
차형진	상아탑학원
황상윤	K&H 영어 전문학원

전북

강지훈	고려학원
길지만	비상잉글리시아이영어학원
김나은	애플영어학원
김나현	전문과외
김대환	엠베스트SE아중점
김설아	에듀캠프학원
김수정	베이스탑스터디
김숙	매딘원영어
김영해	피렌체 어학원

김종찬	부안최강학원	설재윤	마스터입시학원
김태연	전문과외	송수아	송수아 영어 교습소
심현영	하이이잉글리쉬 영어㎜습소	신현진	올리넝어
나종훈	와이엠에스입시전문학원	오근혜	셀렌쌤영어
박욱현	군산외대어학원	유정선	메가수학메가영어학원
박준근	이투스247 전주완산점	이규현	글로벌학원
박차희	연세입시	이사랑	오성GnB영어학원
배영섭	YMS 입시학원	이정찬	두빛나래영수학원
서명원	군산 한림학원	이종화	오름에듀
신원섭	리종엽학원	이지숙	마이티영어학원
심미연	호남고등학교	이호영	이플러스학원
안지은	안지은영어학원	이황	천안강대학원
유영목	유영목영어전문	임한수	탑클래스학원
이경훈	리더스영수전문학원	임혜지	전문과외
이예진	고려대EIE어학원	장성	상승기류
이윤경	코드영수전문학원	장완기	장완기학원
이지원	탄탄영어수학전문학원	장진아	종로엠스쿨 부여점
이한결	DNA영어학원	주희	천안 탑씨크리트영어학원
이현준	전문과외	채은주	위너스학원
이효상	에임하이영수학원	최용원	서일고등학교
장동욱	의치약한수학원	허길	에듀플러스학원
정방현	익산투탑영수학원	허지수	전문과외
조형진	대니아빠앤디영어교습소		
최석원	전주에듀캠프학원	**충북**	
최유화	순창 탑학원	강홍구	청주오창비상아이비츠학원
허욱	YMS입시전문학원	김도현	에스라이팅어학원
홍진영	지니영어교습소	마종수	새옴다움학원
		박광수	필립영어전문
제주		박상하	상하영어
강수빈	전문과외	박수열	팍스잉글리쉬학원
고보경	제주여자고등학교	신유정	비타민 영어클리닉 학원
고승용	RNK 영어수학학원	연수지	탑클랜영어수학학원
김민정	제주낭만고등어학원	우선규	우선규영어교습소
김태형	Top Class Academy	윤홍석	대학가는 길 학원
김희	전문과외	이경수	더에스에이티영수단과학원
박시연	에임하이학원	이재욱	대학가는 길 학원
배동환	뿌리와샘	이재은	파머스영어와이즈통학원
송미현	세렌디피티 영어과외 공부방	임원용	KGI의대학원
신연우	전문과외	최철우	최쌤영어
이지은	제주낭만고등어학원	최하나	라이트에듀영어교습소
임정열	엑셀영어 전문과외	최하나	전문과외
정승현	J's English	하선빈	어썸영어전문학원
한동수	위드유 학원		

충남

고유미	고유미영어
권선교	합덕토킹스타학원
김선영	어플라이드 영어학원
김인영	더오름영어
김일환	김일환어학원
김창식	서산 꿈의학교
김창현	타임영어학원
김현우	프렌잉글리시로엘입시전문학원
남궁선	공부의맵 학원
박아영	닥터윤 영어학원
박재영	로제타스톤 영어교실
박제희	대안학교 레드스쿨
박태혁	인디고학원
박희진	박쌤 과외
백일선	명사특강

Word ∞ master

3 in 1

본책 + 미니북 + 워크북 구성의

완벽한 영단어 학습 시스템

한 번 더

업그레이드!

업그레이드 방법은 뒷면에 ≫

OFF LINE 도서 에 **ON LINE** 학습앱 을 더해

업그레이드

Word ∞ master

워드마스터 학습앱 How To Use

Step. 1 앱 설치 및 회원가입

» 앱 바로가기

Step. 2 마이룸에서 하단의 학습앱 코드 입력

Step. 3 학습관에서 데이터 다운로드

Step. 4 학습관에서 단어/음성 암기부터 TEST까지

헷갈리는 단어는 ⊕를 눌러 단어장에 저장하세요.

Step. 5 단어장에서 헷갈리는 단어 복습

Step. 6 마이룸에서 누적 테스트 결과로 학습 상태 점검

학습앱 코드 J3N2W6N5

※ 코드는 1회 등록 가능합니다.

Word ∞ master

중등 고난도

Workbook

Daily
Check-up

[01~30] 영어 단어를 보고 알맞은 뜻을, 뜻을 보고 알맞은 영어 단어를 쓰시오.

01 generation   _____

02 supporter   _____

03 niece   _____

04 engage   _____

05 celebrate   _____

06 anniversary   _____

07 fate   _____

08 advise   _____

09 lifetime   _____

10 elder   _____

11 parental   _____

12 breed   _____

13 obedient   _____

14 treat   _____

15 interact   _____

16 연락, 접촉   _____

17 관계, 관련, 연관   _____

18 장례식   _____

19 행동하다, 처신하다   _____

20 형제자매   _____

21 ~와 닮다   _____

22 배경   _____

23 탁아소의, 보육의   _____

24 임신한   _____

25 양육하다, 키우다   _____

26 동행하다   _____

27 성숙한   _____

28 배우자   _____

29 ~을 기르다   _____

30 ~와 헤어지다   _____

[31~38] 다음 문장의 빈칸에 알맞은 단어를 쓰시오.

31 I was tired because I took care of my _____ all day yesterday.
나는 어제 하루 종일 나의 조카딸들을 돌보았기 때문에 피곤했다.

32 In the middle of the performance, the worst possible _____ fell upon him. 공연 도중에, 있을 수 있는 최악의 운명이 그에게 들이닥쳤다.

33 It was the chance of a _____ as well as fate for my cousin to meet such a good person.
내 사촌이 그렇게 좋은 사람을 만난 것은 운명일 뿐만 아니라 일생에 다시 없을 기회였다.

34 Children must have _____ consent to go on the field trip.
아이들은 현장 학습을 가려면 부모님의 허락을 받아야 한다.

35 He _____ well with his parents and his sister, but he has poor social skills. 그는 그의 부모님, 여동생과는 소통을 잘하지만, 사회성이 부족하다.

36 They are _____, but they have very different appearances and characters. 그들은 형제자매지만, 매우 다른 외모와 성격을 가지고 있다.

37 It can be mowing your neighbor's lawn, or coming home early from work to give your _____ a break from the kids.
그것은 이웃의 잔디를 깎는 것이거나 배우자에게 육아로부터의 휴식을 주기 위해 일찍 퇴근하는 것일 수도 있다.

38 She knows she is _____, but she hasn't told the fact to her husband yet.
그녀는 자신이 임신했다는 것을 알고 있지만 아직 그녀의 남편에게 그 사실을 말하지 않았다.

[01~30] 영어 단어를 보고 알맞은 뜻을, 뜻을 보고 알맞은 영어 단어를 쓰시오.

01 shape	_____	16 훌륭한, 눈부신	_____
02 appearance	_____	17 우아한, 품위 있는	_____
03 personality	_____	18 겸손한, 초라한	_____
04 gender	_____	19 오만한, 거만한	_____
05 impression	_____	20 공격적인	_____
06 typical	_____	21 사나운, 흉포한	_____
07 capable	_____	22 친절, 다정함	_____
08 attractive	_____	23 타원형의, 달걀형의	_____
09 active	_____	24 이상한, 홀수의	_____
10 passive	_____	25 이마	_____
11 diligent	_____	26 무지한, 무식한	_____
12 bold	_____	27 주름	_____
13 confident	_____	28 욕심, 탐욕	_____
14 impatient	_____	29 ~을 닮다	_____
15 ambitious	_____	30 눈에 띄다, 빼어나다	_____

[31~38] 다음 문장의 빈칸에 알맞은 단어를 쓰시오.

31 The _____ in nature are very pleasing to the eye.
자연의 모양들은 보기에 매우 좋다.

32 _____ discrimination against women in the workplace is strictly banned by law. 직장 내 여성에 대한 성차별은 법으로 엄격히 금지되어 있다.

33 The first _____ you have on someone tends to last forever.
당신이 누군가에 대해 갖는 첫인상은 끝까지 지속되는 경향이 있다.

34 Those who are really _____ usually consider themselves very lazy.
실제로 부지런한 사람들은 보통 자신을 매우 게으르다고 생각한다.

35 She's a good teacher but tends to be a bit _____ with slow learners.
그녀는 훌륭한 교사지만 배움이 느린 학생들에게 약간 참을성 없는 경향이 있다.

36 Jisoo is _____ to get into the best university in Korea.
지수는 한국 최고의 대학에 들어갈 포부를 가지고 있다.

37 My homeroom teacher has a fierce look, but unlike her _____, her personality is very sweet.
우리 담임 선생님은 사나운 외모를 가졌지만, 외모와는 달리 성격은 매우 상냥하시다.

38 In looks he _____ his grandfather.
외모 면에서 그는 자신의 할아버지를 닮았다.

[01~30] 영어 단어를 보고 알맞은 뜻을, 뜻을 보고 알맞은 영어 단어를 쓰시오.

01 mood _____

02 sorrow _____

03 emotion _____

04 anxious _____

05 ashamed _____

06 depression _____

07 weep _____

08 annoy _____

09 relieve _____

10 amaze _____

11 sentiment _____

12 envy _____

13 jealous _____

14 nerve _____

15 temper _____

16 화를 내다, 분개하다 _____

17 필사적인, 절망적인 _____

18 지독한, 아주 심한 _____

19 비참한, 불행한 _____

20 역겹게 하다 _____

21 놀라게 하다 _____

22 겁먹게 하다 _____

23 당황하다 _____

24 비명, 소리 지르다 _____

25 동정, 공감 _____

26 비웃다, 조롱하다 _____

27 마음이 따뜻한, 친절한 _____

28 갑자기 ~을 터뜨리다 _____

29 ~에 싫증이 나다 _____

30 ~을 참다 _____

[31~38] 다음 문장의 빈칸에 알맞은 단어를 쓰시오.

31 I felt the _____ of joy, sorrow, hate and love in the book.
나는 그 책에서 기쁨, 슬픔, 증오, 사랑의 감정을 느꼈다.

32 She felt _____ of herself for trusting him blindly.
그녀는 무턱대고 그를 믿은 것에 대해 부끄러워했다.

33 I _____ anyone who can eat whatever they want and doesn't gain weight. 먹고 싶은 건 뭐든지 먹으면서 살은 찌지 않는 사람이 나는 부럽다.

34 She lost her _____ when her daughter broke the dish into pieces.
딸이 접시를 산산조각 내자 그녀는 화를 냈다.

35 Since I had such an _____ toothache, I couldn't sleep.
몹시 심한 치통으로 나는 잠을 잘 수가 없었다.

36 Charles has _____ us all with his courage and dignity.
Charles는 그의 용기와 위엄으로 우리 모두를 놀라게 했다.

37 He is globally known to _____ other countries in his speeches.
그는 자신의 연설에서 다른 나라들을 조롱하는 것으로 전 세계적으로 알려져 있다.

38 I will not _____ your bad behavior any longer.
나는 더 이상 너의 나쁜 행동을 참지 않을 것이다.

[01~30] 영어 단어를 보고 알맞은 뜻을, 뜻을 보고 알맞은 영어 단어를 쓰시오.

01 fiber	_____	16 우유의, 유제품의
02 contain	_____	17 주전자
03 instant	_____	18 쟁반
04 peel	_____	19 조미료, 양념
05 nourish	_____	20 맛과 향
06 chop	_____	21 향기
07 grind	_____	22 남은, 남은 음식
08 roast	_____	23 삼키다, 삼키기
09 rotten	_____	24 음료
10 cuisine	_____	25 짜다, 압착하다
11 raw	_____	26 익다, 익히다
12 grill	_____	27 반죽
13 edible	_____	28 섞다
14 nutrition	_____	29 상하다, 부패하다
15 vegetarian	_____	30 ~을 먹고 살다

[31~38] 다음 문장의 빈칸에 알맞은 단어를 쓰시오.

31 Whole grains _____ adequate amount of dietary fiber.
통곡물은 적정한 양의 식이 섬유를 함유하고 있다.

32 The cook peeled the onion and _____ it into small cubes.
요리사는 양파 껍질을 벗기고 그것을 작은 네모 모양으로 썰었다.

33 _____ the beef for 5 minutes over a low heat if you like it rare.
살짝 익힌 소고기를 좋아하신다면, 약한 불에서 5분 동안 구우세요.

34 Humans learned that cooked foods taste better and are safer than _____ ones.
인간은 익힌 음식이 날음식보다 맛이 더 좋고 더 안전하다는 것을 알게 되었다.

35 Fill the _____ with water and put it on the stove.
주전자에 물을 받아서 레인지 위에 올려 놓아라.

36 Fresh ginger gives an eastern _____ to the dish.
신선한 생강은 그 요리에 동양적인 맛을 더한다.

37 _____ a little milk with flour, sugar, and cinnamon powder to form a paste. 약간의 우유를 밀가루, 설탕, 계핏가루와 섞어 반죽을 만들어라.

38 Owls _____ mice and other small animals.
올빼미는 쥐와 다른 작은 동물을 먹고 산다.

[01~30] 영어 단어를 보고 알맞은 뜻을, 뜻을 보고 알맞은 영어 단어를 쓰시오.

01 uniform _____

02 costume _____

03 collar _____

04 thread _____

05 length _____

06 casual _____

07 fashion _____

08 loose _____

09 stripe _____

10 comfort _____

11 fade _____

12 fold _____

13 plain _____

14 premium _____

15 formal _____

16 화려한, 장식적인 _____

17 옷, 의상 한 벌 _____

18 바느질하다 _____

19 변경하다 _____

20 바지 _____

21 정장, 어울리다 _____

22 조끼 _____

23 천, 직물 _____

24 솜, 면화 _____

25 모피 _____

26 세탁물 _____

27 세탁 세제 _____

28 옷을 갖춰 입다 _____

29 많이 써서 낡게 하다 _____

30 ~을 과시하다 _____

[31~38] 다음 문장의 빈칸에 알맞은 단어를 쓰시오.

31 On Halloween, children in colorful _____ visit houses for candy.
핼러윈에는, 다채로운 의상을 입은 아이들이 사탕을 받으러 집들을 방문한다.

32 On long flights, wear _____ clothing and comfortable shoes.
긴 비행에서는 헐렁한 옷을 입고 편안한 신발을 신으세요.

33 Kate is wearing a _____ T-shirt and jeans, and she looks
fashionable. Kate는 무늬가 없는 티셔츠와 청바지를 입고 있으며, 그녀는 멋있어 보인다.

34 It was as fancy an _____ as ever I had bought in the secondhand
shop. 그것은 내가 지금까지 중고 가게에서 산 옷 중에 가장 화려한 옷이었다.

35 He dressed in the best _____ and always carried a silk handkerchief.
그는 가장 좋은 정장을 입었고, 항상 실크 손수건을 가지고 다녔다.

36 Balloons can be made from materials such as rubber, latex, or a nylon
_____. 풍선은 고무, 라텍스 또는 나일론 직물 같은 물질로 만들어질 수 있다.

37 It removes even blood stains better than the leading rival _____ in
warm water. 이것은 따뜻한 물에서 일류 경쟁사의 세제보다 핏자국까지도 더 잘 제거한다.

38 She _____ a sparkling diamond bracelet at the party.
그녀는 파티에서 반짝이는 다이아몬드 팔찌를 뽐냈다.

[01~30] 영어 단어를 보고 알맞은 뜻을, 뜻을 보고 알맞은 영어 단어를 쓰시오.

01 cottage _____

02 priceless _____

03 tap _____

04 alarm _____

05 mess _____

06 usual _____

07 routine _____

08 rely _____

09 dust _____

10 spread _____

11 cleanse _____

12 wipe _____

13 mop _____

14 drawer _____

15 stair _____

16 쓰레기, 폐물 _____

17 처리하다, 처분하다 _____

18 버리다, 처분하다 _____

19 기구, 장치 _____

20 넓은, 광대한 _____

21 자질구레한 일 _____

22 닦다, 광을 내다 _____

23 씻어 내리다 _____

24 낮잠, 선잠 _____

25 코드 구멍, 할인점 _____

26 다듬다, 손질하다 _____

27 깨지다, 금이 가다 _____

28 새어나옴, 누출 _____

29 ~을 다 써 버리다 _____

30 ~을 걸다 _____

[31~38] 다음 문장의 빈칸에 알맞은 단어를 쓰시오.

31 Can you shut off the water for 10 or 15 minutes while I fix the _____?
내가 수도꼭지를 수리하는 동안 10~15분 정도 물을 잠가 주겠니?

32 She beat dust out of the blanket and _____ it on the mattress.
그녀는 담요의 먼지를 털고는 그것을 매트리스 위에 펼쳤다.

33 The cushion cover should be _____ gently with mild soap and water.
그 쿠션 커버는 순한 비누와 물로 부드럽게 세척해야 한다.

34 We nervously made our way down the _____ and outside.
우리는 초조하게 계단을 내려와 밖으로 나갔다.

35 I felt as if my bedroom had become _____ once I discarded the
chair. 의자를 버리고 나니 내 침실이 한결 넓어진 것처럼 느껴졌다.

36 She hardly has time for napping, tied up with the household _____
all day long. 그녀는 온종일 집안일에 매여서 좀처럼 낮잠을 잘 시간이 없다.

37 Timothy is _____ the lawn around the roses.
Timothy는 장미 주위의 잔디를 다듬고 있다.

38 Will my heating system get damaged if I _____ oil?
기름을 다 써 버리면 난방 시스템이 손상될 수 있습니까?

[01~30] 영어 단어를 보고 알맞은 뜻을, 뜻을 보고 알맞은 영어 단어를 쓰시오.

01 insight   _____ 16 노출시키다 _____

02 academic _____ 17 이론, 학설 _____

03 essence _____ 18 정의하다 _____

04 intelligence _____ 19 보여 주다, 증명하다 _____

05 solve _____ 20 끝내다 _____

06 inspire _____ 21 통계학, 통계 자료 _____

07 refer _____ 22 물리학 _____

08 review _____ 23 지질학 _____

09 linguistics _____ 24 지름 _____

10 improve _____ 25 글자 그대로의 _____

11 content _____ 26 읽고 쓸 줄 아는 _____

12 figure _____ 27 유창한 _____

13 scholar _____ 28 ~을 점검하다 _____

14 concept _____ 29 찾아보다, 조사하다 _____

15 principle _____ 30 ~을 깊이 생각하다 _____

[31~38] 다음 문장의 빈칸에 알맞은 단어를 쓰시오.

31 How can _____ achievement be measured?

학업 성취도는 어떻게 측정될 수 있는가?

32 The exposure to nature could _____ concentration of children with ADHD.

자연에 노출시키는 것이 ADHD(주의력 결핍 과잉 행동 장애)를 앓는 아이들의 집중력을 향상시킬 수 있었다.

33 Some _____ have been studying about ancient sites.

몇몇 학자들은 고대 유적지에 대해 연구해 오고 있다.

34 We agree with their idea in _____, but it's not always possible in practice.

원칙적으로 우리는 그들의 생각에 동의하지만, 실제로 그것이 항상 가능한 것은 아니다.

35 A new evidence supports the _____ of life beginning in space.

새로운 증거가 우주 생명의 기원에 관한 그 이론을 뒷받침해 준다.

36 We disagreed on how to _____ the meaning of success.

우리는 성공의 의미를 정의하는 것에 의견을 달리했다.

37 He asked her to help him to fill out the form because he wasn't _____.

그는 읽고 쓸 줄 몰랐기 때문에 그녀에게 양식 기입하는 것을 도와달라고 부탁했다.

38 Could you _____ this report and correct any mistakes?

이 보고서를 검토해 보고 틀린 부분이 있으면 고쳐 주시겠어요?

[01~30] 영어 단어를 보고 알맞은 뜻을, 뜻을 보고 알맞은 영어 단어를 쓰시오.

01 educate

02 instruct

03 lecture

04 due

05 term

06 examine

07 award

08 multiply

09 calculate

10 memorize

11 institute

12 laboratory

13 dormitory

14 principal

15 aisle

16 학기

17 결석한

18 출석, 참석

19 동기를 부여하다

20 태도, 마음가짐

21 열성적인

22 입학

23 제출하다

24 작품 모음, 포트폴리오

25 또래

26 장학금

27 장학금, 주다

28 ~와 잘 지내다

29 따라잡다, 만회하다

30 (~에서) 중퇴하다

[31~38] 다음 문장의 빈칸에 알맞은 단어를 쓰시오.

31 The following topics will be _____ in the midterm test.
다음 주제들이 중간고사에서 평가될 예정이다.

32 The _____ called all the teachers to his office for an emergency meeting. 교장은 긴급회의를 위해 모든 교사들을 교장실로 소집했다.

33 The flight attendants had made several trips up and down the _____ carrying their carts. 승무원들은 카트를 끌고 통로를 수차례 왔다 갔다 했다.

34 My teachor always takes _____ before class.
나의 선생님은 항상 수업 전에 출석을 점검하신다.

35 A desire to go to medical school _____ him to study hard every day.
의대에 가고 싶은 열망은 그가 매일 열심히 공부하도록 동기를 부여한다.

36 He was cheerful, _____ to learn, never late and never absent.
그는 활발했고 열심히 배우고자 했으며, 절대 늦거나 결석하지 않았다.

37 Our students should learn social skills, the ability to meet people and to _____ them.
우리 학생들은 사회적 기술, 즉 사람들을 만나고 그들과 잘 지내는 능력을 배워야 한다.

38 Too many students _____ of college after only one year.
너무 많은 학생들이 1년 만에 대학을 중퇴한다.

[01~30] 영어 단어를 보고 알맞은 뜻을, 뜻을 보고 알맞은 영어 단어를 쓰시오.

01 manufacture _____   16 건축가 _____

02 manage _____   17 비서, 장관 _____

03 operate _____   18 경험이 있는 _____

04 expert _____   19 행상하다, 팔다 _____

05 senior _____   20 필요조건, 자격 _____

06 psychologist _____   21 상사, 윗사람 _____

07 personnel _____   22 경력, 이력 _____

08 barber _____   23 직업, 전문직 _____

09 counselor _____   24 신청서, 원서 _____

10 reward _____   25 봉급, 급여 _____

11 wage _____   26 노동, 일 _____

12 shift _____   27 익숙한, 능숙한 _____

13 retire _____   28 신속한 _____

14 supervise _____   29 ~을 주장하다 _____

15 accomplish _____   30 거절하다 _____

[31~38] 다음 문장의 빈칸에 알맞은 단어를 쓰시오.

31 A pilot is so-called a technical _____ who flies an airplane.
파일럿은 비행기를 조종하는 소위 기술 전문가이다.

32 Jack, who is an expert in business, is _____ to Sara.
Jack은 비즈니스업계에서 전문가인데, 그는 Sara보다 선배이다.

33 A school _____ can give you some advice if you have any trouble at school. 학교에서 어떤 문제를 겪게 된다면 학교 지도 교사가 조언을 해 줄 수 있다.

34 The brighter lights kept workers more awake and able to work to the end of a night _____.
더 밝은 조명은 노동자들이 더 깨어 있게 하여 야간 근무를 끝까지 해낼 수 있게 됐다.

35 I don't think she's really _____ enough for this job.
나는 그녀가 실제로 이 직업에 충분히 경험이 있다고 생각하지 않는다.

36 His _____ as a lawyer helped him to be a promising judge in the city. 그의 변호사 경력은 그가 그 도시에서 전도유망한 판사가 되는 데 도움이 됐다.

37 Lynn is _____ in English and Japanese.
Lynn은 영어와 일본어에 능숙하다.

38 Some companies _____ staff undergoing regular medical checks.
일부 회사들은 직원들이 정기적인 건강 검진을 받아야 한다고 주장한다.

[01~30] 영어 단어를 보고 알맞은 뜻을, 뜻을 보고 알맞은 영어 단어를 쓰시오.

01 pile _____

02 colleague _____

03 attach _____

04 photocopy _____

05 appoint _____

06 agency _____

07 basis _____

08 index _____

09 deny _____

10 stationery _____

11 staple _____

12 confirm _____

13 detail _____

14 classify _____

15 document _____

16 잘못 두다 _____

17 절차, 순서 _____

18 회사, 굳은 _____

19 의뢰인, 고객 _____

20 자주 일어나는 _____

21 통근하다 _____

22 부서, 분열 _____

23 통지하다 _____

24 할당하다 _____

25 부스 _____

26 안내 소책자 _____

27 분배하다 _____

28 ~을 만회하다 _____

29 성공하다 _____

30 인계받다 _____

[31~38] 다음 문장의 빈칸에 알맞은 단어를 쓰시오.

31 Bill turned green with _____ when his colleague was promoted before him. Bill은 동료가 자신보다 먼저 승진하자 몹시 부러웠다.

32 I've accepted the job over the phone, but I haven't _____ it in writing yet. 나는 전화로 그 일자리를 수락했지만, 아직 서면으로는 승인하지 않았다.

33 While they are in college, students are asked to create _____ and research many topics on the Internet.
대학에서 공부하는 동안, 학생들은 문서를 만들고 인터넷상의 많은 주제를 연구하도록 요구받는다.

34 The client paid a _____ visit to the firm and asked many questions.
그 고객은 회사를 자주 방문하고 많은 질문을 했다.

35 Please _____ our sales division immediately if you receive a damaged item. 손상된 제품을 받으시면 즉시 저희 영업부에 알려 주시기 바랍니다.

36 The booths were set up to _____ brochures.
소책자를 나누어 주기 위해 부스들이 설치되었다.

37 They had to work overtime to _____ the lost time.
그들은 손해 본 시간을 만회하기 위해서 추가로 더 일을 해야 했다.

38 Working overseas is important to _____ in many companies.
많은 회사에서 해외 근무는 성공하는 데 있어 중요하다.

[01~30] 영어 단어를 보고 알맞은 뜻을, 뜻을 보고 알맞은 영어 단어를 쓰시오.

01 report _____   16 칭찬 _____

02 press _____   17 연속물 _____

03 article _____   18 연재 기사, 특징 _____

04 journal _____   19 대본, 각본 _____

05 broadcast _____   20 보고, 게시 _____

06 post _____   21 시사회, 미리보기 _____

07 pose _____   22 신문의 칸 _____

08 scene _____   23 발매하다 _____

09 survey _____   24 알리다 _____

10 mass _____   25 드러내다 _____

11 factual _____   26 청중, 관중 _____

12 fame _____   27 패널, 토론자단 _____

13 poll _____   28 초점을 맞추다 _____

14 channel _____   29 ~을 두고 논쟁하다 _____

15 criticize _____   30 ~을 생각해 내다 _____

[31~38] 다음 문장의 빈칸에 알맞은 단어를 쓰시오.

31 Reporters rushed to the _____ of the accident to interview the victims. 피해자들을 인터뷰하기 위해 기자들이 사건 현장으로 달려갔다.

32 Rather than looking for things to _____ in those around you, why not respect their differences?

여러분의 주변에 있는 사람들에게서 비판할 것을 찾기보다는 그들의 차이점들을 존중하는 것이 어떠한가?

33 Tonight's program is the third in a four-part _____.

오늘 밤의 프로그램은 4부작 시리즈 중 세 번째 것이다.

34 A feature story of our school is posted on the _____ board.

우리 학교의 특집 기사가 게시판에 붙어 있다.

35 A year later she _____ her first pop album and gained much love from critics around the world.

1년 후 그녀는 자신의 첫 번째 음반을 발매했고, 전 세계 비평가로부터 많은 사랑을 얻었다.

36 Media will work hard to attract the _____ that advertisers want.

언론은 광고주가 원하는 청중을 끌어들이기 위해 열심히 노력할 것이다.

37 Many people _____ on the result of the national election poll, and it was broadcast nationwide.

많은 사람들이 전국적인 선거의 투표 결과에 관심을 집중했고, 그것은 전국에 방영되었다.

38 As content creators and editors, we're told to _____ "creative" headlines for the articles we work on.

콘텐츠 제작자이자 편집자로서, 우리는 우리가 작성하는 기사에 대한 '창의적인' 헤드라인을 생각해 내라고 요구받는다.

[01~30] 영어 단어를 보고 알맞은 뜻을, 뜻을 보고 알맞은 영어 단어를 쓰시오.

01 variety	_____	16 근본적인	_____
02 square	_____	17 얇은, 얄팍한	_____
03 delicate	_____	18 상징적인	_____
04 flat	_____	19 적당한, 알맞은	_____
05 broad	_____	20 중간 정도의	_____
06 compact	_____	21 유연성 있는	_____
07 brief	_____	22 단조로운	_____
08 sharp	_____	23 애매한, 분명하지 않은	_____
09 precious	_____	24 결점, 문제점	_____
10 artificial	_____	25 역설	_____
11 gigantic	_____	26 묘사하다	_____
12 enormous	_____	27 놀라운 일	_____
13 ultimate	_____	28 반짝이다	_____
14 faint	_____	29 ~와 다르다	_____
15 steep	_____	30 ~을 상징하다	_____

[31~38] 다음 문장의 빈칸에 알맞은 단어를 쓰시오.

31 All her _____ photographs were saved from the fire.

그녀의 모든 소중한 사진들이 화재로부터 구해졌다.

32 Since a tiny spark can turn into such a _____ flame at once, we should be extra careful about fire.

작은 불꽃이 대단히 거대한 불길로 즉시 번질 수 있으므로 우리는 특히 불조심을 해야 한다.

33 We could just see the _____ outline of a woman in the thick fog.

우리는 짙은 안개 속에서 어떤 여자의 희미한 윤곽만 볼 수 있었다.

34 The path grew _____ as we climbed higher.

우리가 높이 올라갈수록 길은 더 가팔라졌다.

35 If our knowledge is broad but _____, we really know nothing.

우리의 지식이 넓지만 얕다면, 아무것도 모르고 있는 것이나 마찬가지다.

36 His new novel is difficult to read because it is _____.

그의 새 소설은 지루하기 때문에 읽기가 힘들다.

37 People use hand gestures during conversations to _____ the size of something. 사람들은 어떤 것의 크기를 묘사하기 위해서 대화 중에 손동작을 사용한다.

38 English _____ Spanish in that it is not pronounced as it is written.

영어는 쓰인 대로 발음하지 않는다는 점에서 스페인어와 다르다.

Day 13 Daily Check-up

[01~30] 영어 단어를 보고 알맞은 뜻을, 뜻을 보고 알맞은 영어 단어를 쓰시오.

01 goods _____

02 label _____

03 tag _____

04 wrap _____

05 bargain _____

06 purchase _____

07 total _____

08 quality _____

09 value _____

10 reduce _____

11 trend _____

12 quantity _____

13 retail _____

14 merchandise _____

15 insert _____

16 필요(성) _____

17 호화, 사치(품) _____

18 경매에서 팔다 _____

19 영수증 _____

20 환불(액) _____

21 교환하다 _____

22 요구하다 _____

23 만족시키다 _____

24 보증(서) _____

25 배제하다 _____

26 합리적인 _____

27 안정된, 꾸준한 _____

28 대금을 지불하다 _____

29 ~을 빠뜨리다 _____

30 합산하다 _____

[31~38] 다음 문장의 빈칸에 알맞은 단어를 쓰시오.

31 Customers _____ savings more than the quality of services provided. 고객들은 제공되는 서비스의 질보다는 낮은 가격에 더 가치를 둔다.

32 Most retail businesses have Web sites where customers browse among the company's _____.
대부분의 소매사업자들은 소비자들이 자사 상품을 훑어볼 수 있는 웹사이트를 갖고 있다.

33 If you want to use a shopping cart, you sometimes have to pay a small deposit by _____ a coin.
쇼핑 카트를 사용하고 싶다면 때로는 동전을 집어넣어 약간의 보증금을 내야 한다.

34 Return your purchase within 14 days for a full _____.
전액을 환불받기 위해서는, 14일 이내에 구입하신 제품을 반품하세요.

35 To _____ their young customers, they are providing a wide variety of caps of different patterns.
젊은 고객들을 만족시키기 위해, 그들은 여러 무늬의 다양한 모자를 제공하고 있다.

36 Orders for new items are rising, after several years of _____ sales decline. 수년간의 꾸준한 판매 감소 후에, 새로운 상품에 대한 주문이 증가하고 있다.

37 You do not need to _____ each item separately.
당신은 각 항목을 따로 지불할 필요가 없다.

38 When I _____ the receipts, I realized I had spent too much.
영수증을 합산했을 때, 나는 내가 돈을 너무 많이 썼다는 것을 알게 됐다.

Daily Check-up

[01~30] 영어 단어를 보고 알맞은 뜻을, 뜻을 보고 알맞은 영어 단어를 쓰시오.

01 champion _____

02 match _____

03 tournament _____

04 rival _____

05 rank _____

06 coach _____

07 serve _____

08 glide _____

09 beat _____

10 compete _____

11 ability _____

12 leisure _____

13 pastime _____

14 outdoor _____

15 defeat _____

16 아마추어, 비전문가 _____

17 (투수의) 마운드 _____

18 운동 경기의 _____

19 적수, 반대자 _____

20 심판 _____

21 공평한 _____

22 벌칙, 페널티 _____

23 반칙하다 _____

24 눈에 띄는, 우수한 _____

25 참여하다 _____

26 박수 치다 _____

27 용기를 북돋다 _____

28 극단적인 _____

29 ~을 취소하다 _____

30 개최되다 _____

[31~38] 다음 문장의 빈칸에 알맞은 단어를 쓰시오.

31 You will be _____ against the best athletes in the world.
여러분은 세계 최고의 운동선수들과 겨루게 될 것입니다.

32 My favorite summer _____ is swimming because it is thebest
possible way to beat the heat.
내가 여름에 가장 즐기는 취미는 수영인데, 그것이 더위를 이길 수 있는 최상의 방법이기 때문이다.

33 He played basketball in high school and was often praised for his
_____ ability. 그는 고교 시절 농구를 했고 운동 실력으로 종종 칭찬을 들었다.

34 I got angry because I thought the referee's decision was not _____.
나는 심판의 판정이 공정하지 않다고 생각했기 때문에 화가 났다.

35 She is one of the most _____ female athletes of our time.
그녀는 우리 시대의 가장 두드러진 여성 운동선수 중 한 사람이다.

36 In this gym, students can _____ in basketball, tennis, and
swimming. 이 체육관에서 학생들은 농구, 테니스, 수영에 참여할 수 있다.

37 Coaches should _____ young athletes to keep a healthy perspective
on their participation in sports.
코치들은 어린 운동선수들이 자신들의 경기 참가에 대해 건강한 관점을 유지하도록 격려해야 한다.

38 If we have much more rain, the game might be _____.
비가 더 많이 오면 경기가 취소될 수도 있다.

[01~30] 영어 단어를 보고 알맞은 뜻을, 뜻을 보고 알맞은 영어 단어를 쓰시오.

01 transport _____

02 passenger _____

03 underground _____

04 aboard _____

05 depart _____

06 sightseeing _____

07 downtown _____

08 ride _____

09 abroad _____

10 baggage _____

11 cabin _____

12 check-out _____

13 tip _____

14 destination _____

15 available _____

16 지연시키다 _____

17 갈아타다 _____

18 탈것 _____

19 고속 도로 _____

20 나르다, 전달하다 _____

21 수용하다 _____

22 크루즈, 유람선 (여행) _____

23 승무원 _____

24 항해하다 _____

25 정하다, 두다 _____

26 여행, 여정 _____

27 광경, 구경거리 _____

28 마주치다, 발견하다 _____

29 ~로 향해 가다 _____

30 차를 길 한쪽에 대다 _____

[31~38] 다음 문장의 빈칸에 알맞은 단어를 쓰시오.

31 The sightseeing double-decker departs daily from the _____ transit center every 15 minutes starting at 7:00 A.M.

2층 관광버스는 매일 아침 7시부터 15분 간격으로 도심 환승 센터에서 출발한다.

32 Passengers are not allowed to include items which contain liquids in their _____ baggage. 승객들은 객실 수하물에 액체가 담긴 물품을 넣어서는 안 된다.

33 My flight was _____ due to strong winds.

내가 탈 비행기는 강풍으로 인해 지연되었다.

34 Your luggage will be _____ to the hotel by taxi.

당신의 짐은 택시로 호텔에 전달될 것입니다.

35 The crew of the ship had nothing else to rely on other than the stars to _____ back home.

그 배의 선원들이 항해해서 집으로 돌아오는 길에 의지할 것은 별밖에 없었다.

36 How about Grand Canyon? They say it is a real _____.

그랜드 캐니언은 어때? 정말 볼만하다던데.

37 I _____ these old photos when I was cleaning my room.

나는 내 방을 청소하다가 우연히 이 오래된 사진들을 발견했다.

38 She _____ and looked at the tour map.

그녀는 차를 길 한쪽에 대고 관광 안내도를 보았다.

[01~30] 영어 단어를 보고 알맞은 뜻을, 뜻을 보고 알맞은 영어 단어를 쓰시오.

01 appreciate		16 작곡하다, 구성하다	
02 craft		17 조각	
03 exhibit		18 걸작, 명작	
04 literature		19 일류의, 고전의	
05 version		20 모방하다	
06 copyright		21 전통, 관례	
07 tone		22 외치다	
08 noble		23 생물, 창조물	
09 conduct		24 다른, 별개의	
10 tune		25 문맥	
11 director		26 독백	
12 theme		27 비극 (작품)	
13 chorus		28 줄을 서다	
14 interval		29 부응하다	
15 rehearse		30 ～에 푹 빠져 있다	

[31~38] 다음 문장의 빈칸에 알맞은 단어를 쓰시오.

31 The cellist plays with long singing phrases and _____ tone.

그 첼로 연주자는 긴 노래하는 악구와 고상한 음조로 연주한다.

32 The _____ is the part that carries the main theme of the song.

그 합창곡은 노래의 주제 음악을 전달하는 부분이다.

33 In 1787, Mozart was asked to _____ an opera which was called *Don Giovanni*, a great hit.

1787년에 모차르트는 '돈 조반니'라는 오페라를 작곡하도록 부탁받았고, 그것은 아주 인기가 많았다.

34 *The Thinker* is a bronze and marble sculpture which is one of Rodin's _____.

'생각하는 사람'은 로댕의 걸작 중 하나로 청동과 대리석으로 만든 조각상이다.

35 Haetae is an imaginary _____ that often appears in Korean myths.

해태는 한국 신화에 자주 등장하는 상상 속의 창조물[동물]이다.

36 The play which was mostly composed of a _____, was not entertaining at all.

그 연극은 대부분 독백으로 구성되어 전혀 재미있지 않았다.

37 Hundreds of people _____ to buy tickets to Broadway plays or musicals in Times Square.

수백 명의 사람들이 타임스 스퀘어의 브로드웨이 연극이나 뮤지컬 티켓을 사기 위해 줄을 섰다.

38 His latest film has certainly _____ my expectations.

그의 최신 영화는 확실히 내 기대에 부응했다.

Daily Check-up

[01~30] 영어 단어를 보고 알맞은 뜻을, 뜻을 보고 알맞은 영어 단어를 쓰시오.

01 condition _____

02 chemical _____

03 digest _____

04 disorder _____

05 worsen _____

06 dental _____

07 medical _____

08 mental _____

09 recover _____

10 emergency _____

11 allergy _____

12 joint _____

13 spine _____

14 sight _____

15 pulse _____

16 감염 _____

17 위생의 _____

18 징후, 증상 _____

19 장애를 입은 _____

20 주사하다 _____

21 처방하다 _____

22 알약, 정제 _____

23 상처, 부상 _____

24 상처를 입히다 _____

25 치유되다 _____

26 면역의 _____

27 긴장, 큰 부담 _____

28 멍, 타박상 _____

29 ~의 병에 걸리다 _____

30 누그러지다 _____

[31~38] 다음 문장의 빈칸에 알맞은 단어를 쓰시오.

31 Stress has an effect on both your physical and _____ health.
스트레스는 신체적, 정신적 건강 모두에 영향을 미친다.

32 The _____ physicians group says if you have chest or back pain, go to a hospital as soon as possible.
응급 의료진은 만약 가슴이나 등에 통증이 있으면, 가능한 한 빨리 병원에 가라고 말한다.

33 Simple stretching can loosen muscles and _____ as well.
간단한 스트레칭은 근육뿐만 아니라 관절도 이완시킬 수 있다.

34 The doctor carefully checked my blood pressure and _____ rate.
의사는 신중히 내 혈압과 맥박수를 측정했다.

35 They will also search online more about flu _____.
그들은 또한 독감 증상에 대해서 온라인에서 더 많이 찾아볼 것이다.

36 Swimming is so-called a relaxing sport because it doesn't put a _____ on the joints and bones.
수영은 관절과 뼈에 부담을 주지 않기 때문에 소위 긴장을 완화하는 운동이다.

37 He often comes home from rugby covered in cuts and _____.
그는 럭비 경기 후 종종 긁힌 상처와 멍으로 뒤덮인 채 집으로 돌아온다.

38 About 80 percent of people _____ the stomach flu between November and April.
약 80%의 사람들이 11월과 4월 사이에 장염에 걸린다.

[01~30] 영어 단어를 보고 알맞은 뜻을, 뜻을 보고 알맞은 영어 단어를 쓰시오.

01 enrich _____

02 barrel _____

03 herd _____

04 crisis _____

05 provide _____

06 material _____

07 export _____

08 construct _____

09 pollution _____

10 agriculture _____

11 graze _____

12 pasture _____

13 cattle _____

14 cultivate _____

15 concrete _____

16 기중기 _____

17 투자하다 _____

18 확장하다 _____

19 규모, 저울 _____

20 비율 _____

21 초월하다 _____

22 발생시키다 _____

23 일정한, 지속적인 _____

24 낙관적인 _____

25 떠맡다 _____

26 조립하다, 모으다 _____

27 획기적인 _____

28 기업, 회사 _____

29 문을 닫다 _____

30 시작하다, 창설하다 _____

[31~38] 다음 문장의 빈칸에 알맞은 단어를 쓰시오.

31 This narrow bridge was _____ in 1998.
이 좁은 다리는 1998년에 건설되었다.

32 Global _____ must produce more food to feed a growing population.
전 세계의 농업은 늘어나는 인구를 먹일 수 있는 더 많은 식량을 생산해야 한다.

33 They let the sheep out to graze on the _____ of their family's farm.
그들은 가족 농장의 목초지에서 양들이 풀을 뜯어 먹도록 풀어 주었다.

34 When you _____ in the stock market, you need to have a concrete
plan. 주식 시장에 투자할 때는 구체적인 계획을 세울 필요가 있다.

35 The company began to export furniture on a very large _____ this
year. 그 회사는 올해 가구를 대규모로 수출하기 시작했다.

36 The accountant has taken an _____ view of economic recovery.
그 회계사는 경제 회복에 대해 낙관적인 견해를 취했다.

37 He wanted to create a place where people could try his _____ food.
그는 사람들이 그의 획기적인 음식을 맛볼 수 있는 장소를 만들기를 원했다.

38 They plan to _____ their own import-export business.
그들은 자신들만의 수출입 사업을 시작할 계획이다.

Day 19 Daily Check-up

[01~30] 영어 단어를 보고 알맞은 뜻을, 뜻을 보고 알맞은 영어 단어를 쓰시오.

01 budget _____

02 capital _____

03 account _____

04 expense _____

05 collapse _____

06 economic _____

07 risk _____

08 decline _____

09 stock _____

10 possess _____

11 property _____

12 asset _____

13 finance _____

14 loan _____

15 estimate _____

16 상업 _____

17 협상하다 _____

18 통화, 화폐 _____

19 증대하다 _____

20 재산, 부 _____

21 실업의 _____

22 수입 _____

23 1년의, 해마다의 _____

24 전략, 계획 _____

25 일시적인 _____

26 결과, 성과 _____

27 잠재적인 _____

28 다 갚다, 성공하다 _____

29 ~을 해고하다 _____

30 어려움에 처한 _____

[31~38] 다음 문장의 빈칸에 알맞은 단어를 쓰시오.

31 He wanted to open a new savings _____ at the bank near his company. 그는 회사 근처에 있는 은행에서 새로운 예금 계좌를 개설하기를 원했다.

32 The luxury car market has _____. 고급차 시장이 붕괴되었다.

33 The nation's wealthy _____ more than 80% of the total private real estate. 국가의 부유층이 전체 사유 부동산의 80퍼센트 이상을 소유했다.

34 The total _____ sum of the repair for cultural assets amounted to thousands of dollars. 문화재 보수비의 총 견적액은 수천 달러에 달했다.

35 Alex held an _____ lemonade stand to raise money for childhood cancer research.
Alex는 소아암 연구를 위한 기금을 마련하기 위해 매년 레모네이드 매점을 열었다.

36 The new _____ accountant successfully finished his job.
새로 온 임시직 회계사는 성공적으로 그의 일을 끝마쳤다.

37 Our _____ customers will play an important role in restoring this economic crisis.
우리의 잠재적인 고객은 이번 경제 위기를 회복하는 데 중요한 역할을 할 것이다.

38 A charity fund is an amount of money used to help particular people _____. 자선기금이란 어려움에 처한 특정한 사람들을 돕는 데에 쓰이는 돈을 말한다.

Daily Check-up

[01~30] 영어 단어를 보고 알맞은 뜻을, 뜻을 보고 알맞은 영어 단어를 쓰시오.

01 elect _____

02 declare _____

03 democracy _____

04 official _____

05 candidate _____

06 oppose _____

07 immediate _____

08 insist _____

09 union _____

10 indifferent _____

11 campaign _____

12 party _____

13 dispute _____

14 postpone _____

15 convince _____

16 설득하다 _____

17 추측하다 _____

18 찬성하다 _____

19 (국회의) 회기, 기간 _____

20 업적, 행위 _____

21 평판, 명성 _____

22 보수적인 _____

23 지휘하다, 명령하다 _____

24 적대적인 _____

25 권위, 권한 _____

26 (정치) 내각, 장식장 _____

27 연방의 _____

28 통일하다 _____

29 ~에 입후보하다 _____

30 ~을 대변하다 _____

[31~38] 다음 문장의 빈칸에 알맞은 단어를 쓰시오.

31 They _____ that the media has to remain politically neutral.
그들은 언론이 정치적으로 중립을 유지해야 한다고 주장한다.

32 The citizens of our state are mostly _____ to the election.
우리 주의 시민들은 선거에 거의 무관심하다.

33 The _____ has decided not to take part in this election.
그 정당은 이번 선거에 참가하지 않기로 결정했다.

34 The National Assembly could not _____ the President into
cancelling the project. 국회는 대통령이 그 프로젝트를 취소하도록 설득할 수 없었다.

35 Former presidents are judged by their _____, not by their words.
전직 대통령들은 그들의 말이 아니라 그들의 업적에 의해 평가된다.

36 A survey asked voters whether they were _____ or progressive.
한 조사는 유권자들에게 그들이 보수적인지 진보적인지를 물었다.

37 Who gave you the _____ to do this?
누가 당신에게 이런 일을 할 권한을 주었습니까?

38 We believe our party _____ the poor and unemployed.
우리는 우리 당이 가난한 사람들과 실업자들을 대변한다고 믿는다.

Daily Check-up

[01~30] 영어 단어를 보고 알맞은 뜻을, 뜻을 보고 알맞은 영어 단어를 쓰시오.

01 social _____

02 moral _____

03 ethic _____

04 tend _____

05 allow _____

06 affect _____

07 expire _____

08 organization _____

09 liberty _____

10 factor _____

11 opportunity _____

12 standard _____

13 status _____

14 facility _____

15 circumstance _____

16 자선 _____

17 자원봉사자 _____

18 전망, 가능성 _____

19 이익, 유리한 점 _____

20 고정 관념 _____

21 안전한 _____

22 복잡한 _____

23 부적당한, 불충분한 _____

24 적절한, 알맞은 _____

25 나타내다, 가리키다 _____

26 ~할 자격이 있다 _____

27 얻다, 습득하다 _____

28 등록하다 _____

29 ~의 한 원인이 되다 _____

30 ~을 연기하다 _____

[31~38] 다음 문장의 빈칸에 알맞은 단어를 쓰시오.

31 We do not _____ smoking in public places.

공공장소에서는 흡연을 허용하지 않는다.

32 Every person has the right to the enjoyment of life, _____ and property. 모든 사람에게는 삶의 즐거움, 자유, 재산에 대한 권리가 있다.

33 One of the smartphone's influences on our lives is the sudden breaking of _____ of etiquette.

스마트폰이 우리의 삶에 끼치는 영향들 중 하나는 갑작스러운 예절 기준의 파괴이다.

34 We apologize for the inconvenience, but hope you will understand the _____ . 불편을 드려 죄송하지만, 상황을 이해해 주시기 바랍니다.

35 The new building has been designed to be _____, even in a natural disaster like an earthquake.

그 새로운 건물은 지진과 같은 천재지변에서도 안전하도록 설계되었다.

36 The world is faced with _____ problems, too big for one country to solve alone.

세계는, 너무 거대해서 한 국가가 단독으로 해결할 수 없는 복잡한 문제들에 직면해 있다.

37 You _____ our special thanks for your time, effort, and support to the charity project.

당신은 그 자선 프로젝트에 대한 당신의 시간, 노력, 후원에 대해 우리의 특별한 감사를 받을 만한 자격이 있다.

38 Most buildings need air conditioning, which uses a lot of energy and _____ climate change.

대부분의 건물들이 에어컨 가동을 필요로 하는데, 그것은 많은 에너지를 사용하며 기후 변화의 원인이 된다.

[01~30] 영어 단어를 보고 알맞은 뜻을, 뜻을 보고 알맞은 영어 단어를 쓰시오.

01 evident _____

02 arrest _____

03 suspect _____

04 guilty _____

05 trap _____

06 robber _____

07 criminal _____

08 prevent _____

09 intentional _____

10 restrict _____

11 regulate _____

12 forbid _____

13 sentence _____

14 admit _____

15 jury _____

16 속이다 _____

17 고소하다 _____

18 범하다, 저지르다 _____

19 위반하다 _____

20 기분을 상하게 하다 _____

21 조사하다, 수사하다 _____

22 조사하다, 묻다 _____

23 모욕하다 _____

24 확인하다 _____

25 자백하다 _____

26 유죄를 선고하다 _____

27 항소하다 _____

28 ~을 부수다, 고장 나다 _____

29 A를 B의 혐의로 고소하다 _____

30 처벌을 모면하다 _____

[31~38] 다음 문장의 빈칸에 알맞은 단어를 쓰시오.

31 The 12-year-old girl was on her own when three masked _____ broke into her home, the police said.

12살 된 소녀는 세 명의 복면 강도가 집에 침입했을 당시 혼자였다고 경찰이 밝혔다.

32 Critics say that the new law _____ freedom of expression.

비평가들은 새로운 법이 표현의 자유를 제한한다고 말한다.

33 Many countries have passed laws which _____ the fishing of endangered species.

많은 나라들이 멸종 위기에 처한 종을 어획하는 것을 금지하는 법을 통과시켰다.

34 He _____ the charge and was sentenced to six months in prison.

그는 혐의를 인정했으며 6개월 징역을 선고받았다.

35 Mr. Smith spent 5 years in prison for a burglary he did not _____.

Smith 씨는 저지르지도 않은 강도죄로 5년간 복역했다.

36 The investigators are searching the scene for clues to _____ a body found on the beach.

수사관들은 해변에서 발견된 시신의 신원을 확인해 줄 단서를 찾기 위해 현장을 수색하고 있다.

37 It was thought that she'd committed the crime but there wasn't enough evidence to _____ her.

그녀가 범죄를 저지른 것으로 여겨졌지만, 그녀에게 유죄를 선고할 만한 충분한 증거가 없었다.

38 Fred will cheat if he thinks he can _____ it.

Fred는 처벌을 받지 않고 그냥 넘어갈 수 있다고 생각하면 부정행위를 할 것이다.

[01~30] 영어 단어를 보고 알맞은 뜻을, 뜻을 보고 알맞은 영어 단어를 쓰시오.

01 gap _____

02 population _____

03 crash _____

04 majority _____

05 temptation _____

06 confuse _____

07 aspect _____

08 violent _____

09 obstacle _____

10 isolate _____

11 collide _____

12 negative _____

13 abnormal _____

14 unite _____

15 poverty _____

16 남용, 오용 _____

17 고통, 고충 _____

18 이혼 _____

19 일어나다 _____

20 퇴보하다 _____

21 사건, 사고 _____

22 결점, 부족 _____

23 조종하다 _____

24 잘못 인도하다 _____

25 술, 알코올 _____

26 중독자 _____

27 시기상조의 _____

28 버리다, 포기하다 _____

29 ~을 없애다 _____

30 (~을) 멀리하다 _____

[31~38] 다음 문장의 빈칸에 알맞은 단어를 쓰시오.

31 According to the most recent survey, the _____ in the metropolis is decreasing. 가장 최근 조사에 따르면, 대도시의 인구가 감소하고 있다.

32 The press _____ the readers with conflicting accounts of what happened. 언론은 일어난 일에 대한 상반된 설명들로 독자들을 혼란스럽게 했다.

33 The three companies have _____ against their common enemy company. 그 세 회사는 공동의 적이 되는 회사에 맞서 연합했다.

34 The purpose of this research paper is to discuss his _____ behavior. 이 연구 보고서의 목적은 그의 비정상적인 행동에 대해 논의하려는 것이다.

35 A 20-year-old man suffered serious injuries after a hit and-run _____. 한 20세 남자가 뺑소니 사고 후 심각한 부상을 입었다.

36 The government is planning to open a shelter for young Internet _____. 정부는 어린 인터넷 중독자들을 위한 보호소를 개설할 계획이다.

37 He thinks it's _____ for us to talk about giving military support to that country.
그는 우리가 그 나라에 군사적 지원을 하는 것에 대해 이야기하는 것은 시기상조라고 생각한다.

38 We should _____ a lot of the restrictions on imports.
우리는 수입에 대한 많은 제한을 없애야 한다.

[01~30] 영어 단어를 보고 알맞은 뜻을, 뜻을 보고 알맞은 영어 단어를 쓰시오.

01 reserve _____

02 occasion _____

03 local _____

04 civil _____

05 inner _____

06 tax _____

07 harbor _____

08 equal _____

09 intend _____

10 exhaust _____

11 globalize _____

12 independence _____

13 territory _____

14 reside _____

15 domestic _____

16 이주해 들어오다 _____

17 타국으로 이주하다 _____

18 풍습 _____

19 부족 _____

20 인종의 _____

21 특성 _____

22 민족의, 이국적인 _____

23 시도 _____

24 지배하다 _____

25 저항하다 _____

26 침입하다 _____

27 협동하다 _____

28 ~을 고수하다 _____

29 ~을 갈망하다 _____

30 ~로 구성되다 _____

[31~38] 다음 문장의 빈칸에 알맞은 단어를 쓰시오.

31 Markets are places where you can meet people, learn history, and taste
_____ food.
시장은 사람들을 만나고, 역사를 배우고, 또 지역의 음식을 맛볼 수 있는 장소이다.

32 Our constitution states that all men are _____.
우리 헌법은 모든 사람은 평등하다고 명시하고 있다.

33 Japan had several disputes about _____ with some of its
neighboring countries. 일본은 몇몇의 인접한 국가들과 영토에 관해 여러 번 분쟁을 벌였다.

34 In general, countries don't interfere with other countries' _____
affair. 일반적으로 국가들은 다른 국가의 내정에는 간섭하지 않는다.

35 I hope that there isn't any _____ discrimination in the future.
미래에는 어떤 인종 차별도 없기를 바란다.

36 Native Americans _____ against the attempt to drive them out of
their hometown. 미국 원주민들은 그들을 고향에서 몰아내려는 시도에 저항했다.

37 Both nations agreed to _____ to prevent illegal fishing in the area.
양국은 그 지역의 불법 조업을 방지하기 위해 협력하기로 했다.

38 Americans had _____ independence from Britain.
미국인들은 영국으로부터의 독립을 갈망했었다.

[01~30] 영어 단어를 보고 알맞은 뜻을, 뜻을 보고 알맞은 영어 단어를 쓰시오.

01 suggest	_____	16 외국의, 외국인의	_____
02 propose	_____	17 기근, 배고픔	_____
03 universal	_____	18 피난처	_____
04 vary	_____	19 부족, 결핍	_____
05 conflict	_____	20 위험에 빠뜨리다	_____
06 aware	_____	21 오염시키다	_____
07 approach	_____	22 보존하다	_____
08 urge	_____	23 폭발하다	_____
09 associate	_____	24 통합하다	_____
10 interpret	_____	25 보호하다, 지키다	_____
11 alternative	_____	26 발언, 언급하다	_____
12 assist	_____	27 일치, 조화	_____
13 affair	_____	28 ~에 간섭하다	_____
14 widespread	_____	29 뒤떨어지지 않게 따라가다	_____
15 external	_____	30 ~와의 관계를 단절하다	_____

[31~38] 다음 문장의 빈칸에 알맞은 단어를 쓰시오.

31 A lack of natural resources is now becoming a _____ issue in the world. 천연자원의 부족은 지금 세계의 보편적인 문제가 되어 가고 있다.

32 The UN has _____ people to cut down on meat intake for the planet.
국제연합은 사람들에게 지구를 위해 육류 섭취를 줄일 것을 촉구했다.

33 Different cultures _____ human rights in different ways.
다른 문화에서는 인권을 다른 방식으로 해석한다.

34 An aid group reported that thousands of orphans lost their lives during the war due to _____ and disease.
한 원조 단체는 수천 명의 고아들이 전쟁 중에 기근과 질병으로 목숨을 잃었다고 보고했다.

35 A water _____ and lack of natural resources were main issues in this international conference.
물 부족과 천연자원의 부족은 이번 국제회의의 주요 쟁점이었다.

36 A Wildlife Conservation Group is raising funds to protect _____ species. 야생동물 보호단체는 멸종 위기에 처한 동물들을 보호하기 위해 기금을 마련하고 있다.

37 The oil industry continues to _____ soil, water, and air all over the world. 석유 산업은 전 세계의 토양, 물, 공기를 계속해서 오염시키고 있다.

38 The two countries have _____ diplomatic relations.
그 두 나라는 외교 관계를 단절했다.

[01~30] 영어 단어를 보고 알맞은 뜻을, 뜻을 보고 알맞은 영어 단어를 쓰시오.

01 previous _____

02 prior _____

03 decade _____

04 biography _____

05 devote _____

06 faith _____

07 minority _____

08 mummy _____

09 remains _____

10 rid _____

11 origin _____

12 civilization _____

13 revolution _____

14 royal _____

15 heritage _____

16 선교사 _____

17 설교, 교훈 _____

18 정착하다, 해결하다 _____

19 대신하다 _____

20 의미하다, 나타내다 _____

21 보존하다 _____

22 평가하다 _____

23 계통을 잇다 _____

24 사라지다 _____

25 순서, 연속 _____

26 점차적인 _____

27 신성한 _____

28 발생하다 _____

29 ~에서 유래하다 _____

30 ~을 전하다 _____

[31~38] 다음 문장의 빈칸에 알맞은 단어를 쓰시오.

31 For the past ＿＿＿＿＿＿, two countries have fought over their mutual border. 지난 10년 동안 두 나라는 서로의 국경을 놓고 싸워 왔다.

32 A ＿＿＿＿＿＿ group has unique physical characteristics and shares a culture. 소수 민족 집단은 독특한 신체적 특징을 가지고 있고 하나의 문화를 공유한다.

33 I want to visit the museum some day and learn about our ＿＿＿＿＿＿. 나는 언젠가 그 박물관을 방문해서 인류의 기원에 대해 배우고 싶다.

34 Over 25,000 years ago, people from Asia ＿＿＿＿＿＿ down first in America. 25,000여 년 전에, 아시아에서 온 사람들이 미국에 최초로 정착했다.

35 Koreans have made an effort to ＿＿＿＿＿＿ their own cultural traditions. 한국인들은 그들 자신의 문화적 전통을 보존하기 위해 노력해 왔다.

36 In order to keep their identity, minor races are trying to save their own language before it ＿＿＿＿＿＿.
소수 민족들은 자신들의 정체성을 지키기 위해 그들 고유의 언어가 사라지기 전에 그것을 지키려고 노력하고 있다.

37 Elephants have been considered ＿＿＿＿＿＿ animals in India since ancient times. 코끼리는 고대부터 인도에서 신성한 동물로 여겨져 왔다.

38 They could ＿＿＿＿＿＿ these traditions to their children. 그들은 이러한 전통을 자녀들에게 물려줄 수 있었다.

[01~30] 영어 단어를 보고 알맞은 뜻을, 뜻을 보고 알맞은 영어 단어를 쓰시오.

01 biology _____

02 chemistry _____

03 element _____

04 acid _____

05 storage _____

06 steam _____

07 gene _____

08 mammal _____

09 melt _____

10 cell _____

11 microscope _____

12 reproduce _____

13 evolution _____

14 extinct _____

15 clone _____

16 동일한 _____

17 살아 있는, 생물인 _____

18 탄소 _____

19 혼합물 _____

20 물질 _____

21 액체 _____

22 거르다, 여과하다 _____

23 흡수하다 _____

24 유독한 _____

25 빛, 광선 _____

26 화합물, 혼합물 _____

27 떼어 놓다 _____

28 A를 B로 바꾸다 _____

29 ~을 구별하다 _____

30 내다, 방출하다 _____

[31~38] 다음 문장의 빈칸에 알맞은 단어를 쓰시오.

31 They have produced detailed plans for the safe _____ of nuclear
waste. 그들은 핵폐기물의 안전한 저장을 위한 상세한 계획을 만들어 냈다.

32 Scientists say that onions contain vitamin B, which helps make new, healthy
_____.
과학저들은 양파가 비타민 B를 함유하는데, 이 비타민 B는 새롭고 건강한 세포를 만드는 것을
돕는다고 말한다.

33 Living things like animals or plants are classified as _____ things.
동물이나 식물과 같이 생명이 있는 것은 생물로 분류된다.

34 Some plants produce highly poisonous _____ which are set free
when they are attacked. 어떤 식물은 공격받으면 방출되는 맹독성 물질을 만들어 낸다.

35 Trees _____ air pollutants that are harmful to breathe.
나무는 호흡에 해로운 대기 오염 물질을 걸러 준다.

36 Water _____ energy when it is converted into steam.
물이 증기로 변할 때는 에너지를 흡수한다.

37 Highly _____ industrial chemicals were spilled into the river.
매우 유독한 산업용 화학 물질이 강으로 유출되었다.

38 When plants die, they _____ gases such as carbon dioxide and
methane. 식물은 죽으면 이산화탄소와 메탄과 같은 가스를 방출한다.

[01~30] 영어 단어를 보고 알맞은 뜻을, 뜻을 보고 알맞은 영어 단어를 쓰시오.

01	temperature		16	늪	
02	forecast		17	수분	
03	climate		18	반사하다, 반영하다	
04	rubber		19	섭씨	
05	severe		20	온도계	
06	resource		21	파괴적인	
07	spark		22	난파, 잔해	
08	Arctic		23	정상, 절정	
09	depth		24	폭발하다	
10	shield		25	내뿜다, 배출하다	
11	wildlife		26	정화하다	
12	disaster		27	둘러싸다	
13	occur		28	~을 쓸어 가다	
14	Atlantic		29	~을 완전히 파괴하다	
15	canyon		30	다 써 버리다	

[31~38] 다음 문장의 빈칸에 알맞은 단어를 쓰시오.

31 The _____ of summer in Korea is hot and humid.
한국의 여름 기후는 덥고 습하다.

32 The fewer products we buy, the more _____ we save.
우리가 더 적은 제품들을 살수록, 더 많은 자원들을 절약하게 된다.

33 Everyone survived even after the serious tornado had _____.
위험한 토네이도가 발생한 후에도 모두가 무사했다.

34 Salt and sugar absorb _____ from the air and can form hard lumps.
소금과 설탕은 공기 중의 수분을 흡수하여 단단한 덩어리를 형성할 수 있다.

35 A _____ is a device that measures changes in temperature.
온도계는 온도의 변화를 측정하는 기구이다.

36 Plants can help to _____ air polluted by fine dust or yellow dust.
식물은 미세먼지나 황사에 의해 오염된 공기를 정화하는 데 도움을 줄 수 있다.

37 The swamp is _____ with dense woods.
그 늪은 울창한 나무들로 둘러싸여 있다.

38 Humans are _____ their allowance for water, clean air and other resources on Earth each year.
인간은 매년 지구상의 물, 깨끗한 공기 및 기타 자원에 대한 허용량을 다 써 버리고 있다.

[01~30] 영어 단어를 보고 알맞은 뜻을, 뜻을 보고 알맞은 영어 단어를 쓰시오.

01 astronaut _____

02 solar _____

03 remote _____

04 benefit _____

05 efficiency _____

06 enable _____

07 discover _____

08 observe _____

09 digital _____

10 shuttle _____

11 astronomer _____

12 orbit _____

13 galaxy _____

14 rotate _____

15 satellite _____

16 발사하다, 출시하다 _____

17 달의 _____

18 전자의 _____

19 (해·달의) 식 _____

20 중력 _____

21 자동의 _____

22 도구, 장치 _____

23 손의, 안내서 _____

24 정확한 _____

25 분석하다, 분해하다 _____

26 조절하다, 적응하다 _____

27 가속하다 _____

28 ~을 불러일으키다 _____

29 ~을 분류하다 _____

30 ~을 대신하다 _____

[31~38] 다음 문장의 빈칸에 알맞은 단어를 쓰시오.

31 The astronauts haven't even been to the planets in our solar system, not to mention _____ stars.

그 우주 비행사들은 먼 별은 말할 것도 없고, 우리 태양계 내의 행성에도 가 보지 못했다.

32 We enjoy watching movies with DVDs in which pictures and sounds are converted to _____ data.

우리는 영상과 소리가 디지털 데이터로 변환된 DVD로 영화를 보는 것을 즐긴다.

33 The Earth _____ once a day and moves around the sun once a year. 지구는 하루에 한 번 자전하며, 일 년에 한 번 태양 주위를 돈다.

34 We could never _____ something that big into space.

우리는 그렇게 커다란 무엇인가를 절대 우주로 쏘아 올릴 수가 없었다.

35 _____ is the invisible force that pulls things toward the ground.

중력이란 사물을 땅 쪽으로 끌어당기는 보이지 않는 힘이다.

36 In a spaceship, astronauts use many electronic _____ which enable them to carry out their project.

우주선 안에서, 우주 비행사들은 그들의 계획을 수행할 수 있게 해 주는 많은 전자 도구들을 사용한다.

37 Tony is _____ the light level in this building.

Tony는 이 건물의 조도를 조정하고 있다.

38 We find that IT can not only _____ human labor but also complement it.

우리는 IT(정보 기술)가 인간의 노동력을 대신할 뿐만 아니라 이를 보완할 수 있다는 것을 안다.

[01~30] 영어 단어를 보고 알맞은 뜻을, 뜻을 보고 알맞은 영어 단어를 쓰시오.

01 online _____

02 database _____

03 capture _____

04 tool _____

05 junk _____

06 delete _____

07 communicate _____

08 browse _____

09 link _____

10 oral _____

11 edit _____

12 warn _____

13 dot _____

14 visual _____

15 profile _____

16 접근, 입수하다 _____

17 보급시키다 _____

18 활성화하다 _____

19 정보를 찾아다니다 _____

20 요청, 요구 _____

21 방해하다 _____

22 중단, 잠시 멈추다 _____

23 응답, 반응 _____

24 토론, 토의 _____

25 비논리적인 _____

26 주저하다 _____

27 가정하다 _____

28 결합시키다 _____

29 ~와 접촉을 유지하다 _____

30 남의 대화에 끼어들다 _____

[31~38] 다음 문장의 빈칸에 알맞은 단어를 쓰시오.

31 I used the new search _____ to find more information about the printer. 나는 프린터에 관한 더 많은 정보를 찾기 위해 새로운 검색 툴을 사용했다.

32 Some emails can be automatically _____ if they are marked as spam mails. 어떤 이메일들은 스팸 메일로 간주되어 자동으로 삭제될 수 있다.

33 The police _____ you about illegal content on the Internet and tell you to have it removed.
경찰은 인터넷상에서의 불법 콘텐츠에 대해 여러분에게 경고하고 그것을 삭제하라고 말한다.

34 Students have _____ to the Internet in all buildings by using their own laptops.
학생들은 모든 건물에서 자신의 노트북을 이용해 인터넷에 접속이 가능하다.

35 When you create a new website, follow these 5 steps in order to _____ it.
새 웹사이트를 만들 때, 웹사이트를 활성화시키기 위해 이 5가지 단계를 따르세요.

36 When _____ occur in the flow of the conversation, don't feel that you must instantly fill the void.
대화의 흐름이 잠시 끊겼을 때, 당신이 즉시 그 공백을 채워야 한다고 느끼지 마라.

37 Your argument is _____ and completely irrelevant to our debate.
당신의 주장은 비논리적이며, 우리의 토론과 완전히 무관하다.

38 Thanks to social media, we can easily _____ people who are far away.
소셜 미디어 덕분에 우리는 멀리 떨어져 있는 사람들과 쉽게 연락을 유지하며 지낼 수 있다.

3일
누적 테스트

학습한 단어의 우리말 뜻을 쓰세요.

01 elder	_____	21 appearance	_____
02 parental	_____	22 personality	_____
03 breed	_____	23 gender	_____
04 obedient	_____	24 impression	_____
05 diligent	_____	25 mood	_____
06 bold	_____	26 sorrow	_____
07 confident	_____	27 emotion	_____
08 impatient	_____	28 anxious	_____
09 ambitious	_____	29 scream	_____
10 brilliant	_____	30 sympathy	_____
11 disgust	_____	31 generation	_____
12 astound	_____	32 supporter	_____
13 annoy	_____	33 niece	_____
14 relieve	_____	34 arrogant	_____
15 amaze	_____	35 aggressive	_____
16 sentiment	_____	36 fierce	_____
17 background	_____	37 kindness	_____
18 daycare	_____	38 burst into	_____
19 pregnant	_____	39 be tired of	_____
20 nurture	_____	40 put up with	_____

01 nourish	_____	**21** leftover	_____
02 chop	_____	**22** swallow	_____
03 grind	_____	**23** beverage	_____
04 roast	_____	**24** squeeze	_____
05 fashion	_____	**25** rotten	_____
06 loose	_____	**26** cuisine	_____
07 stripe	_____	**27** raw	_____
08 comfort	_____	**28** grill	_____
09 dress up	_____	**29** discard	_____
10 wear out	_____	**30** appliance	_____
11 show off	_____	**31** dairy	_____
12 cottage	_____	**32** kettle	_____
13 dust	_____	**33** tray	_____
14 spread	_____	**34** suit	_____
15 cleanse	_____	**35** vest	_____
16 hang up	_____	**36** fabric	_____
17 plain	_____	**37** drawer	_____
18 premium	_____	**38** stair	_____
19 formal	_____	**39** rubbish	_____
20 fancy	_____	**40** dispose	_____

01 inspire	_____	21 absent	_____
02 refer	_____	22 attendance	_____
03 review	_____	23 motivate	_____
04 linguistics	_____	24 attitude	_____
05 memorize	_____	25 statistics	_____
06 institute	_____	26 physics	_____
07 laboratory	_____	27 geology	_____
08 dormitory	_____	28 diameter	_____
09 catch up with	_____	29 academic	_____
10 drop out (of)	_____	30 essence	_____
11 manufacture	_____	31 scholar	_____
12 manage	_____	32 concept	_____
13 counselor	_____	33 principle	_____
14 reward	_____	34 peer	_____
15 wage	_____	35 scholarship	_____
16 architect	_____	36 grant	_____
17 profession	_____	37 vend	_____
18 application	_____	38 requirement	_____
19 salary	_____	39 superior	_____
20 labor	_____	40 career	_____

01 stationery	_____	21 delicate	_____
02 staple	_____	22 flat	_____
03 confirm	_____	23 broad	_____
04 detail	_____	24 compact	_____
05 pose	_____	25 fame	_____
06 scene	_____	26 poll	_____
07 survey	_____	27 channel	_____
08 mass	_____	28 criticize	_____
09 panel	_____	29 frequent	_____
10 focus	_____	30 commute	_____
11 argue over	_____	31 assign	_____
12 come up with	_____	32 booth	_____
13 faint	_____	33 brochure	_____
14 steep	_____	34 distribute	_____
15 fundamental	_____	35 script	_____
16 drawback	_____	36 bulletin	_____
17 appropriate	_____	37 preview	_____
18 moderate	_____	38 marvel	_____
19 flexible	_____	39 glitter	_____
20 monotonous	_____	40 differ from	_____

01 quantity	_____	21 referee	_____
02 retail	_____	22 fair	_____
03 merchandise	_____	23 penalty	_____
04 insert	_____	24 foul	_____
05 pastime	_____	25 wrap	_____
06 outdoor	_____	26 bargain	_____
07 defeat	_____	27 purchase	_____
08 amateur	_____	28 total	_____
09 take place	_____	29 abroad	_____
10 transport	_____	30 baggage	_____
11 passenger	_____	31 refund	_____
12 underground	_____	32 exchange	_____
13 destination	_____	33 claim	_____
14 available	_____	34 satisfy	_____
15 delay	_____	35 guarantee	_____
16 call off	_____	36 encourage	_____
17 crew	_____	37 extreme	_____
18 navigate	_____	38 spectacle	_____
19 locate	_____	39 come across	_____
20 journey	_____	40 head for	_____

01 director _____

02 theme _____

03 chorus _____

04 interval _____

05 mental _____

06 recover _____

07 emergency _____

08 allergy _____

09 joint _____

10 barrel _____

11 herd _____

12 crisis _____

13 provide _____

14 material _____

15 export _____

16 pulse _____

17 infection _____

18 sanitary _____

19 symptom _____

20 disabled _____

21 exhibit _____

22 literature _____

23 version _____

24 copyright _____

25 tone _____

26 worsen _____

27 dental _____

28 medical _____

29 expand _____

30 scale _____

31 proportion _____

32 surpass _____

33 generate _____

34 constant _____

35 injure _____

36 heal _____

37 immune _____

38 strain _____

39 creature _____

40 distinct _____

01 economic _____

02 risk _____

03 decline _____

04 stock _____

05 possess _____

06 property _____

07 insist _____

08 union _____

09 charity _____

10 volunteer _____

11 prospect _____

12 advantage _____

13 stereotype _____

14 secure _____

15 affect _____

16 expire _____

17 campaign _____

18 party _____

19 dispute _____

20 postpone _____

21 unemployed _____

22 income _____

23 annual _____

24 strategy _____

25 conservative _____

26 command _____

27 hostile _____

28 authority _____

29 cabinet _____

30 acquire _____

31 sign up for _____

32 contribute to _____

33 put off _____

34 federal _____

35 unify _____

36 run for _____

37 factor _____

38 opportunity _____

39 standard _____

40 status _____

01 prevent _____

02 intentional _____

03 restrict _____

04 regulate _____

05 degenerate _____

06 incident _____

07 defect _____

08 manipulate _____

09 mislead _____

10 resist _____

11 invade _____

12 cooperate _____

13 hold on to _____

14 long for _____

15 consist of _____

16 crash _____

17 majority _____

18 temptation _____

19 confuse _____

20 aspect _____

21 deceive _____

22 sue _____

23 commit _____

24 violate _____

25 isolate _____

26 collide _____

27 negative _____

28 abnormal _____

29 independence _____

30 territory _____

31 reside _____

32 domestic _____

33 immigrate _____

34 emigrate _____

35 custom _____

36 identify _____

37 confess _____

38 convict _____

39 appeal _____

40 break down _____

01 widespread _____

02 external _____

03 alien _____

04 famine _____

05 refuge _____

06 shortage _____

07 endanger _____

08 sermon _____

09 settle _____

10 replace _____

11 signify _____

12 conserve _____

13 evaluate _____

14 descend _____

15 reproduce _____

16 evolution _____

17 extinct _____

18 clone _____

19 identical _____

20 animate _____

21 faith _____

22 minority _____

23 mummy _____

24 remains _____

25 rid _____

26 origin _____

27 suggest _____

28 propose _____

29 universal _____

30 vary _____

31 conflict _____

32 aware _____

33 previous _____

34 prior _____

35 decade _____

36 biography _____

37 devote _____

38 element _____

39 acid _____

40 storage _____

01 moisture _____

02 reflect _____

03 Celsius _____

04 thermometer _____

05 destructive _____

06 wreck _____

07 analyze _____

08 adjust _____

09 accelerate _____

10 bring about _____

11 sort out _____

12 substitute for _____

13 interrupt _____

14 pause _____

15 response _____

16 debate _____

17 illogical _____

18 hesitate _____

19 suppose _____

20 combine _____

21 satellite _____

22 launch _____

23 lunar _____

24 electronic _____

25 eclipse _____

26 gravity _____

27 peak _____

28 erupt _____

29 eject _____

30 purify _____

31 surround _____

32 wash away _____

33 temperature _____

34 forecast _____

35 climate _____

36 rubber _____

37 severe _____

38 efficiency _____

39 enable _____

40 discover _____

Answers

01 세대, 1대	**02** 지지자, 후원자	**03** 조카딸	**04** 약혼시키다, 약속하다
05 기념하다, 축하하다	**06** 기념일	**07** 운명, 숙명	**08** 충고하다, 조언하다
09 일생, 생애	**10** 나이가 위인	**11** 부모의	**12** 새끼를 낳다
13 순종하는	**14** 다루다, 대우하다	**15** 상호작용 하다	**16** contact
17 relationship	**18** funeral	**19** behave	**20** sibling
21 resemble	**22** background	**23** daycare	**24** pregnant
25 nurture	**26** accompany	**27** mature	**28** spouse
29 bring up	**30** break up with	**31** nieces	**32** fate
33 lifetime	**34** parental	**35** interacts	**36** siblings
37 spouse	**38** pregnant		

01 모양, 꼴, 모습	**02** 출현, 외관	**03** 성격, 인성	**04** 성별
05 인상	**06** 전형적인	**07** 유능한	**08** 매력적인
09 적극적인, 활동적인	**10** 소극적인, 수동적인	**11** 근면 성실한	**12** 대담한, 용감한
13 자신만만한	**14** 성급한, 참을성 없는	**15** 야망이 있는	**16** brilliant
17 elegant	**18** humble	**19** arrogant	**20** aggressive
21 fierce	**22** kindness	**23** oval	**24** odd
25 forehead	**26** ignorant	**27** wrinkle	**28** greed
29 take after	**30** stand out	**31** shapes	**32** Gender
33 impression	**34** diligent	**35** impatient	**36** ambitious
37 appearance	**38** takes after		

01 기분, 분위기	**02** 슬픔, 비애	**03** 감정	**04** 불안해하는, 걱정하는
05 부끄러워하는	**06** 우울	**07** 울다	**08** 짜증 나게 하다
09 완화하다	**10** 놀라게 하다	**11** 감정, 정서	**12** 부러워하다
13 부러워하는, 질투하는	**14** 신경, 용기	**15** 성질, 기질, 화	**16** resent
17 desperate	**18** awful	**19** miserable	**20** disgust
21 astound	**22** frighten	**23** panic	**24** scream
25 sympathy	**26** ridicule	**27** warm-hearted	**28** burst into
29 be tired of	**30** put up with	**31** emotions	**32** ashamed
33 envy	**34** temper	**35** awful	**36** astounded
37 ridicule	**38** put up with		

01 섬유, 섬유질	**02** 담고 있다, 포함하다	**03** 즉석요리의, 즉각적인	**04** 껍질을 벗기다
05 영양분을 공급하다	**06** 자르다, 썰다	**07** 잘게 갈다	**08** 굽다, 볶다
09 썩은, 부패한	**10** 요리	**11** 날것의	**12** 석쇠
13 먹을 수 있는	**14** 영양, 영양물 섭취	**15** 채식주의자	**16** dairy
17 kettle	**18** tray	**19** seasoning	**20** flavor
21 scent	**22** leftover	**23** swallow	**24** beverage
25 squeeze	**26** ripen	**27** paste	**28** blend
29 go off	**30** feed on	**31** contain	**32** chopped
33 Roast	**34** raw	**35** kettle	**36** flavor
37 Blend	**38** feed on		

01 유니폼	**02** 의상, 복장, 분장	**03** 깃, 칼라	**04** 실, 실을 꿰다
05 길이, 기간	**06** 격식을 차리지 않은	**07** 유행, 인기	**08** 헐거운, 느슨한
09 줄무늬	**10** 편안함	**11** 바래다	**12** 접다
13 수수한, 무늬가 없는	**14** 고가의, 고급의	**15** 공식적인	**16** fancy
17 outfit	**18** sew	**19** alter	**20** trousers
21 suit	**22** vest	**23** fabric	**24** cotton
25 fur	**26** laundry	**27** detergent	**28** dress up
29 wear out	**30** show off	**31** costumes	**32** loose
33 plain	**34** outfit	**35** suits	**36** fabric
37 detergent	**38** showed off		

01 작은 집, 오두막집	**02** 값을 매길 수 없는	**03** (수도 등의) 꼭지	**04** 경보기
05 어질러진 것	**06** 평소의, 일상의	**07** 판에 박힌 일	**08** 믿다, 의지하다
09 먼지를 털다	**10** 펴다, 펼치다	**11** 세척하다, 씻다	**12** 닦다, 훔치다
13 닦다, 대걸레	**14** 서랍	**15** 계단	**16** rubbish
17 dispose	**18** discard	**19** appliance	**20** spacious
21 chore	**22** polish	**23** flush	**24** nap
25 outlet	**26** trim	**27** crack	**28** leak
29 run out of	**30** hang up	**31** tap	**32** spread
33 cleansed	**34** stairs	**35** spacious	**36** chores
37 trimming	**38** run out of		

01 통찰력	02 학업의	03 본질, 기초	04 지능, 이해력
05 풀다, 해결하다	06 격려하다, 영감을 주다	07 언급하다	08 복습하다
09 언어학	10 향상시키다	11 내용, 목차	12 그림, 수치, 모습, 인물
13 학자	14 개념	15 원리, 원칙	16 expose
17 theory	18 define	19 demonstrate	20 conclude
21 statistics	22 physics	23 geology	24 diameter
25 literal	26 literate	27 fluent	28 go over
29 look up	30 dwell on	31 academic	32 improve
33 scholars	34 principle	35 theory	36 define
37 literate	38 go over		

01 교육하다	02 교육하다, 지시하다	03 강의	04 기일이 다 된
05 학기, 기간	06 시험하다, 검사하다	07 상, 상을 주다	08 곱하다, 증식하다
09 계산하다	10 기억하다	11 협회, 연구소	12 실험실
13 기숙사	14 (학교 등의) 장, 주된	15 통로, 복도	16 semester
17 absent	18 attendance	19 motivate	20 attitude
21 eager	22 entrance	23 submit	24 portfolio
25 peer	26 scholarship	27 grant	28 get along with
29 catch up with	30 drop out (of)	31 examined	32 principal
33 aisles	34 attendance	35 motivates	36 eager
37 get along with	38 drop out		

01 제조하다	02 경영하다	03 관리하다, 운영하다	04 전문가, 숙련가
05 선임의, 선배의	06 심리학자	07 전 직원, 인원	08 이발사
09 지도 교사	10 보상, 보수	11 임금, 급료	12 교체, 교대
13 퇴직하다	14 감독하다	15 달성하다, 이루다	16 architect
17 secretary	18 experienced	19 vend	20 requirement
21 superior	22 career	23 profession	24 application
25 salary	26 labor	27 proficient	28 prompt
29 insist on	30 turn down	31 expert	32 senior
33 counselor	34 shift	35 experienced	36 career
37 proficient	38 insist on		

01 더미, 쌓아 올리다	**02** 동료	**03** 붙이다, 첨부하다	**04** 사진 복사물
05 임명하다, 지명하다	**06** 대리점, 대행 회사	**07** 기준 (단위), 기초	**08** 지수, 지표
09 거절하다	**10** 문방구, 문구류	**11** 스테이플러 철사 침	**12** 승인하다
13 세부 사항	**14** 분류하다	**15** 문서, 서류	**16** misplace
17 procedure	**18** firm	**19** client	**20** frequent
21 commute	**22** division	**23** notify	**24** assign
25 booth	**26** brochure	**27** distribute	**28** make up for
29 get ahead	**30** take over	**31** envy	**32** confirmed
33 documents	**34** frequent	**35** notify	**36** distribute
37 make up for	**38** getting ahead		

01 보도하다	**02** 신문, 잡지	**03** 기사, 관사	**04** 잡지, 정기 간행물
05 방송하다	**06** 게시하다	**07** 자세를 취하다	**08** 장면, 무대
09 조사, 검사	**10** 대중, 집단	**11** 사실의	**12** 명성, 평판
13 투표, 여론 조사	**14** 채널, 수로	**15** 비판하다	**16** compliment
17 series	**18** feature	**19** script	**20** bulletin
21 preview	**22** column	**23** release	**24** announce
25 reveal	**26** audience	**27** panel	**28** focus
29 argue over	**30** come up with	**31** scene	**32** criticize
33 series	**34** bulletin	**35** released	**36** audiences
37 focused	**38** come up with		

01 다양성, 변화	**02** 정사각형	**03** 연약한, 섬세한	**04** 편평한
05 폭 넓은	**06** 소형의, 간편한	**07** 간단한, 짧은	**08** 날카로운
09 소중한	**10** 인공적인	**11** 거인 같은, 거대한	**12** 엄청난
13 궁극적인	**14** 희미한	**15** 가파른	**16** fundamental
17 shallow	**18** symbolic	**19** appropriate	**20** moderate
21 flexible	**22** monotonous	**23** obscure	**24** drawback
25 paradox	**26** describe	**27** marvel	**28** glitter
29 differ from	**30** stand for	**31** precious	**32** gigantic
33 faint	**34** steeper	**35** shallow	**36** monotonous
37 describe	**38** differs from		

01 상품	02 꼬리표, 상표	03 꼬리표	04 감싸다, 포장하다
05 싼 물건	06 사다	07 합계, 전체	08 질, 특성
09 가치 있게 여기다	10 줄이다	11 유행	12 양
13 소매	14 상품	15 집어넣다	16 necessity
17 luxury	18 auction	19 receipt	20 refund
21 exchange	22 claim	23 satisfy	24 guarantee
25 exclude	26 reasonable	27 steady	28 pay for
29 leave out	30 add up	31 value	32 merchandise
33 inserting	34 refund	35 satisfy	36 steady
37 pay for	38 added up		

01 챔피언, 우승자	02 경기	03 토너먼트	04 경쟁자
05 (순위를) 매기다	06 코치, 감독	07 공을 서브하다	08 미끄러지다
09 이기다, 심장이 뛰다	10 경쟁하다	11 능력	12 여가, 레저, 한가한
13 취미, 오락	14 야외의	15 패배	16 amateur
17 mound	18 athletic	19 opponent	20 referee
21 fair	22 penalty	23 foul	24 outstanding
25 participate	26 applaud	27 encourage	28 extreme
29 call off	30 take place	31 competing	32 pastime
33 athletic	34 fair	35 outstanding	36 participate
37 encourage	38 called off		

01 운송, 운송 수단	02 승객	03 지하철, 지하의	04 탑승한
05 출발하다	06 관광, 유람	07 도심의	08 타다
09 해외로	10 수하물	11 선실, 객실	12 퇴실
13 사례금, 팁	14 목적지	15 이용 가능한	16 delay
17 transfer	18 vehicle	19 highway	20 convey
21 accommodate	22 cruise	23 crew	24 navigate
25 locate	26 journey	27 spectacle	28 come across
29 head for	30 pull over	31 downtown	32 cabin
33 delayed	34 conveyed	35 navigate	36 spectacle
37 came across	38 pulled over		

01 감상하다, 평가하다	**02** 공예(품)	**03** 전시하다	**04** 문학
05 번역, 번역서, 각색	**06** 판권, 저작권	**07** 어조, 음색	**08** 고귀한, 고상한
09 지휘하다, 행동하다	**10** 조율하다, 곡조	**11** 감독	**12** 주제
13 합창	**14** 막간, 휴식 시간	**15** 예행연습을 하다	**16** compose
17 sculpture	**18** masterpiece	**19** classic	**20** imitate
21 tradition	**22** exclaim	**23** creature	**24** distinct
25 context	**26** monologue	**27** tragedy	**28** line up
29 live up to	**30** be into	**31** noble	**32** chorus
33 compose	**34** masterpieces	**35** creature	**36** monologue
37 lined up	**38** lived up to		

01 건강 상태, 상황	**02** 화학 물질	**03** 소화하다	**04** 병, 장애
05 악화되다	**06** 치아의	**07** 의학의	**08** 정신의
09 회복하다	**10** 비상사태, 위급	**11** 알레르기	**12** 관절, 접합
13 척추, 등뼈	**14** 시각, 시력	**15** 맥박, 고동	**16** infection
17 sanitary	**18** symptom	**19** disabled	**20** inject
21 prescribe	**22** tablet	**23** wound	**24** injure
25 heal	**26** immune	**27** strain	**28** bruise
29 come down with	**30** ease off	**31** mental	**32** emergency
33 joints	**34** pulse	**35** symptoms	**36** strain
37 bruises	**38** come down with		

01 풍부하게 하다	**02** 배럴(용량의 단위로 약 159리터)		**03** 떼, 무리
04 위기	**05** 공급하다, 준비하다	**06** 물질, 재료	**07** 수출하다
08 건설하다	**09** 오염, 공해	**10** 농업	**11** 풀을 뜯어 먹다
12 목초지	**13** 소, 가축	**14** 경작하다	**15** 콘크리트, 구체적인
16 crane	**17** invest	**18** expand	**19** scale
20 proportion	**21** surpass	**22** generate	**23** constant
24 optimistic	**25** undertake	**26** assemble	**27** innovative
28 enterprise	**29** shut down	**30** set up	**31** constructed
32 agriculture	**33** pasture	**34** invest	**35** scale
36 optimistic	**37** innovative	**38** set up	

01 예산	02 자본, 수도, 대문자	03 거래, 예금 계좌	04 지출, 비용
05 붕괴되다	06 경제학의	07 위험, 모험	08 하락
09 주식, 재고	10 소유하다	11 재산, 소유물	12 자산, 재산
13 재정, 재무	14 대출(금)	15 평가하다	16 commerce
17 negotiate	18 currency	19 boost	20 fortune
21 unemployed	22 income	23 annual	24 strategy
25 temporary	26 outcome	27 potential	28 pay off
29 lay off	30 in need	31 account	32 collapsed
33 possessed	34 estimated	35 annual	36 temporary
37 potential	38 in need		

01 선거하다	02 선언하다	03 민주주의	04 공무원, 관리
05 후보자	06 반대하다	07 즉각적인	08 고집하다, 주장하다
09 연합, 합병	10 무관심한	11 선거 운동, 유세	12 정당, 파티
13 논쟁	14 연기하다	15 납득시키다	16 persuade
17 assume	18 approve	19 session	20 deed
21 reputation	22 conservative	23 command	24 hostile
25 authority	26 cabinet	27 federal	28 unify
29 run for	30 speak for	31 insist	32 indifferent
33 party	34 persuade	35 deeds	36 conservative
37 authority	38 speaks for		

01 사회의	02 도덕적인	03 윤리, 도덕	04 ~하는 경향이 있다
05 허락하다	06 ~에 영향을 미치다	07 만기가 되다	08 조직, 단체
09 자유, 해방	10 요소, 요인	11 기회	12 표준, 기준
13 지위, 신분, 상태	14 편의, 편리	15 상황, 환경	16 charity
17 volunteer	18 prospect	19 advantage	20 stereotype
21 secure	22 complex	23 inadequate	24 proper
25 indicate	26 deserve	27 acquire	28 sign up for
29 contribute to	30 put off	31 allow	32 liberty
33 standards	34 circumstances	35 secure	36 complex
37 deserve	38 contributes to		

01 분명한	02 체포하다	03 용의자, 의심하다	04 유죄의
05 덫, 속임수	06 강도	07 범인, 범죄자	08 막다
09 의도적인, 계획된	10 제한하다	11 규제하다	12 금하다
13 판결, 선고	14 인정하다	15 배심원단	16 deceive
17 sue	18 commit	19 violate	20 offend
21 investigate	22 inquire	23 insult	24 identify
25 confess	26 convict	27 appeal	28 break down
29 accuse A of B	30 get away with	31 robbers	32 restricts
33 forbid	34 admitted	35 commit	36 identify
37 convict	38 get away with		

01 차이, 틈	02 인구	03 충돌	04 가장 많은 수
05 유혹	06 혼란시키다	07 면, 양상	08 폭력적인
09 장애, 난관	10 고립시키다	11 충돌하다	12 부정의
13 비정상적인	14 통합하다	15 가난, 빈곤	16 abuse
17 distress	18 divorce	19 arise	20 degenerate
21 incident	22 defect	23 manipulate	24 mislead
25 alcohol	26 addict	27 premature	28 abandon
29 do away with	30 keep away (from)	31 population	32 confused
33 united	34 abnormal	35 incident	36 addicts
37 premature	38 do away with		

01 남겨 두다, 예약하다	02 경우, 특별한 일	03 지역의	04 시민의, 국내의
05 내부의	06 세금	07 항구	08 같은, 평등한
09 ~할 작정이다	10 소진시키다	11 세계화하다	12 독립, 자주
13 영역, 영토	14 거주하다	15 국내의, 가정의	16 immigrate
17 emigrate	18 custom	19 tribe	20 racial
21 trait	22 ethnic	23 attempt	24 dominate
25 resist	26 invade	27 cooperate	28 hold on to
29 long for	30 consist of	31 local	32 equal
33 territories	34 domestic	35 racial	36 resisted
37 cooperate	38 longed for		

01 제안하다, 시사하다	**02** 제안하다, 청혼하다	**03** 보편적인, 일반적인	**04** 다르다, 바꾸다
05 충돌, 갈등	**06** 알아차리고 있는	**07** 접근하다	**08** 촉구하다
09 제휴하다	**10** 해석하다	**11** 양자택일, 대안	**12** 원조하다, 돕다
13 사건, 일거리	**14** 광범위한	**15** 외부의	**16** alien
17 famine	**18** refuge	**19** shortage	**20** endanger
21 contaminate	**22** preserve	**23** explode	**24** integrate
25 guard	**26** remark	**27** accord	**28** interfere in
29 keep up with	**30** break off	**31** universal	**32** urged
33 interpret	**34** famine	**35** shortage	**36** endangered
37 contaminate	**38** broken off		

01 이전의, 앞의	**02** 이전의, 우선하는	**03** 10년간	**04** 전기, 일대기
05 바치다	**06** 신념, 믿음	**07** 소수, 소수 민족	**08** 미라
09 유해, 유골	**10** 제거하다	**11** 기원, 유래	**12** 문명, 문화
13 혁명	**14** 왕의, 왕실의	**15** 유산, 전통	**16** missionary
17 sermon	**18** settle	**19** replace	**20** signify
21 conserve	**22** evaluate	**23** descend	**24** disappear
25 sequence	**26** gradual	**27** sacred	**28** break out
29 derive from	**30** hand down	**31** decade	**32** minority
33 origins	**34** settled	**35** conserve	**36** disappears
37 sacred	**38** hand down		

01 생물학	**02** 화학	**03** 요소, 성분	**04** 산, 산(성)의
05 저장, 저장소	**06** 증기	**07** 유전자	**08** 포유동물
09 녹다, 녹이다	**10** 세포, 작은 방	**11** 현미경	**12** 번식하다, 재생하다
13 진화	**14** 멸종된, 사라진	**15** 복제하다	**16** identical
17 animate	**18** carbon	**19** mixture	**20** substance
21 liquid	**22** filter	**23** absorb	**24** toxic
25 ray	**26** compound	**27** detach	**28** turn A into B
29 tell from	**30** give off	**31** storage	**32** cells
33 animate	**34** substances	**35** filter	**36** absorbs
37 toxic	**38** give off		

01 온도, 기온	**02** 예보, 예상하다	**03** 기후	**04** 고무
05 극심한, 심각한	**06** 자원, 재원	**07** 도화선이 되다	**08** 북극 지방
09 심해, 깊이	**10** 보호하다	**11** 야생 생물	**12** 재난
13 발생하다	**14** 대서양	**15** 협곡	**16** swamp
17 moisture	**18** reflect	**19** Celsius	**20** thermometer
21 destructive	**22** wreck	**23** peak	**24** erupt
25 eject	**26** purify	**27** surround	**28** wash away
29 wipe out	**30** use up	**31** climate	**32** resources
33 occurred	**34** moisture	**35** thermometer	**36** purify
37 surrounded	**38** using up		

01 우주 비행사	**02** 태양의	**03** 먼, 외진	**04** 이익
05 효율, 능률	**06** 할 수 있게 하다	**07** 발견하다	**08** 관찰하다
09 디지털의	**10** 우주 왕복선	**11** 천문학자	**12** 궤도
13 은하, 은하계	**14** 회전히다	**15** 위성, 인공위성	**16** launch
17 lunar	**18** electronic	**19** eclipse	**20** gravity
21 automatic	**22** device	**23** manual	**24** accurate
25 analyze	**26** adjust	**27** accelerate	**28** bring about
29 sort out	**30** substitute for	**31** remote	**32** digital
33 rotates	**34** launch	**35** Gravity	**36** devices
37 adjusting	**38** substitute for		

01 온라인의	**02** 데이터베이스	**03** 포착하다	**04** 도구, 툴
05 폐물, 고물	**06** 삭제하다	**07** 의사소통하다	**08** 검색하다
09 링크, 연결	**10** 구두의	**11** 편집하다	**12** 경고하다
13 (인터넷의) 닷	**14** 시각의	**15** 프로필	**16** access
17 circulate	**18** activate	**19** surf	**20** request
21 interrupt	**22** pause	**23** response	**24** debate
25 illogical	**26** hesitate	**27** suppose	**28** combine
29 keep in touch with	**30** cut in	**31** tool	**32** deleted
33 warn	**34** access	**35** activate	**36** pauses
37 illogical	**38** keep in touch with		

3일 누적 테스트

01 나이가 위인	02 부모의	03 새끼를 낳다, 기르다	04 순종하는
05 근면 성실한	06 대담한	07 자신만만한, 확신하는	08 성급한
09 야망이 있는, 야심 찬	10 훌륭한	11 역겹게 하다	12 놀라게 하다
13 짜증 나게 하다	14 완화하다	15 놀라게 하다	16 감정
17 배경	18 탁아소의, 보육의	19 임신한	20 양육하다
21 출현, 나타남	22 성격, 인성	23 성별	24 인상, 감동
25 기분, 분위기	26 슬픔	27 감정	28 불안해하는
29 비명	30 동정	31 세대	32 지지자, 후원자
33 조카딸	34 오만한, 거만한	35 공격적인	36 사나운
37 친절, 다정함	38 갑자기 ~을 터뜨리다	39 ~에 싫증이 나다	40 ~을 참다

3일 누적 테스트

01 영양분을 공급하다	02 자르다	03 잘게 갈다	04 굽다, 볶다
05 유행, 인기	06 헐거운, 느슨한	07 줄무늬	08 편안함, 위로
09 옷을 갖춰 입다	10 많이 써서 낡게 하다	11 ~을 과시하다	12 작은 집, 오두막집
13 먼지를 털다	14 펴다	15 세척하다, 씻다	16 ~을 걸다
17 수수한, 무늬가 없는	18 고가의	19 공식적인	20 화려한, 장식적인
21 남은, 남은 음식	22 삼키다	23 음료	24 짜다, 압착하다
25 썩은	26 요리	27 날것의	28 석쇠
29 버리다, 처분하다	30 기구, 장치	31 우유의, 유제품의	32 주전자
33 쟁반	34 정장, 어울리다	35 조끼	36 천, 직물
37 서랍	38 계단	39 쓰레기	40 처리하다

3일 누적 테스트

01 격려하다, 영감을 주다	02 언급하다	03 복습하다	04 언어학
05 기억하다	06 협회, 연구소	07 실험실, 연구실	08 기숙사
09 따라잡다, 만회하다	10 (~에서) 중퇴하다, 빠지다	11 제조하다	12 경영하다
13 지도 교사, 카운슬러	14 보상, 보수	15 임금, 급료	16 건축가, 설계자
17 직업	18 신청서, 원서	19 봉급	20 노동, 일
21 결석한	22 출석	23 동기를 부여하다	24 태도
25 통계학	26 물리학	27 지질학	28 지름
29 학업의	30 본질, 기초	31 학자, 장학생	32 개념, 발상
33 원리, 원칙	34 동등한 사람, 또래	35 장학금	36 장학금, 주다
37 행상하다, 팔다	38 필요조건, 자격	39 상사, 우수한	40 경력, 직업

3일 누적 테스트

01 문방구	**02** 스테이플러 철사 침	**03** 승인하다	**04** 세부 사항
05 자세를 취하다	**06** 장면, 무대	**07** 조사, 검사	**08** 대중, 집단
09 패널, 토론자단	**10** 초점을 맞추다	**11** ~을 두고 논쟁하다	**12** ~을 생각해 내다
13 희미한	**14** 가파른	**15** 근본적인, 중요한	**16** 결점
17 적당한	**18** 중간 정도의	**19** 유연성 있는	**20** 단조로운
21 연약한, 허약한	**22** 편평한	**23** 폭 넓은	**24** 소형의, 간편한
25 명성	**26** 투표, 여론 조사	**27** 채널, 수로	**28** 비판하다
29 자주 일어나는	**30** 통근하다	**31** 할당하다, 임명하다	**32** 부스
33 안내 소책자	**34** 분배하다	**35** 대본, 각본	**36** 보고, 게시
37 시사회, 미리보기	**38** 놀라운 일, 놀라다	**39** 반짝이다	**40** ~와 다르다

3일 누적 테스트

01 양	**02** 소매	**03** 상품	**04** 집어넣다
05 취미	**06** 야외의	**07** 패배	**08** 아마추어, 비전문가
09 개최되다	**10** 운송, 운반하다	**11** 승객	**12** 지하철, 지하의
13 목적지	**14** 이용 가능한	**15** 지연시키다	**16** ~을 취소하다
17 승무원	**18** 항해하다	**19** 정하다, 두다	**20** 여행
21 심판, 중재자	**22** 공평한	**23** 벌칙, 페널티	**24** 반칙하다
25 감싸다, 포장하다	**26** 싼 물건	**27** 사다	**28** 합계, 전체
29 해외로	**30** 수하물	**31** 환불(액)	**32** 교환하다
33 요구하다, 주장하다	**34** 만족시키다	**35** 보증(서)	**36** 용기를 북돋다
37 극단적인	**38** (인상적인) 광경	**39** (우연히) 마주치다	**40** ~로 향해 가다

3일 누적 테스트

01 감독	**02** 주제	**03** 합창	**04** 막간, 휴식 시간
05 정신의, 심적인	**06** 회복하다	**07** 비상사태	**08** 알레르기
09 관절, 접합	**10** 배럴	**11** (가축의) 떼	**12** 위기
13 공급하다(with)	**14** 물질, 재료	**15** 수출하다	**16** 맥박, 고동
17 감염, 전염(병)	**18** 위생의	**19** 징후, 증상	**20** 장애를 입은, 장애의
21 전시하다	**22** 문학	**23** 번역, 각색	**24** 판권, 저작권
25 어조, 음색	**26** 악화되다	**27** 치아의	**28** 의학의
29 확장하다	**30** 규모, 저울, 비늘	**31** 비율	**32** 초월하다
33 발생시키다	**34** 일정한, 지속적인	**35** 상처를 입히다	**36** 치유되다
37 면역의	**38** 긴장, 큰 부담	**39** 생물, 창조물	**40** 다른, 별개의

3일 누적 테스트

01 경제학의	02 위험, 모험	03 (가격) 하락	04 주식, 재고(품)
05 소유하다	06 재산, 소유물	07 고집하다, 주장하다	08 연합, 합병
09 자선, 자선 단체	10 자원봉사자	11 전망, 가능성	12 이익
13 고정 관념	14 안전한	15 ~에 영향을 미치다	16 만기가 되다
17 선거 운동	18 정당, 파티	19 논쟁	20 연기하다
21 실업의, 무직의	22 수입, 소득	23 1년의, 해마다의	24 전략, 계획
25 보수적인	26 지휘하다, 명령하다	27 적대적인	28 권위, 권한
29 (정치) 내각, 장식장	30 얻다	31 등록하다	32 ~의 한 원인이 되다
33 ~을 연기하다	34 연방의	35 통일하다	36 ~에 입후보하다
37 요소	38 기회	39 표준, 기준	40 지위, 신분

3일 누적 테스트

Day 22~24

01 막다	02 의도적인	03 제한하다	04 규제하다
05 퇴보하다	06 사건, 사고	07 결점, 부족	08 조종하다
09 잘못 인도하다	10 저항하다	11 침입하다	12 협동하다
13 ~을 고수하다	14 ~을 갈망하다	15 ~로 구성되다	16 충돌
17 가장 많은 수	18 유혹	19 혼란시키다	20 면, 양상
21 속이다, 기만하다	22 고소하다	23 범하다, 저지르다	24 위반하다
25 고립시키다	26 충돌하다	27 부정의	28 비정상적인
29 독립, 자주	30 영역, 영토	31 거주하다	32 국내의, 가정의
33 이주해 들어오다	34 타국으로 이주하다	35 풍습	36 확인하다, 감정하다
37 자백하다	38 유죄를 선고하다	39 항소하다, 간청하다	40 ~을 부수다

3일 누적 테스트

Day 25~27

01 광범위한	02 외부의	03 외국의, 외국인의	04 기근, 배고픔
05 피난처, 도피처	06 부족, 결핍	07 위험에 빠뜨리다	08 설교, 교훈
09 정착하다, 해결하다	10 대신하다	11 의미하다	12 보존하다
13 평가하다	14 계통을 잇다	15 번식하다, 재생하다	16 진화
17 멸종된, 사라진	18 복제하다	19 동일한	20 살아 있는, 생물인
21 신념, 믿음	22 소수	23 미라	24 유해, 나머지
25 제거하다	26 기원, 유래	27 제안하다, 시사하다	28 제안하다, 제출하다
29 보편적인	30 다르다, 바꾸다	31 충돌, 갈등	32 알아차리고 있는
33 이전의, 앞의	34 이전의, 우선하는	35 10년간	36 전기, 일대기
37 바치다, 헌신하다	38 요소, 원소	39 산, 산(성)의	40 저장, 저장소

01 수분, 습기

02 반사하다, 반영하다

03 섭씨

04 온도계

05 파괴적인

06 난파, 잔해

07 분석하다

08 조절하다, 적응하다

09 가속하다

10 ~을 불러일으키다

11 ~을 분류하다

12 ~을 대신하다

13 방해하다

14 중단, 잠시 멈추다

15 응답, 반응

16 토론, 토의

17 비논리적인

18 주저하다

19 가정하다, 상상하다

20 결합시키다

21 위성, 인공위성

22 발사하다

23 달의

24 전자의

25 (해·달의) 식

26 중력

27 정상, 봉우리

28 폭발하다, 분출하다

29 내뿜다, 배출하다

30 정화하다

31 둘러싸다

32 ~을 쓸어 가다

33 온도, 기온

34 예보, 예상하다

35 기후

36 고무

37 극심한, 심각한

38 효율, 능률

39 할 수 있게 하다

40 발견하다

MEMO

Word ∞ master

중등 고난도 mini

Study Plan

회독 체크표			
DAY 01	1회독 ☐	2회독 ☐	3회독 ☐
DAY 02	1회독 ☐	2회독 ☐	3회독 ☐
DAY 03	1회독 ☐	2회독 ☐	3회독 ☐
DAY 04	1회독 ☐	2회독 ☐	3회독 ☐
DAY 05	1회독 ☐	2회독 ☐	3회독 ☐
DAY 06	1회독 ☐	2회독 ☐	3회독 ☐
DAY 07	1회독 ☐	2회독 ☐	3회독 ☐
DAY 08	1회독 ☐	2회독 ☐	3회독 ☐
DAY 09	1회독 ☐	2회독 ☐	3회독 ☐
DAY 10	1회독 ☐	2회독 ☐	3회독 ☐
DAY 11	1회독 ☐	2회독 ☐	3회독 ☐
DAY 12	1회독 ☐	2회독 ☐	3회독 ☐
DAY 13	1회독 ☐	2회독 ☐	3회독 ☐
DAY 14	1회독 ☐	2회독 ☐	3회독 ☐
DAY 15	1회독 ☐	2회독 ☐	3회독 ☐

회독 체크표			
DAY 16	1회독 ☐	2회독 ☐	3회독 ☐
DAY 17	1회독 ☐	2회독 ☐	3회독 ☐
DAY 18	1회독 ☐	2회독 ☐	3회독 ☐
DAY 19	1회독 ☐	2회독 ☐	3회독 ☐
DAY 20	1회독 ☐	2회독 ☐	3회독 ☐
DAY 21	1회독 ☐	2회독 ☐	3회독 ☐
DAY 22	1회독 ☐	2회독 ☐	3회독 ☐
DAY 23	1회독 ☐	2회독 ☐	3회독 ☐
DAY 24	1회독 ☐	2회독 ☐	3회독 ☐
DAY 25	1회독 ☐	2회독 ☐	3회독 ☐
DAY 26	1회독 ☐	2회독 ☐	3회독 ☐
DAY 27	1회독 ☐	2회독 ☐	3회독 ☐
DAY 28	1회독 ☐	2회독 ☐	3회독 ☐
DAY 29	1회독 ☐	2회독 ☐	3회독 ☐
DAY 30	1회독 ☐	2회독 ☐	3회독 ☐

□□ 001	**generation**	ⓝ 1. 세대, 1대 2. 같은 시대의 사람들
□□ 002	**supporter**	ⓝ 지지자, 후원자, 부양자
□□ 003	**niece**	ⓝ 조카딸
□□ 004	**engage**	ⓥ 1. 약혼시키다(to) 2. 약속하다, 계약하다 3. 종사시키다(in)
□□ 005	**celebrate**	ⓥ 기념하다, 축하하다
□□ 006	**anniversary**	ⓝ 기념일
□□ 007	**fate**	ⓝ 1. 운명, 숙명 2. 죽음
□□ 008	**advise**	ⓥ 충고하다, 조언하다
□□ 009	**lifetime**	ⓝ 일생, 생애 ⓐ 일생의
□□ 010	**elder**	ⓐ 나이가 위인, 선배의 ⓝ 연장자, 선배
□□ 011	**parental**	ⓐ 부모의, 부모다운
□□ 012	**breed**	ⓥ 1. (동물이) 새끼를 낳다 2. 기르다 ⓝ 품종
□□ 013	**obedient**	ⓐ 순종하는, 말을 잘 듣는
□□ 014	**treat**	ⓥ 1. 다루다, 대우하다 2. 치료하다
□□ 015	**interact**	ⓥ 상호작용 하다, 서로 영향을 미치다

☐☐ 016	**contact**	ⓝ 1. 연락 2. 접촉 ⓥ ~와 연락하다
☐☐ 017	**relationship**	ⓝ 관계, 관련, 연관
☐☐ 018	**funeral**	ⓝ 장례식
☐☐ 019	**behave**	ⓥ 행동하다, 처신하다
☐☐ 020	**sibling**	ⓝ 형제자매
☐☐ 021	**resemble**	ⓥ ~와 닮다
☐☐ 022	**background**	ⓝ (환경적·문화적) 배경
☐☐ 023	**daycare**	ⓐ 탁아소의, 보육의
☐☐ 024	**pregnant**	ⓐ 임신한
☐☐ 025	**nurture**	ⓥ 양육하다, 키우다
☐☐ 026	**accompany**	ⓥ 1. 동행하다, 함께 가다 2. (악기로) 반주하다
☐☐ 027	**mature**	ⓐ 성숙한
☐☐ 028	**spouse**	ⓝ 배우자, 남편, 아내
☐☐ 029	**bring up**	~을 기르다, 양육하다
☐☐ 030	**break up with**	~와 헤어지다, 관계를 끊다

□□ 031	**shape**	ⓝ 모양, 꼴, 모습
□□ 032	**appearance**	ⓝ 1. 출현, 나타남 2. 외관, 겉모습
□□ 033	**personality**	ⓝ 1. 성격, 인성 2. 개성
□□ 034	**gender**	ⓝ 성별
□□ 035	**impression**	ⓝ 1. 인상 2. 감동, 감명
□□ 036	**typical**	ⓐ 전형적인
□□ 037	**capable**	ⓐ 1. 유능한 2. ~할 능력이 있는
□□ 038	**attractive**	ⓐ 1. 매력적인 2. 사람을 끄는
□□ 039	**active**	ⓐ 적극적인, 활동적인
□□ 040	**passive**	ⓐ 소극적인, 수동적인
□□ 041	**diligent**	ⓐ 근면 성실한, 부지런한
□□ 042	**bold**	ⓐ 1. 대담한, 용감한 2. (문자·선 등이) 굵은
□□ 043	**confident**	ⓐ 1. 자신만만한 2. 확신하는
□□ 044	**impatient**	ⓐ 성급한, 참을성 없는
□□ 045	**ambitious**	ⓐ 야망이 있는, 야심 찬

□□ 046	**brilliant**	ⓐ 1. 훌륭한, 눈부신, (재능이) 뛰어난 2. 빛나는
□□ 047	**elegant**	ⓐ 우아한, 품위 있는
□□ 048	**humble**	ⓐ 1. 겸손한 2. 초라한, 소박한
□□ 049	**arrogant**	ⓐ 오만한, 거만한
□□ 050	**aggressive**	ⓐ 1. 공격적인 2. 매우 적극적인
□□ 051	**fierce**	ⓐ 1. 사나운, 흉포한 2. 격렬한
□□ 052	**kindness**	ⓝ 친절, 다정함
□□ 053	**oval**	ⓐ 타원형의, 달걀형의 ⓝ 달걀 모양, 타원체
□□ 054	**odd**	ⓐ 1. 이상한, 기묘한 2. 홀수의
□□ 055	**forehead**	ⓝ 이마
□□ 056	**ignorant**	ⓐ 1. 무지한, 무식한 2. (정보가 없어) 모르는
□□ 057	**wrinkle**	ⓝ 주름 ⓥ 주름지게 하다
□□ 058	**greed**	ⓝ 욕심, 탐욕
□□ 059	**take after**	~을 닮다
□□ 060	**stand out**	눈에 띄다, 빼어나다

Thoughts & Feelings

□□ 061	**mood**	ⓝ 기분, 분위기
□□ 062	**sorrow**	ⓝ 슬픔, 비애
□□ 063	**emotion**	ⓝ 감정
□□ 064	**anxious**	ⓐ 1. 불안해하는, 걱정하는 2. 갈망하는
□□ 065	**ashamed**	ⓐ 부끄러워하는
□□ 066	**depression**	ⓝ 1. 우울 2. 불경기
□□ 067	**weep**	ⓥ 울다
□□ 068	**annoy**	ⓥ 짜증 나게 하다, 귀찮게 하다
□□ 069	**relieve**	ⓥ 완화하다, 긴장을 풀게 하다
□□ 070	**amaze**	ⓥ 놀라게 하다
□□ 071	**sentiment**	ⓝ 감정, 정서
□□ 072	**envy**	ⓥ 부러워하다 ⓝ 부러움, 질투
□□ 073	**jealous**	ⓐ 부러워하는, 질투하는
□□ 074	**nerve**	ⓝ 1. 신경 2. 용기
□□ 075	**temper**	ⓝ 성질, 기질, 화

☐☐ 076 **resent** ⓥ 화를 내다, 분개하다

☐☐ 077 **desperate** ⓐ 필사적인, 절망적인

☐☐ 078 **awful** ⓐ 지독한, 아주 심한

☐☐ 079 **miserable** ⓐ 비참한, 불행한

☐☐ 080 **disgust** ⓥ 역겹게 하다 ⓝ 반감, 혐오감

☐☐ 081 **astound** ⓥ 놀라게 하다

☐☐ 082 **frighten** ⓥ 겁먹게 하다, 놀라게 하다

☐☐ 083 **panic** ⓥ 당황하다, 공포에 질리다
ⓝ 당황, 공포 ⓐ 당황한, 겁먹은

☐☐ 084 **scream** ⓝ 비명 ⓥ 소리 지르다

☐☐ 085 **sympathy** ⓝ 동정, 공감

☐☐ 086 **ridicule** ⓥ 비웃다, 조롱하다 ⓝ 비웃음, 조롱

☐☐ 087 **warm-hearted** ⓐ 마음이 따뜻한, 친절한

☐☐ 088 **burst into** 갑자기 ~을 터뜨리다, 내뿜다

☐☐ 089 **be tired of** ~에 싫증이 나다, 넌더리 나다

☐☐ 090 **put up with** ~을 참다, 참고 견디다

Daily Life

□□ 091	**fiber**	ⓝ 섬유, 섬유질
□□ 092	**contain**	ⓥ 담고 있다, 포함하다
□□ 093	**instant**	ⓐ 1. 즉석요리의, 인스턴트의 2. 즉각적인 ⓝ 순간
□□ 094	**peel**	ⓥ (과일·채소 등의) 껍질을 벗기다; 벗겨지다 ⓝ 과일 껍질
□□ 095	**nourish**	ⓥ 영양분을 공급하다, (사람·생물을) 기르다
□□ 096	**chop**	ⓥ 자르다, 썰다
□□ 097	**grind**	ⓥ 잘게 갈다[빻다], 가루로 만들다
□□ 098	**roast**	ⓥ 굽다, 볶다 ⓐ 구운
□□ 099	**rotten**	ⓐ 썩은, 부패한
□□ 100	**cuisine**	ⓝ 요리
□□ 101	**raw**	ⓐ 1. 날것의 2. 가공하지 않은
□□ 102	**grill**	ⓝ 석쇠 ⓥ 석쇠에 굽다
□□ 103	**edible**	ⓐ 먹을 수 있는
□□ 104	**nutrition**	ⓝ 영양, 영양물 섭취
□□ 105	**vegetarian**	ⓝ 채식주의자 ⓐ 채식주의(자)의

□□ 106	**dairy**	ⓐ 우유의, 유제품의 ⓝ 유제품 판매점
□□ 107	**kettle**	ⓝ 주전자
□□ 108	**tray**	ⓝ 쟁반
□□ 109	**seasoning**	ⓝ 조미료, 양념
□□ 110	**flavor**	ⓝ (재료 특유의) 맛과 향 ⓥ 풍미를 더하다(with)
□□ 111	**scent**	ⓝ 향기
□□ 112	**leftover**	ⓐ 남은 ⓝ 남은 음식
□□ 113	**swallow**	ⓥ 삼키다 ⓝ 삼키기
□□ 114	**beverage**	ⓝ 음료
□□ 115	**squeeze**	ⓥ 짜다, 압착하다
□□ 116	**ripen**	ⓥ 익다; 익히다
□□ 117	**paste**	ⓝ 1. 반죽 2. 풀 ⓥ 붙이다
□□ 118	**blend**	ⓥ 1. 섞다 2. 조화되다
□□ 119	**go off**	(음식 등이) 상하다, 부패하다
□□ 120	**feed on**	~을 먹고 살다

□□ 121	**uniform**	ⓝ 유니폼, 제복 ⓐ 일정한, 균등한
□□ 122	**costume**	ⓝ 1. 의상, 복장 2. 분장
□□ 123	**collar**	ⓝ 깃, 칼라
□□ 124	**thread**	ⓝ 실 ⓥ 실을 꿰다
□□ 125	**length**	ⓝ 길이, 기간
□□ 126	**casual**	ⓐ 1. 격식을 차리지 않은, 평상복의 2. 우연의
□□ 127	**fashion**	ⓝ 1. 유행, 인기 2. 패션
□□ 128	**loose**	ⓐ 1. 헐거운, 느슨한 2. 풀린, 벗겨진
□□ 129	**stripe**	ⓝ 줄무늬
□□ 130	**comfort**	ⓝ 1. 편안함 2. 위로, 위안 ⓥ 1. 편하게 하다 2. 위로하다
□□ 131	**fade**	ⓥ (색이) 바래다, (색을) 바래게 하다
□□ 132	**fold**	ⓥ (종이·천 등을) 접다
□□ 133	**plain**	ⓐ 1. (의복 등이) 수수한; 무늬가 없는 2. 명백한, 분명한
□□ 134	**premium**	ⓐ 고가의, 고급의 ⓝ 할증금, 포상금
□□ 135	**formal**	ⓐ 공식적인, 격식을 차린

□□ 136 **fancy** ⓐ 1. 화려한, 장식적인 2. 값비싼

□□ 137 **outfit** ⓝ (특별한 날 입는) 옷, 의상 한 벌

□□ 138 **sew** ⓥ 바느질하다, (바느질로) 만들다

□□ 139 **alter** ⓥ 변경하다, (옷을) 고쳐 만들다

□□ 140 **trousers** ⓝ 바지

□□ 141 **suit** ⓝ 정장 ⓥ 어울리다, 잘 맞다

□□ 142 **vest** ⓝ 조끼

□□ 143 **fabric** ⓝ 1. 천, 직물 2. 직물의 짜임새

□□ 144 **cotton** ⓝ 1. 솜, 면화 2. 면직물, 무명실

□□ 145 **fur** ⓝ 모피

□□ 146 **laundry** ⓝ 1. 세탁물 2. 세탁소

□□ 147 **detergent** ⓝ 세탁 세제, 세정제

□□ 148 **dress up** 옷을 갖춰[격식을 차려] 입다

□□ 149 **wear out** 많이 써서 낡게 하다, 닳다; 지치게 하다

□□ 150 **show off** ~을 과시하다

House & Housework

☐☐	151	**cottage**	ⓝ (시골의) 작은 집, 오두막집; (교외의) 작은 주택[별장]
☐☐	152	**priceless**	ⓐ 값을 매길 수 없는, 대단히 귀중한
☐☐	153	**tap**	ⓝ (수도 등의) 꼭지, (통의) 주둥이, 마개
☐☐	154	**alarm**	ⓝ 1. 경보기 2. 자명종 3. 놀람, 공포 ⓥ 놀라게 하다
☐☐	155	**mess**	ⓝ 1. 어질러진 것, 쓰레기 더미 2. 어수선함, 혼잡
☐☐	156	**usual**	ⓐ 평소의, 일상의
☐☐	157	**routine**	ⓝ 판에 박힌 일, 일과 ⓐ 일상적인, 판에 박힌
☐☐	158	**rely**	ⓥ 믿다, 의지[의존]하다
☐☐	159	**dust**	ⓥ 먼지를 털다 ⓝ 먼지, 흙
☐☐	160	**spread**	ⓥ 펴다, 펼치다, 퍼지다
☐☐	161	**cleanse**	ⓥ 1. 세척하다, 씻다 2. 정화하다
☐☐	162	**wipe**	ⓥ 닦다, 훔치다, 가볍게 문지르다
☐☐	163	**mop**	ⓥ (대걸레로) 닦다 ⓝ 대걸레
☐☐	164	**drawer**	ⓝ 1. 서랍 2. (항상 복수형) 장롱
☐☐	165	**stair**	ⓝ (보통 복수형) 계단

☐☐ 166	**rubbish**	ⓝ 쓰레기, 폐물
☐☐ 167	**dispose**	ⓥ 처리하다, 처분하다
☐☐ 168	**discard**	ⓥ (불필요한 것을) 버리다, 처분하다
☐☐ 169	**appliance**	ⓝ (가정용) 기구, 장치, 전기 제품
☐☐ 170	**spacious**	ⓐ 넓은, 광대한
☐☐ 171	**chore**	ⓝ (집안의) 자질구레한 일, 허드렛일
☐☐ 172	**polish**	ⓥ 1. 닦다, 광[윤]을 내다 2. (문장 등을) 다듬다
☐☐ 173	**flush**	ⓥ 1. (물·액체 등으로) 씻어 내리다 2. (얼굴을) 붉히다, 상기시키다
☐☐ 174	**nap**	ⓝ 낮잠, 선잠 ⓥ 신잠을 자다, 졸다
☐☐ 175	**outlet**	ⓝ 1. 코드 구멍, 콘센트 2. 할인점
☐☐ 176	**trim**	ⓥ 다듬다, 손질하다 ⓝ 정돈(된 상태) ⓐ 잘 정돈된
☐☐ 177	**crack**	ⓥ 깨지다, 금이 가다 ⓝ 갈라진 금, 틈
☐☐ 178	**leak**	ⓝ 새어나옴, 누출 ⓥ 새다, 누출하다
☐☐ 179	**run out of**	~을 다 써 버리다, ~을 바닥내다
☐☐ 180	**hang up**	1. ~을 걸다[매달다] 2. 전화를 끊다

□□ 181	**insight**	ⓝ 통찰력, 간파
□□ 182	**academic**	ⓐ 학업의, 학구적인
□□ 183	**essence**	ⓝ 본질, 기초
□□ 184	**intelligence**	ⓝ 지능, 이해력, 영리함
□□ 185	**solve**	ⓥ 풀다, 해결하다
□□ 186	**inspire**	ⓥ 격려하다, 영감을 주다
□□ 187	**refer**	ⓥ 언급하다, 참고하다
□□ 188	**review**	ⓥ 복습하다, 다시 검토하다 ⓝ 비평, 평론
□□ 189	**linguistics**	ⓝ 언어학
□□ 190	**improve**	ⓥ 향상시키다, 나아지다
□□ 191	**content**	ⓝ 내용, 목차 ⓐ 만족하는 ⓥ 만족시키다
□□ 192	**figure**	ⓝ 1. 그림 2. 수치 3. (사람의) 모습, 인물
□□ 193	**scholar**	ⓝ 학자, 장학생
□□ 194	**concept**	ⓝ 개념, 발상
□□ 195	**principle**	ⓝ 원리, 원칙

☐☐ 196	**expose**	ⓥ 노출시키다, 드러내다
☐☐ 197	**theory**	ⓝ 이론, 학설
☐☐ 198	**define**	ⓥ 정의하다, 명확히 하다
☐☐ 199	**demonstrate**	ⓥ 1. 보여 주다, 증명하다, 설명하다 2. 시위하다
☐☐ 200	**conclude**	ⓥ 끝내다, 결론 내리다
☐☐ 201	**statistics**	ⓝ 통계학, 통계 자료
☐☐ 202	**physics**	ⓝ 물리학
☐☐ 203	**geology**	ⓝ 지질학
☐☐ 204	**diameter**	ⓝ 지름
☐☐ 205	**literal**	ⓐ 글자 그대로의, 정확한
☐☐ 206	**literate**	ⓐ 읽고 쓸 줄 아는, 교양 있는
☐☐ 207	**fluent**	ⓐ (말·글이) 유창한
☐☐ 208	**go over**	~을 점검[검토]하다, ~을 주의 깊게 살피다
☐☐ 209	**look up**	(사전·컴퓨터 등에서 정보를) 찾아보다, 조사하다
☐☐ 210	**dwell on**	~을 깊이 생각하다, ~을 자세히 이야기하다

□□ 211 **educate** ⓥ 교육하다

□□ 212 **instruct** ⓥ 1. 교육하다, 가르치다 2. 지시하다

□□ 213 **lecture** ⓝ 1. 강의 2. 훈계
ⓥ 1. 강의하다 2. 훈계하다

□□ 214 **due** ⓐ 기일이 다 된

□□ 215 **term** ⓝ 1. 학기 2. 기간 3. 용어

□□ 216 **examine** ⓥ 1. (지식·자격 등을) 시험하다
2. 검새[조사]하다 3. 진찰하다

□□ 217 **award** ⓝ 상 ⓥ 상을 주다

□□ 218 **multiply** ⓥ 1. 곱하다 2. 증식하다, 증식시키다

□□ 219 **calculate** ⓥ 계산하다

□□ 220 **memorize** ⓥ 기억하다, 암기하다

□□ 221 **institute** ⓝ (교육·연구 등을 위한) 협회, 연구소, 대학

□□ 222 **laboratory** ⓝ 실험실, 연구실

□□ 223 **dormitory** ⓝ 기숙사

□□ 224 **principal** ⓝ (학교 등의) 장 ⓐ 주된

□□ 225 **aisle** ⓝ (교실·극장·버스 등의) 통로, 복도

	226	**semester**	ⓝ 학기
	227	**absent**	ⓐ 결석한, 불참한
	228	**attendance**	ⓝ 출석, 참석
	229	**motivate**	ⓥ 동기를 부여하다
	230	**attitude**	ⓝ 태도, 마음가짐
	231	**eager**	ⓐ 열성적인, 간절히 ~하고자 하는
	232	**entrance**	ⓝ 1. 입학 2. 입장 3. 입구
	233	**submit**	ⓥ 1. 제출하다 2. (어쩔 수 없이) 따르다, 굴복하다
	234	**portfolio**	ⓝ (그림·사진 등의) 작품 모음, 포트폴리오
	235	**peer**	ⓝ (나이·신분 등이) 동등한 사람, 또래
	236	**scholarship**	ⓝ 장학금
	237	**grant**	ⓝ 장학금 ⓥ 1. 주다 2. 허가하다
	238	**get along with**	~와 잘 지내다
	239	**catch up with**	1. (정도나 수준이 앞선 것을) 따라잡다, 만회하다 2. (먼저 간 사람을) 따라잡다
	240	**drop out (of)**	1. (~에서) 중퇴하다 2. 빠지다, 손을 떼다

□□ 241	**manufacture**	ⓥ 1. 제조[생산]하다 2. (이야기 등을) 지어내다 ⓝ 제조[생산]
□□ 242	**manage**	ⓥ 1. 경영[관리]하다, 운영하다 2. 그럭저럭 해내다(to)
□□ 243	**operate**	ⓥ 1. 관리하다, 운영하다 2. 움직이다, 작동하다
□□ 244	**expert**	ⓝ 전문가, 숙련가, 달인 ⓐ 숙련된, 노련한
□□ 245	**senior**	ⓐ 선임의, 선배의, 손위의 ⓝ 선임자, 선배, 연장자
□□ 246	**psychologist**	ⓝ 심리학자
□□ 247	**personnel**	ⓝ 1. 전 직원, 인원 2. 인사과 ⓐ 직원의
□□ 248	**barber**	ⓝ 이발사
□□ 249	**counselor**	ⓝ 지도 교사, 카운슬러; 상담역, 조언자
□□ 250	**reward**	ⓝ 보상, 보수 ⓥ 보답하다, 보수를 주다
□□ 251	**wage**	ⓝ 임금, 급료 ⓐ 임금의
□□ 252	**shift**	ⓝ 교체, 교대, 교대조 ⓥ 바꾸다, 이동시키다
□□ 253	**retire**	ⓥ 퇴직하다, 은퇴하다
□□ 254	**supervise**	ⓥ 감독하다, 관리하다, 지휘하다
□□ 255	**accomplish**	ⓥ 달성하다, 이루다

□□ 256	**architect**	ⓝ 건축가, 설계자 ⓥ 설계하다
□□ 257	**secretary**	ⓝ 1. 비서 2. 장관
□□ 258	**experienced**	ⓐ 경험이 있는, 숙달한
□□ 259	**vend**	ⓥ 행상하다, 팔다
□□ 260	**requirement**	ⓝ 1. 필요조건, 자격 2. 필요한 것
□□ 261	**superior**	ⓝ 상사, 윗사람 ⓐ 우수한, 상위의
□□ 262	**career**	ⓝ 1. 경력, 이력 2. (전문성이 있는) 직업
□□ 263	**profession**	ⓝ 직업, 전문직
□□ 264	**application**	ⓝ 신청서, 원서, 응모
□□ 265	**salary**	ⓝ 봉급, 급여
□□ 266	**labor**	ⓝ 노동, 일, 업무
□□ 267	**proficient**	ⓐ 익숙한, 능숙한
□□ 268	**prompt**	ⓐ 1. 신속한 2. 시간을 엄수하는
□□ 269	**insist on**	~을 주장하다, ~을 (강력히) 고집[요구]하다
□□ 270	**turn down**	거절하다, 거부하다

□□ 271 **pile** ⓝ 더미 ⓥ 1. 쌓아 올리다 2. 쌓이다

□□ 272 **colleague** ⓝ (같은 직장이나 직종에 종사하는) 동료

□□ 273 **attach** ⓥ 붙이다, 첨부하다

□□ 274 **photocopy** ⓝ 사진 복사물 ⓥ 사진 복사하다

□□ 275 **appoint** ⓥ 1. 임명하다, 지명하다
2. 약속하다, 정하다

□□ 276 **agency** ⓝ 대리점, 대행 회사

□□ 277 **basis** ⓝ 1. 기준 (단위) 2. 기초

□□ 278 **index** ⓝ 1. 지수, 지표 2. 색인

□□ 279 **deny** ⓥ 1. 거절하다 2. 부인하다

□□ 280 **stationery** ⓝ 문방구, 문구류

□□ 281 **staple** ⓝ 스테이플러 철사 침
ⓥ 스테이플러로 고정시키다

□□ 282 **confirm** ⓥ 승인하다, 확인하다

□□ 283 **detail** ⓝ 세부 사항

□□ 284 **classify** ⓥ 분류하다

□□ 285 **document** ⓝ 문서, 서류

□□ 286	**misplace**	ⓥ 잘못 두다, 둔 곳을 잊다
□□ 287	**procedure**	ⓝ 절차, 순서
□□ 288	**firm**	ⓝ 회사 ⓐ 굳은, 확고한
□□ 289	**client**	ⓝ 의뢰인, 고객
□□ 290	**frequent**	ⓐ 자주 일어나는, 빈번한
□□ 291	**commute**	ⓥ 통근하다, 통학하다
□□ 292	**division**	ⓝ 1. 부서 2. 분열
□□ 293	**notify**	ⓥ 통지[통보]하다
□□ 294	**assign**	ⓥ 1. 할당하다 2. 임명하다
□□ 295	**booth**	ⓝ 부스(칸막이한 작은 공간)
□□ 296	**brochure**	ⓝ 안내 소책자
□□ 297	**distribute**	ⓥ 분배하다
□□ 298	**make up for**	만회하다, 보충하다
□□ 299	**get ahead**	성공하다, 출세하다, ~을 앞서다
□□ 300	**take over**	인계받다, 일을 넘겨받다

The Media

□□ 301	**report**	ⓥ 보도하다, 전하다 ⓝ 보도, 보고
□□ 302	**press**	ⓝ 1. 신문, 잡지, 언론 2. 언론인, 기자
□□ 303	**article**	ⓝ 1. (신문·잡지의) 기사, 논설 2. (문법) 관사
□□ 304	**journal**	ⓝ 1. 잡지, 정기 간행물; (일간) 신문 2. 일기, 일지
□□ 305	**broadcast**	ⓥ 방송하다, 방영하다 ⓝ 방송, 방영
□□ 306	**post**	ⓥ 게시[공고]하다 ⓝ 게시글, 포스트
□□ 307	**pose**	ⓥ 자세를 취하다 ⓝ 자세, 포즈
□□ 308	**scene**	ⓝ 1. (연극·영화의) 장면, 무대 2. 현장
□□ 309	**survey**	ⓝ 조사, 검사, 측량 ⓥ 조사하다, 살펴보다
□□ 310	**mass**	ⓝ 대중, 집단 ⓐ 다수 대중의
□□ 311	**factual**	ⓐ 사실의, 사실에 입각한
□□ 312	**fame**	ⓝ 명성, 평판
□□ 313	**poll**	ⓝ 투표, 여론 조사 ⓥ 투표하다, 여론 조사를 하다
□□ 314	**channel**	ⓝ 1. 채널 2. 수로, 해협
□□ 315	**criticize**	ⓥ 비판하다, 혹평하다

□□ 316	**compliment**	ⓝ 칭찬, 칭찬의 말 ⓥ 칭찬하다
□□ 317	**series**	ⓝ 연속물, (TV 프로그램의) 연속 프로
□□ 318	**feature**	ⓝ 1. 연재 기사, 특집 기사 2. 특징 ⓥ 1. 대서특필하다 2. 특색으로 삼다
□□ 319	**script**	ⓝ 1. (방송의) 대본, 각본 2. 필기 문자
□□ 320	**bulletin**	ⓝ 1. 보고, 게시 2. 뉴스 속보
□□ 321	**preview**	ⓝ (영화의) 시사회, 미리보기, 예고편 ⓥ 예습하다
□□ 322	**column**	ⓝ 신문의 칸, 특정 기고를 하는 공간[란]
□□ 323	**release**	ⓥ 1. (레코드를) 발매하다, (영화를) 개봉하다 2. (뉴스를) 발표하다, 공개하다
□□ 324	**announce**	ⓥ 알리나, 공표하다, 공고하다
□□ 325	**reveal**	ⓥ 드러내다, 폭로하다
□□ 326	**audience**	ⓝ 청중, 관중, 관객
□□ 327	**panel**	ⓝ 패널, (토론회의) 토론자단, 심사위원단
□□ 328	**focus**	ⓥ 초점을 맞추다, 관심을 집중하다(on) ⓝ 초점, 집중점
□□ 329	**argue over**	~을 두고 논쟁하다, 왈가왈부하다
□□ 330	**come up with**	~을 생각해 내다, 창안하다

Describing Things

☐☐ 331 **variety** ⓝ 다양성, 변화

☐☐ 332 **square** ⓝ 1. 정사각형 2. 제곱 3. 광장
ⓐ 정사각형의

☐☐ 333 **delicate** ⓐ 1. 연약한, 허약한 2. 섬세한, 우아한

☐☐ 334 **flat** ⓐ 편평한 ⓝ (英) 플랫, 아파트

☐☐ 335 **broad** ⓐ 폭 넓은, 광범위한

☐☐ 336 **compact** ⓐ 1. 소형의, 간편한 2. 빽빽한, 촘촘한

☐☐ 337 **brief** ⓐ 간단한, 짧은

☐☐ 338 **sharp** ⓐ 1. 날카로운 2. 급격한 3. 예리한

☐☐ 339 **precious** ⓐ 소중한, 값비싼

☐☐ 340 **artificial** ⓐ 1. 인공적인 2. 가짜의

☐☐ 341 **gigantic** ⓐ 거인 같은, 거대한

☐☐ 342 **enormous** ⓐ 엄청난, 거대한

☐☐ 343 **ultimate** ⓐ 궁극적인, 최후의

☐☐ 344 **faint** ⓐ 희미한, 어렴풋한 ⓥ 기절하다

☐☐ 345 **steep** ⓐ 가파른, 경사가 급한

☐☐ 346	**fundamental**	ⓐ 근본[기본]적인, 중요한 ⓝ 근본
☐☐ 347	**shallow**	ⓐ 얕은, 얕팍한
☐☐ 348	**symbolic**	ⓐ 상징적인
☐☐ 349	**appropriate**	ⓐ 적당한, 알맞은
☐☐ 350	**moderate**	ⓐ 중간 정도의, 적당한
☐☐ 351	**flexible**	ⓐ 유연성 있는, 융통성 있는
☐☐ 352	**monotonous**	ⓐ 단조로운, 변화 없는, 지루한
☐☐ 353	**obscure**	ⓐ 애매한, 분명하지 않은
☐☐ 354	**drawback**	ⓝ 설점, 문제점
☐☐ 355	**paradox**	ⓝ 역설, 패러독스(모순되어 보이나 사실은 그 속에 진리가 있는 말)
☐☐ 356	**describe**	ⓥ 묘사하다
☐☐ 357	**marvel**	ⓝ 놀라운 일 ⓥ 놀라다, 감탄하다
☐☐ 358	**glitter**	ⓥ 반짝이다 ⓝ 반짝거림
☐☐ 359	**differ from**	~와 다르다
☐☐ 360	**stand for**	1. ~을 상징하다, 나타내다 2. ~을 옹호[찬성]하다

Leisure & Health

□□ 361	**goods**	ⓝ 상품
□□ 362	**label**	ⓝ 꼬리표, 상표
□□ 363	**tag**	ⓝ 꼬리표
□□ 364	**wrap**	ⓥ 감싸다, 포장하다
□□ 365	**bargain**	ⓝ 싼 물건 ⓐ 값싼 물건의
□□ 366	**purchase**	ⓥ 사다 ⓝ 구입, 구입품
□□ 367	**total**	ⓝ 합계, 전체 ⓐ 1. 전체의 2. 완전한
□□ 368	**quality**	ⓝ 1. 질 2. 특성 ⓐ 양질의, 고급의
□□ 369	**value**	ⓥ 가치 있게 여기다, 평가하다 ⓝ 가치
□□ 370	**reduce**	ⓥ 줄이다, 낮추다
□□ 371	**trend**	ⓝ 1. 유행 2. 경향, 흐름
□□ 372	**quantity**	ⓝ 양
□□ 373	**retail**	ⓝ 소매
□□ 374	**merchandise**	ⓝ 상품
□□ 375	**insert**	ⓥ 집어넣다

☐☐ 376	**necessity**	ⓝ 1. 필요(성) 2. 필수품
☐☐ 377	**luxury**	ⓝ 호화, 사치(품) ⓐ 사치(품)의
☐☐ 378	**auction**	ⓥ 경매에서 팔다 ⓝ 경매
☐☐ 379	**receipt**	ⓝ 1. 영수증 2. 받음, 영수
☐☐ 380	**refund**	ⓝ 환불(액) ⓥ 환불하다
☐☐ 381	**exchange**	ⓥ 교환하다 ⓝ 교환(물)
☐☐ 382	**claim**	ⓥ 1. 요구하다 2. 주장하다 ⓝ 1. 요구 2. 주장
☐☐ 383	**satisfy**	ⓥ 1. 만족시키다 2. (조건을) 충족시키다
☐☐ 384	**guarantee**	ⓝ 보증(서) ⓥ 보증하다
☐☐ 385	**exclude**	ⓥ 배제하다
☐☐ 386	**reasonable**	ⓐ 합리적인, 적절한
☐☐ 387	**steady**	ⓐ 안정된, 꾸준한
☐☐ 388	**pay for**	1. 대금을 지불하다 2. ~의 대가를 치르다
☐☐ 389	**leave out**	~을 빠뜨리다, 생략하다
☐☐ 390	**add up**	합산하다

□□ 391	**champion**	ⓝ 챔피언, 우승자 ⓐ 우승한
□□ 392	**match**	ⓝ 경기 ⓥ 1. ~와 대결하다 2. ~에 어울리다
□□ 393	**tournament**	ⓝ 토너먼트, 승자 진출전
□□ 394	**rival**	ⓝ 경쟁자, 경쟁 상대 ⓥ ~와 경쟁하다
□□ 395	**rank**	ⓥ (순위를) 매기다 ⓝ 순위, 계급
□□ 396	**coach**	ⓝ (스포츠 팀의) 코치, 감독 ⓥ 코치하다, 지도하다
□□ 397	**serve**	ⓥ 1. 공을 서브하다 2. (식당·상점에서) 손님을 응대하다
□□ 398	**glide**	ⓥ 미끄러지다, 활주하다; 미끄러짐
□□ 399	**beat**	ⓥ 1. 이기다 2. 심장이 뛰다
□□ 400	**compete**	ⓥ 경쟁하다, 겨루다
□□ 401	**ability**	ⓝ 능력, 할 수 있음
□□ 402	**leisure**	ⓝ 여가, 레저, 자유 시간 ⓐ 한가한
□□ 403	**pastime**	ⓝ 취미, 오락
□□ 404	**outdoor**	ⓐ 야외의, 집 밖의
□□ 405	**defeat**	ⓝ 패배 ⓥ 패배시키다, 물리치다

☐☐ 406	**amateur**	ⓝ 아마추어, 비전문가 ⓐ 비전문가의
☐☐ 407	**mound**	ⓝ (투수의) 마운드
☐☐ 408	**athletic**	ⓐ 운동 경기의, 운동선수다운
☐☐ 409	**opponent**	ⓝ 적수, 반대자 ⓐ 반대하는
☐☐ 410	**referee**	ⓝ (경기·시합의) 심판, 중재자
☐☐ 411	**fair**	ⓐ 공평한, 정정당당한
☐☐ 412	**penalty**	ⓝ 1. (스포츠 경기에서) 벌칙, 페널티 2. 처벌, 형벌
☐☐ 413	**foul**	ⓥ 반칙하다, 파울을 범하다 ⓐ 반칙인, 규칙 위반인
☐☐ 414	**outstanding**	ⓐ 눈에 띄는, 우수한
☐☐ 415	**participate**	ⓥ 참여하다, 참가하다
☐☐ 416	**applaud**	ⓥ 박수 치다
☐☐ 417	**encourage**	ⓥ 용기를 북돋다, 격려하다
☐☐ 418	**extreme**	ⓐ 극단적인
☐☐ 419	**call off**	~을 취소하다, 철회하다
☐☐ 420	**take place**	개최되다, 열리다

□□ 421	**transport**	ⓝ 운송, 운송 수단 ⓥ 운반하다
□□ 422	**passenger**	ⓝ 승객
□□ 423	**underground**	ⓝ (英) 지하철 ⓐ 지하의
□□ 424	**aboard**	ⓐⓓ (배·기차·비행기 등에) 탄, 탑승[승선]한
□□ 425	**depart**	ⓥ 출발하다
□□ 426	**sightseeing**	ⓝ 관광, 유람 ⓐ 관광의, 유람의
□□ 427	**downtown**	ⓐ 도심의 ⓐⓓ 도심지에
□□ 428	**ride**	ⓥ (말·탈것 등을) 타다 ⓝ (탈것을) 타기, 승차
□□ 429	**abroad**	ⓐⓓ 해외로
□□ 430	**baggage**	ⓝ (배·비행기 여행의) 수하물
□□ 431	**cabin**	ⓝ 1. (배·비행기의) 선실, 객실 2. 오두막
□□ 432	**check-out**	ⓝ 1. (호텔의) 퇴실, 체크아웃 체크인 2. 계산(대)
□□ 433	**tip**	ⓝ 1. 사례금, 팁 2. 끝 3. 조언 ⓥ 사례금을 주다
□□ 434	**destination**	ⓝ 목적지
□□ 435	**available**	ⓐ 1. 이용 가능한 2. 입수 가능한

□□ 436	**delay**	ⓥ 지연시키다 ⓝ 지연
□□ 437	**transfer**	ⓥ 1. 갈아타다 2. 이동하다, 옮기다
□□ 438	**vehicle**	ⓝ 탈것, 운송 수단
□□ 439	**highway**	ⓝ 고속 도로, 간선 도로
□□ 440	**convey**	ⓥ 1. (물건·승객 등을) 나르다 2. 전달하다
□□ 441	**accommodate**	ⓥ 수용하다, 숙박시키다
□□ 442	**cruise**	ⓝ 1. 크루즈, 유람선 (여행) 2. 순항 ⓥ 순항하다
□□ 443	**crew**	ⓝ (배·비행기·열차 등의) 승무원
□□ 444	**navigate**	ⓥ 항해하나, (강·바다 등을) 건너다
□□ 445	**locate**	ⓥ (어떤 장소에) 정하다, 두다
□□ 446	**journey**	ⓝ 여행, 여정 ⓥ 여행하다
□□ 447	**spectacle**	ⓝ (인상적인) 광경, 구경거리
□□ 448	**come across**	(우연히) 마주치다, 발견하다
□□ 449	**head for**	~로 향해 가다
□□ 450	**pull over**	차를 길 한쪽에 대다

☐☐ 451	**appreciate**	ⓥ 1. 감상하다, 평가하다 2. 감사하다
☐☐ 452	**craft**	ⓝ 공예(품), 기교, 기술
☐☐ 453	**exhibit**	ⓥ 전시하다, 전시회를 열다 ⓝ 전시, 전람
☐☐ 454	**literature**	ⓝ 문학
☐☐ 455	**version**	ⓝ 1. 번역, 번역서 2. 각색, 개작
☐☐ 456	**copyright**	ⓝ 판권, 저작권 ⓐ 저작권이 있는 ⓥ 저작권을 취득하다
☐☐ 457	**tone**	ⓝ 1. 어조 2. 음색, 음조
☐☐ 458	**noble**	ⓐ 1. 고귀한, 고상한 2. 귀족의 ⓝ 귀족
☐☐ 459	**conduct**	ⓥ 1. 지휘하다 2. 행동하다, 실시하다 ⓝ 1. 지휘 2. 행동
☐☐ 460	**tune**	ⓥ 조율하다, 프로그램에 맞추다 ⓝ 곡조, 가락
☐☐ 461	**director**	ⓝ 감독, 연출자, 지도자
☐☐ 462	**theme**	ⓝ 주제, 테마
☐☐ 463	**chorus**	ⓝ 1. 합창, 합창곡 2. 합창단
☐☐ 464	**interval**	ⓝ 1. (연극·연주 등의) 막간, 휴식 시간 2. (시간적) 간격
☐☐ 465	**rehearse**	ⓥ (연극·연설·음악의) 예행연습을 하다

□□ 466	**compose**	ⓥ 1. 작곡하다, 작문하다 2. 구성하다 3. (마음·태도를) 가라앉히다
□□ 467	**sculpture**	ⓝ 조각(술) ⓥ 조각하다
□□ 468	**masterpiece**	ⓝ 걸작, 명작
□□ 469	**classic**	ⓐ 1. (예술품이) 일류의 2. 고전의 ⓝ 일류 작가, 일류 작품
□□ 470	**imitate**	ⓥ 1. 모방하다 2. 모조하다, 모사하다
□□ 471	**tradition**	ⓝ 전통, 관례
□□ 472	**exclaim**	ⓥ (감동하여) 외치다
□□ 473	**creature**	ⓝ 1. 생물, 창조물 2. 동물
□□ 474	**distinct**	ⓐ 1. 다른, 별개의 2. 뚜렷한
□□ 475	**context**	ⓝ 1. 문맥, 전후 관계 2. 정황, 주변 상황
□□ 476	**monologue**	ⓝ (극의) 독백
□□ 477	**tragedy**	ⓝ 1. 비극 (작품) 2. 재난, 참사
□□ 478	**line up**	줄을 서다
□□ 479	**live up to**	(다른 사람의 기대에) 부응하다
□□ 480	**be into**	~에 푹 빠져 있다, ~에 관심이 많다

Health & Illness

□□ 481	**condition**	ⓝ	1. 건강 상태, 컨디션 2. 상황, 조건
□□ 482	**chemical**	ⓝ 화학 물질 ⓐ 화학의, 화학적인
□□ 483	**digest**	ⓥ 소화하다
□□ 484	**disorder**	ⓝ 1. (가벼운) 병, (신체 기능의) 장애[이상] 2. 무질서, 혼란 (상태)
□□ 485	**worsen**	ⓥ 악화되다
□□ 486	**dental**	ⓐ 치아의
□□ 487	**medical**	ⓐ 의학의, 의술의, 의료용의
□□ 488	**mental**	ⓐ 정신의, 심적인
□□ 489	**recover**	ⓥ 회복하다, 되찾다
□□ 490	**emergency**	ⓝ 비상사태, 위급
□□ 491	**allergy**	ⓝ 알레르기
□□ 492	**joint**	ⓝ 관절, 접합
□□ 493	**spine**	ⓝ 척추, 등뼈
□□ 494	**sight**	ⓝ 시각, 시력
□□ 495	**pulse**	ⓝ 맥박, 고동

□□ 496	**infection**	ⓝ 감염, 전염(병)
□□ 497	**sanitary**	ⓐ 위생의, 위생적인, 깨끗한
□□ 498	**symptom**	ⓝ 징후, 증상
□□ 499	**disabled**	ⓐ 장애를 입은, 장애의
□□ 500	**inject**	ⓥ 주사하다, 투여하다
□□ 501	**prescribe**	ⓥ 처방하다
□□ 502	**tablet**	ⓝ 알약, 정제
□□ 503	**wound**	ⓝ 상처, 부상 ⓥ 상처입히다, 상하게 하다
□□ 504	**injure**	ⓥ 상처를 입히다, 다치게 하다
□□ 505	**heal**	ⓥ 치유되다, 치료하다, 고치다
□□ 506	**immune**	ⓐ 면역의
□□ 507	**strain**	ⓝ 긴장, 큰 부담 ⓥ 긴장시키다, (발목을) 접질리다
□□ 508	**bruise**	ⓝ 멍, 타박상, 좌상 ⓥ 타박상을 입히다
□□ 509	**come down with**	~의 병에 걸리다
□□ 510	**ease off**	누그러지다, 완화되다[시키다]

The World

□□ 511	**enrich**	ⓥ 풍부하게 하다, 부유하게 하다
□□ 512	**barrel**	ⓝ 1. 배럴(용량의 단위로 약 159리터) 2. 통
□□ 513	**herd**	ⓝ (가축의) 떼, 무리
□□ 514	**crisis**	ⓝ 위기
□□ 515	**provide**	ⓥ 1. 공급하다(with) 2. 준비하다(for, against)
□□ 516	**material**	ⓝ 물질, 재료 ⓐ 물질적인, 세속적인
□□ 517	**export**	ⓥ 수출하다 ⓝ 수출
□□ 518	**construct**	ⓥ 건설하다, 조립하다
□□ 519	**pollution**	ⓝ 오염, 공해
□□ 520	**agriculture**	ⓝ 농업
□□ 521	**graze**	ⓥ (가축이) 풀을 뜯어 먹다
□□ 522	**pasture**	ⓝ 목초지
□□ 523	**cattle**	ⓝ 1. 소 2. 가축
□□ 524	**cultivate**	ⓥ 경작하다, 재배하다
□□ 525	**concrete**	ⓝ 콘크리트 ⓐ 1. 구체적인 2. 콘크리트의

□□ 526	**crane**	ⓝ 기중기
□□ 527	**invest**	ⓥ 투자하다
□□ 528	**expand**	ⓥ 1. 확장하다 2. 팽창하다
□□ 529	**scale**	ⓝ 1. 규모 2. 저울 3. 비늘
□□ 530	**proportion**	ⓝ 비율
□□ 531	**surpass**	ⓥ 초월하다, ~보다 낫다
□□ 532	**generate**	ⓥ 발생시키다
□□ 533	**constant**	ⓐ 일정한, 지속적인
□□ 534	**optimistic**	ⓐ 낙관적인
□□ 535	**undertake**	ⓥ 떠맡다, 착수하다
□□ 536	**assemble**	ⓥ 1. 조립하다 2. 모으다
□□ 537	**innovative**	ⓐ 획기적인, 혁신적인
□□ 538	**enterprise**	ⓝ 1. 기업, 회사 2. (특히 모험적인) 사업
□□ 539	**shut down**	문을 닫다, 폐쇄하다
□□ 540	**set up**	시작하다, 창설하다, 건립하다

□□ 541 **budget** ⓝ 예산, 예산안

□□ 542 **capital** ⓝ 1. 자본 2. 수도 3. 대문자
ⓐ 1. 자본의 2. 주요한

□□ 543 **account** ⓝ 1. 거래, 예금 계좌 2. 계산, 회계

□□ 544 **expense** ⓝ 지출, 비용, 경비

□□ 545 **collapse** ⓥ 붕괴되다, 무너지다, (가치가) 폭락하다
ⓝ 붕괴, 실패

□□ 546 **economic** ⓐ 경제학의, 경제(상)의

□□ 547 **risk** ⓝ 위험, 모험

□□ 548 **decline** ⓝ (가격) 하락 ⓥ (가격·가치가) 하락하다

□□ 549 **stock** ⓝ 1. 주식, 주 2. 재고(품)

□□ 550 **possess** ⓥ 소유하다, 가지다

□□ 551 **property** ⓝ 1. 재산, 소유물 2. 부동산, 토지

□□ 552 **asset** ⓝ 자산, 재산

□□ 553 **finance** ⓝ 재정, 재무

□□ 554 **loan** ⓝ 대출(금), 대여

□□ 555 **estimate** ⓥ 평가하다, 견적하다 ⓝ 평가, 견적

□□ 556	**commerce**	ⓝ 상업, 통상, 교섭
□□ 557	**negotiate**	ⓥ 협상하다
□□ 558	**currency**	ⓝ 1. 통화, 화폐 2. 유통
□□ 559	**boost**	ⓥ 증대하다 ⓝ 경기 부양, (가격의) 상승
□□ 560	**fortune**	ⓝ 1. 재산, 부 2. 행운
□□ 561	**unemployed**	ⓐ 실업의, 무직의
□□ 562	**income**	ⓝ 수입, 소득
□□ 563	**annual**	ⓐ 1년의, 해마다의
□□ 564	**strategy**	ⓝ 전략, 계획
□□ 565	**temporary**	ⓐ 일시적인, 임시의
□□ 566	**outcome**	ⓝ 결과, (구체적인) 성과
□□ 567	**potential**	ⓐ 잠재적인, 발전 가능성이 있는
□□ 568	**pay off**	1. (빚 등을) 다 갚다 2. 성공하다, 성과를 올리다
□□ 569	**lay off**	~을 해고하다
□□ 570	**in need**	어려움에 처한, 궁핍한

□□ 571	**elect**	ⓥ 선거하다, 선출하다, 고르다
□□ 572	**declare**	ⓥ 1. 선언하다, 공표하다 2. 단언하다
□□ 573	**democracy**	ⓝ 민주주의, 민주제
□□ 574	**official**	ⓝ 공무원, 관리 ⓐ 공무상의, 공식의
□□ 575	**candidate**	ⓝ (선거의) 후보자[출마자]; 지원자, 응시자
□□ 576	**oppose**	ⓥ 반대하다, 대항하다
□□ 577	**immediate**	ⓐ 1. 즉각적인 2. 직접적인, 가장 가까운
□□ 578	**insist**	ⓥ 고집하다, 주장하다, 요구하다
□□ 579	**union**	ⓝ 1. 연합, 합병 2. (노동) 조합
□□ 580	**indifferent**	ⓐ 무관심한
□□ 581	**campaign**	ⓝ 선거 운동, 유세, 캠페인
□□ 582	**party**	ⓝ 1. 정당 2. 파티, 회합
□□ 583	**dispute**	ⓝ 논쟁 ⓥ 논쟁하다
□□ 584	**postpone**	ⓥ 연기하다, 뒤로 미루다
□□ 585	**convince**	ⓥ 1. (설득하여) 납득시키다 2. 확신시키다

☐☐ 586	**persuade**	ⓥ 설득하다	

☐☐ 586 **persuade**　　ⓥ 설득하다

☐☐ 587 **assume**　　ⓥ 추측하다, 사실이라고 생각하다

☐☐ 588 **approve**　　ⓥ 찬성하다, 승인하다

☐☐ 589 **session**　　ⓝ 1. (국회의) 회기, 기간
　　　　　　　　　　2. (대학) 학기, 수업

☐☐ 590 **deed**　　ⓝ 1. 업적　2. 행위

☐☐ 591 **reputation**　　ⓝ 1. 평판　2. 명성, 덕망

☐☐ 592 **conservative**　　ⓐ 보수적인

☐☐ 593 **command**　　ⓥ 1. (군대 등을) 지휘하다　2. 명령하다
　　　　　　　　　　ⓝ 1. 지휘권　2. 명령　3. (언어) 구사 능력

☐☐ 594 **hostile**　　ⓐ 적대적인

☐☐ 595 **authority**　　ⓝ 1. 권위, 권한　2. (*pl.*) 당국

☐☐ 596 **cabinet**　　ⓝ 1. (정치) 내각　2. 장식장, 캐비닛

☐☐ 597 **federal**　　ⓐ 연방의, 연방제의

☐☐ 598 **unify**　　ⓥ 통일하다, 단일화하다

☐☐ 599 **run for**　　~에 입후보하다, 출마하다

☐☐ 600 **speak for**　　~을 대변하다

□□ 601	**social**	ⓐ 사회의
□□ 602	**moral**	ⓐ 도덕적인 ⓝ 교훈, (pl.) 도덕
□□ 603	**ethic**	ⓝ 윤리, 도덕
□□ 604	**tend**	ⓥ ~하는 경향이 있다, ~하기 쉽다
□□ 605	**allow**	ⓥ 허락하다, 허가하다
□□ 606	**affect**	ⓥ ~에 영향을 미치다
□□ 607	**expire**	ⓥ 만기가 되다
□□ 608	**organization**	ⓝ 조직, 단체, 기구
□□ 609	**liberty**	ⓝ 1. 자유 2. 해방, 석방
□□ 610	**factor**	ⓝ 요소, 요인
□□ 611	**opportunity**	ⓝ 기회
□□ 612	**standard**	ⓝ 표준, 기준 ⓐ 표준의
□□ 613	**status**	ⓝ 1. 지위, 신분 2. 상태
□□ 614	**facility**	ⓝ 편의, 편리, (pl.) 편의 시설
□□ 615	**circumstance**	ⓝ 상황, 환경

□□ 616	**charity**	ⓝ 1. 자선, 자선 단체 2. 구호물자
□□ 617	**volunteer**	ⓝ 자원봉사자, 지원자 ⓥ 자발적으로 ~하다
□□ 618	**prospect**	ⓝ 전망, 가능성
□□ 619	**advantage**	ⓝ 이익, 유리한 점
□□ 620	**stereotype**	ⓝ 고정 관념
□□ 621	**secure**	ⓐ 안전한
□□ 622	**complex**	ⓐ 복잡한 ⓝ 복합 건물
□□ 623	**inadequate**	ⓐ 부적당한, 불충분한
□□ 624	**proper**	ⓐ 적절한, 알맞은
□□ 625	**indicate**	ⓥ 나타내다, 가리키다
□□ 626	**deserve**	ⓥ ~할 자격이 있다, ~할 만하다
□□ 627	**acquire**	ⓥ 얻다, 습득하다
□□ 628	**sign up for**	(강좌 등에) 등록하다, ~을 신청[가입]하다
□□ 629	**contribute to**	1. ~의 한 원인이 되다 2. ~에 기여하다, 공헌하다
□□ 630	**put off**	~을 연기[보류]하다

□□ 631	**evident**	ⓐ 분명한, 명백한
□□ 632	**arrest**	ⓥ 체포하다, 구속[검거]하다
□□ 633	**suspect**	ⓝ 용의자 ⓥ 의심하다
□□ 634	**guilty**	ⓐ 유죄의
□□ 635	**trap**	ⓝ 덫, 속임수 ⓥ (덫으로) 잡다
□□ 636	**robber**	ⓝ 강도
□□ 637	**criminal**	ⓝ 범인, 범죄자 ⓐ 범죄의; 형사상의
□□ 638	**prevent**	ⓥ 막다, ~하지 못하게 하다
□□ 639	**intentional**	ⓐ 의도적인, 계획된
□□ 640	**restrict**	ⓥ 제한하다
□□ 641	**regulate**	ⓥ 규제하다, 통제하다
□□ 642	**forbid**	ⓥ 금하다
□□ 643	**sentence**	ⓝ 판결, 선고; 처벌 ⓝ (형을) 선고하다, 판결하다
□□ 644	**admit**	ⓥ 인정하다
□□ 645	**jury**	ⓝ 1. 배심원단 2. 심사위원단

□□ 646	**deceive**	ⓥ 속이다, 기만하다
□□ 647	**sue**	ⓥ 고소하다, 소송을 제기하다
□□ 648	**commit**	ⓥ (죄·과실 등을) 범하다, 저지르다
□□ 649	**violate**	ⓥ 위반하다
□□ 650	**offend**	ⓥ 기분을 상하게 하다, 불쾌하게 하다
□□ 651	**investigate**	ⓥ 조사하다, 수사하다
□□ 652	**inquire**	ⓥ 1. 조사하다 2. 묻다
□□ 653	**insult**	ⓥ 모욕하다 ⓝ 모욕
□□ 654	**identify**	ⓥ (신원 등을) 확인하다, 감정하다
□□ 655	**confess**	ⓥ 자백하다, 고백하다
□□ 656	**convict**	ⓥ 유죄를 선고하다
□□ 657	**appeal**	ⓥ 1. 항소[상고]하다 2. 간청하다 3. 호소하다
□□ 658	**break down**	1. (열거나 하기 위해) ~을 부수다 2. 고장 나다
□□ 659	**accuse A of B**	A를 B의 혐의로 고소[비난]하다
□□ 660	**get away with**	(나쁜 행동 등을 하고도) 처벌을 모면하다[그냥 넘어가다]

Social Problem

□□ 661	**gap**	ⓝ 1. 차이 2. 틈
□□ 662	**population**	ⓝ 인구
□□ 663	**crash**	ⓝ 충돌, (차·비행기의) 사고 ⓥ 충돌하다
□□ 664	**majority**	ⓝ (집단 내의) 가장 많은 수[대다수]
□□ 665	**temptation**	ⓝ 유혹
□□ 666	**confuse**	ⓥ 혼란시키다, 혼동하다
□□ 667	**aspect**	ⓝ 1. 면, 양상 2. 외모
□□ 668	**violent**	ⓐ 폭력적인, 강렬한
□□ 669	**obstacle**	ⓝ 장애, 장애물, 난관
□□ 670	**isolate**	ⓥ 고립시키다, 격리시키다
□□ 671	**collide**	ⓥ 1. 충돌하다 2. (의견 등이) 일치하지 않다
□□ 672	**negative**	ⓐ 1. 부정의 2. 소극적인
□□ 673	**abnormal**	ⓐ 비정상적인
□□ 674	**unite**	ⓥ 통합하다, 단결하다
□□ 675	**poverty**	ⓝ 가난, 빈곤

☐☐ 676	**abuse**	ⓝ 1. 남용, 오용 2. 학대 ⓥ 1. (지위·특권을) 남용하다 2. 학대하다
☐☐ 677	**distress**	ⓝ 1. 고통, 고충 2. 빈곤 ⓥ 슬프게 하다, 고민하게 하다
☐☐ 678	**divorce**	ⓝ 이혼 ⓥ 이혼하다
☐☐ 679	**arise**	ⓥ 1. 일어나다, 나타나다 2. ~에 기인하다
☐☐ 680	**degenerate**	ⓥ 퇴보하다, 타락하다 ⓐ 퇴화한, 타락한
☐☐ 681	**incident**	ⓝ 사건, 사고
☐☐ 682	**defect**	ⓝ 1. 결점, 단점 2. 부족, 결핍
☐☐ 683	**manipulate**	ⓥ 조종하다, 조작하다
☐☐ 684	**mislead**	ⓥ 잘못 인도하다, 속이다
☐☐ 685	**alcohol**	ⓝ 술, 알코올
☐☐ 686	**addict**	ⓝ 중독자 ⓥ (나쁜 버릇에) 빠지게 하다
☐☐ 687	**premature**	ⓐ 시기상조의, 조급한
☐☐ 688	**abandon**	ⓥ 버리다, 포기하다
☐☐ 689	**do away with**	~을 없애다, 끝내다
☐☐ 690	**keep away (from)**	(~을) 멀리하다, 피하다

Nation & Race

□□ 691	**reserve**	ⓥ 1. 남겨[떼어] 두다, 비축하다 2. 예약하다 ⓝ 1. 비축 2. 보호 구역
□□ 692	**occasion**	ⓝ 1. 경우 2. 특별한 일
□□ 693	**local**	ⓐ 지역의 ⓝ 지방민, 주민
□□ 694	**civil**	ⓐ 1. 시민의 2. 국내의
□□ 695	**inner**	ⓐ 내부의
□□ 696	**tax**	ⓝ 세금
□□ 697	**harbor**	ⓝ 항구, 항만
□□ 698	**equal**	ⓐ 같은, 평등한 ⓥ 같다
□□ 699	**intend**	ⓥ ~할 작정이다, 의도하다
□□ 700	**exhaust**	ⓥ 소진시키다
□□ 701	**globalize**	ⓥ 세계화하다
□□ 702	**independence**	ⓝ 독립, 자주
□□ 703	**territory**	ⓝ 영역, 영토
□□ 704	**reside**	ⓥ 거주하다
□□ 705	**domestic**	ⓐ 1. 국내의 2. 가정의

| | 706 | **immigrate** | ⓥ 이주해 들어오다 |

| | 707 | **emigrate** | ⓥ 타국으로 이주하다 |

| | 708 | **custom** | ⓝ 1. 풍습 2. (pl.) 관세, 세관 |

| | 709 | **tribe** | ⓝ 부족 |

| | 710 | **racial** | ⓐ 인종의 |

| | 711 | **trait** | ⓝ 특성, 특색 |

| | 712 | **ethnic** | ⓐ 1. 민족의, 인종의 2. 이국적인 |

| | 713 | **attempt** | ⓝ 시도 ⓥ 시도하다 |

| | 714 | **dominate** | ⓥ 1. 지배하다 2. ~보다 우세하다 |

| | 715 | **resist** | ⓥ 저항하다 |

| | 716 | **invade** | ⓥ 침입하다, 침해하다 |

| | 717 | **cooperate** | ⓥ 협동하다, 협력하다 |

| | 718 | **hold on to** | ~을 (바꾸지 않고) 고수하다[지키다], (팔거나 주지 않고) 계속 보유하다 |

| | 719 | **long for** | ~을 갈망하다[그리워하다] |

| | 720 | **consist of** | ~로 구성되다, 이루어져 있다 |

□□ 721	**suggest**	ⓥ 1. 제안하다 2. 시사하다
□□ 722	**propose**	ⓥ 1. 제안하다, 제출하다 2. 청혼하다
□□ 723	**universal**	ⓐ 보편적인, 일반적인
□□ 724	**vary**	ⓥ 1. 다르다 2. 바꾸다, 수정하다
□□ 725	**conflict**	ⓝ 충돌, 갈등 ⓥ 저항하다, 충돌하다
□□ 726	**aware**	ⓐ 알아차리고 있는, 깨닫고 있는
□□ 727	**approach**	ⓥ 접근하다, 다가가다 ⓝ 접근
□□ 728	**urge**	ⓥ 촉구하다, 재촉하다, 강제로 ~하게 하다
□□ 729	**associate**	ⓥ 제휴하다, 연합하다, 협동하다 ⓝ 동료
□□ 730	**interpret**	ⓥ 해석하다, 통역하다
□□ 731	**alternative**	ⓝ 대안, 양자택일 ⓐ 대안적인, 양자택일의
□□ 732	**assist**	ⓥ 원조하다, 돕다
□□ 733	**affair**	ⓝ 1. 사건 2. 일거리, 사무, 직무
□□ 734	**widespread**	ⓐ 광범위한, 널리 퍼진
□□ 735	**external**	ⓐ 외부의, 밖의, 대외적인

☐☐ 736 **alien** ⓐ 외국의, 외국인의

☐☐ 737 **famine** ⓝ 기근, 배고픔

☐☐ 738 **refuge** ⓝ 1. 피난처, 도피처 2. 피난, 도피

☐☐ 739 **shortage** ⓝ 부족, 결핍

☐☐ 740 **endanger** ⓥ 위험에 빠뜨리다

☐☐ 741 **contaminate** ⓥ 오염시키다

☐☐ 742 **preserve** ⓥ 보존하다, 보호하다, 지키다

☐☐ 743 **explode** ⓥ 폭발하다

☐☐ 744 **integrate** ⓥ 통합하다, 단결하다

☐☐ 745 **guard** ⓥ 보호하다, 지키다 ⓝ 경계, 경호원

☐☐ 746 **remark** ⓝ 발언, 비평
ⓥ 1. (의견을) 언급하다 2. 알아채다

☐☐ 747 **accord** ⓝ 일치, 조화 ⓥ 일치하다, 화합하다

☐☐ 748 **interfere in** ~에 간섭하다, 개입하다

☐☐ 749 **keep up with** (사람·유행 등에) 뒤떨어지지 않게 따라가다

☐☐ 750 **break off** 1. ~와의 관계를 단절하다
2. (협상 등이) 결렬되다

☐☐ 751	**previous**	ⓐ 이전의, 앞의	
☐☐ 752	**prior**	ⓐ 이전의, 우선하는	
☐☐ 753	**decade**	ⓝ 10년간	
☐☐ 754	**biography**	ⓝ 전기, 일대기	
☐☐ 755	**devote**	ⓥ 바치다, 헌신하다	
☐☐ 756	**faith**	ⓝ 신념, 믿음	
☐☐ 757	**minority**	ⓝ 소수, 소수 민족	
☐☐ 758	**mummy**	ⓝ 미라	
☐☐ 759	**remains**	ⓝ 1. 유해, 유골 2. 나머지	
☐☐ 760	**rid**	ⓥ 1. 제거하다 2. 자유롭게 하다	
☐☐ 761	**origin**	ⓝ 1. 기원, 유래 2. 태생	
☐☐ 762	**civilization**	ⓝ 문명, 문화	
☐☐ 763	**revolution**	ⓝ 혁명, 변혁	
☐☐ 764	**royal**	ⓐ 왕의, 왕실의	
☐☐ 765	**heritage**	ⓝ 유산, 전통	

□□ 766	**missionary**	ⓝ 선교사, 전도사
□□ 767	**sermon**	ⓝ 설교, 교훈
□□ 768	**settle**	ⓥ 1. 정착하다 2. 해결하다
□□ 769	**replace**	ⓥ 대신하다, 대체하다
□□ 770	**signify**	ⓥ 의미하다, 나타내다
□□ 771	**conserve**	ⓥ 보존하다
□□ 772	**evaluate**	ⓥ 평가하다
□□ 773	**descend**	ⓥ 계통을 잇다, 내려가다
□□ 774	**disappear**	ⓥ 사라지다
□□ 775	**sequence**	ⓝ 순서, 연속
□□ 776	**gradual**	ⓐ 점차적인, 단계적인
□□ 777	**sacred**	ⓐ 신성한, 성스러운, 종교적인
□□ 778	**break out**	(화재·전쟁 등이) 발생하다, 발발하다
□□ 779	**derive from**	~에서 유래하다, 파생하다
□□ 780	**hand down**	~을 전하다, 후세에 물려주다

Science

□□ 781	**biology**	⑪ 생물학
□□ 782	**chemistry**	⑪ 화학
□□ 783	**element**	⑪ 1. 요소, 성분 2. 원소
□□ 784	**acid**	⑪ 〈화학〉 산 ⓐ 산(성)의, 신맛의
□□ 785	**storage**	⑪ 저장, 저장소
□□ 786	**steam**	⑪ 증기
□□ 787	**gene**	⑪ 유전자
□□ 788	**mammal**	⑪ 포유동물
□□ 789	**melt**	ⓥ 녹다, 녹이다 ⑪ 용해
□□ 790	**cell**	⑪ 1. 세포 2. 작은 방, 독방
□□ 791	**microscope**	⑪ 현미경
□□ 792	**reproduce**	ⓥ 1. 번식하다 2. 재생[재현]하다 3. 복제하다
□□ 793	**evolution**	⑪ 진화
□□ 794	**extinct**	ⓐ 1. 멸종된, 사라진 2. 활동을 멈춘
□□ 795	**clone**	ⓥ 복제하다 ⑪ 복제 생물

□□ 796	**identical**	ⓐ 동일한
□□ 797	**animate**	ⓐ 살아 있는, 생물인
□□ 798	**carbon**	ⓝ 탄소
□□ 799	**mixture**	ⓝ 혼합물, 혼합
□□ 800	**substance**	ⓝ 물질
□□ 801	**liquid**	ⓝ 액체 ⓐ 액체의
□□ 802	**filter**	ⓥ 거르다, 여과하다 ⓝ 여과 장치
□□ 803	**absorb**	ⓥ 1. 흡수하다 2. 열중시키다
□□ 804	**toxlc**	ⓐ 유독한
□□ 805	**ray**	ⓝ 빛, 광선
□□ 806	**compound**	ⓝ 화합물; 혼합[복합/합성]물
□□ 807	**detach**	ⓥ 떼어 놓다, 분리하다
□□ 808	**turn A into B**	A를 B로 바꾸다[변하게 하다]
□□ 809	**tell from**	~을 구별[구분]하다
□□ 810	**give off**	(냄새·열·빛 등을) 내다, 방출하다, 발산하다

☐☐ 811	**temperature**	ⓝ 온도, 기온
☐☐ 812	**forecast**	ⓝ 예보 ⓥ 예상하다, 예보하다
☐☐ 813	**climate**	ⓝ 기후
☐☐ 814	**rubber**	ⓝ 고무 ⓐ 고무의
☐☐ 815	**severe**	ⓐ 1. 극심한, 심각한 2. 가혹한 3. 위험한
☐☐ 816	**resource**	ⓝ 자원, 재원
☐☐ 817	**spark**	ⓥ 도화선이 되다, 불꽃을 튀기다 ⓝ 불꽃
☐☐ 818	**Arctic**	ⓝ 북극 지방 ⓐ 북극의
☐☐ 819	**depth**	ⓝ 1. 심해 2. 깊이, 난해함
☐☐ 820	**shield**	ⓥ 보호하다 ⓝ 방패, 보호
☐☐ 821	**wildlife**	ⓝ 야생 생물
☐☐ 822	**disaster**	ⓝ 재난, 재해, 재앙
☐☐ 823	**occur**	ⓥ 1. 발생하다, 일어나다 2. 떠오르다(to)
☐☐ 824	**Atlantic**	ⓝ 대서양 ⓐ 대서양의
☐☐ 825	**canyon**	ⓝ 협곡

□□ 826	**swamp**	ⓝ 늪 ⓥ 늪에 빠져들다, 물에 잠기게 하다
□□ 827	**moisture**	ⓝ 수분, 습기
□□ 828	**reflect**	ⓥ 1. 반사하다 2. 반영하다 3. 심사숙고하다
□□ 829	**Celsius**	ⓝ 섭씨
□□ 830	**thermometer**	ⓝ 온도계
□□ 831	**destructive**	ⓐ 파괴적인, 해로운
□□ 832	**wreck**	ⓝ 난파, 잔해 ⓥ 난파하다, 파괴하다
□□ 833	**peak**	ⓝ 1. 정상, 봉우리 2. 절정 ⓐ 최고의
□□ 834	**erupt**	ⓥ 1. 폭발하다, 분출하다 2. (감정을) 분출하다
□□ 835	**eject**	ⓥ 1. 내뿜다, 배출하다 2. 쫓아내다, 추방하다
□□ 836	**purify**	ⓥ 정화하다, 정제하다
□□ 837	**surround**	ⓥ 둘러싸다, 포위하다
□□ 838	**wash away**	~을 쓸어 가다[유실되게 하다]
□□ 839	**wipe out**	~을 완전히 파괴하다[없애 버리다]
□□ 840	**use up**	1. 다 써 버리다 2. 소비하다, 소모하다

□□ 841	**astronaut**	ⓝ 우주 비행사
□□ 842	**solar**	ⓐ 태양의
□□ 843	**remote**	ⓐ 1. 먼 2. 외진
□□ 844	**benefit**	ⓝ 이익
□□ 845	**efficiency**	ⓝ 효율, 능률
□□ 846	**enable**	ⓥ 할 수 있게 하다, 가능하게 하다
□□ 847	**discover**	ⓥ 발견하다
□□ 848	**observe**	ⓥ 1. 관찰하다 2. (규칙 등을) 따르다, 준수하다
□□ 849	**digital**	ⓐ 디지털의
□□ 850	**shuttle**	ⓝ 우주 왕복선 ⓥ 왕복하다
□□ 851	**astronomer**	ⓝ 천문학자
□□ 852	**orbit**	ⓝ 궤도
□□ 853	**galaxy**	ⓝ 은하, 은하계
□□ 854	**rotate**	ⓥ 1. 회전하다[시키다] 2. 교대하다
□□ 855	**satellite**	ⓝ 위성, 인공위성

☐☐ 856	**launch**	ⓥ 1. 발사하다, 쏘아 올리다 2. 출시하다
☐☐ 857	**lunar**	ⓐ 달의
☐☐ 858	**electronic**	ⓐ 전자의
☐☐ 859	**eclipse**	ⓝ (해·달의) 식(蝕) ⓥ 무색하게[빛을 잃게] 하다
☐☐ 860	**gravity**	ⓝ 중력
☐☐ 861	**automatic**	ⓐ 자동의
☐☐ 862	**device**	ⓝ 도구, 장치
☐☐ 863	**manual**	ⓐ 손의, 수동의 ⓝ 안내서
☐☐ 864	**accurate**	ⓐ 정확한
☐☐ 865	**analyze**	ⓥ 분석하다, 분해하다
☐☐ 866	**adjust**	ⓥ 1. 조절하다, 조정하다 2. 적응하다
☐☐ 867	**accelerate**	ⓥ 가속하다
☐☐ 868	**bring about**	~을 불러일으키다[초래하다]
☐☐ 869	**sort out**	~을 분류하다[선별하다]
☐☐ 870	**substitute for**	~을 대신하다, 대리하다

☐☐ 871 **online**   ⓐ 온라인의, 인터넷의 ⓐⓓ 온라인으로

☐☐ 872 **database**   ⓝ 데이터베이스(관련 데이터를 축적하여 이용할 수 있게 한 것)

☐☐ 873 **capture**   ⓥ (이미지 등을) 포착하다, 붙잡다

☐☐ 874 **tool**   ⓝ 1. (컴퓨터) 도구, 툴 2. 도구, 연장

☐☐ 875 **junk**   ⓝ 폐물, 고물

☐☐ 876 **delete**   ⓥ 삭제하다

☐☐ 877 **communicate**   ⓥ 의사소통하다, 통신하다

☐☐ 878 **browse**   ⓥ 검색하다, 열람하다

☐☐ 879 **link**   ⓝ 링크, 연결 ⓥ 연결하다

☐☐ 880 **oral**   ⓐ 구두의, 구술의

☐☐ 881 **edit**   ⓥ 1. 편집하다 2. 교정하다

☐☐ 882 **warn**   ⓥ 경고하다, 주의를 주다

☐☐ 883 **dot**   ⓝ (인터넷의) 닷, 점(웹사이트와 이메일 주소 사이에 찍는 점)

☐☐ 884 **visual**   ⓐ 시각의, 눈에 보이는

☐☐ 885 **profile**   ⓝ 프로필, 인물 소개

□□ 886	**access**	ⓝ 접근, 접근 방법 ⓥ 1. 접근하다 2. 입수하다, 이용하다
□□ 887	**circulate**	ⓥ 보급시키다, 유포하다
□□ 888	**activate**	ⓥ 활성화하다
□□ 889	**surf**	ⓥ 1. (인터넷상의) 정보를 찾아다니다 2. 파도타기를 하다
□□ 890	**request**	ⓝ 요청, 요구 ⓥ 요청하다
□□ 891	**interrupt**	ⓥ 방해하다, 중단하다
□□ 892	**pause**	ⓝ 중단 ⓥ 잠시 멈추다
□□ 893	**response**	ⓝ 응답, 반응
□□ 894	**debate**	ⓝ 토론, 토의 ⓥ 토론하다
□□ 895	**illogical**	ⓐ 비논리적인, 불합리한
□□ 896	**hesitate**	ⓥ 주저하다, 망설이다
□□ 897	**suppose**	ⓥ 1. 가정하다, 상상하다 2. ~라고 생각하다
□□ 898	**combine**	ⓥ 결합시키다
□□ 899	**keep in touch with**	1. ~와 접촉[연락]을 유지하다 2. 계속 접하다[알다]
□□ 900	**cut in**	남의 대화에 끼어들다, 남의 말을 자르다

MEMO

MEMO

MEMO

MEMO

MEMO

MEMO

MEMO